Lars Hartman

„Auf den Namen des Herrn Jesus"

Stuttgarter Bibelstudien 148

Herausgegeben von
Helmut Merklein und Erich Zenger

Lars Hartman

„Auf den Namen des Herrn Jesus"

Die Taufe in den neutestamentlichen Schriften

Verlag Katholisches Bibelwerk
Stuttgart

Die Deutsche Bibliothek – CIP-Einheitsaufnahme

Hartman, Lars:
Auf den Namen des Herrn Jesus: die Taufe
in den neutestamentlichen Schriften / Lars Hartman. –
Stuttgart: Verl. Kath. Bibelwerk, 1992
    (Stuttgarter Bibelstudien; 148)
    ISBN 3-460-04481-0
NE: GT

Inhaltsverzeichnis

Vorwort

Die vorliegende Arbeit hat eine Vorgeschichte, und es ist hier am Platz, ein paar Züge hervorzuheben. Nachdem ich in einigen Aufsätzen gewisse Fragen und Probleme bezüglich der Taufe in den neutestamentlichen Schriften behandelt hatte, schrieb ich für den 26. Band von „Aufstieg und Niedergang der römischen Welt" einen recht umfangreichen Artikel über dieses Thema, dessen Veröffentlichung – nach gewissen Verspätungen – für Ende 1991 vorgesehen war. Das hier vorgelegte Buch stützt sich auf diesen ANRW-Beitrag, ist aber nicht nur eine Bearbeitung davon. In der relativ kurzen Zeit, die seit seinem Abschluß vergangen ist, habe ich meine Position nicht geändert, der Text dieser Arbeit ist jedoch neu. Vor allem unterscheidet sich die folgende Darstellung von der des Artikels darin, daß hier der Exegese der einzelnen Texte erheblich mehr Raum gegeben wird. Der Text wurde deshalb doppelt so lang. Die Hinweise auf die Forschung sind jedoch wesentlich spärlicher im Text und in den Fußnoten.

Der Leser – der Fachexeget wie auch der gewöhnliche Bibelleser – wird vermutlich hin und wieder finden, daß nicht alle auf einen Text oder seine Probleme bezogenen Fragen und Aspekte behandelt worden sind. Aber Konzentration war erforderlich, und ich wollte sie mit einem gewissen Grad von Allgemeinverständlichkeit vereinen. Ich habe auch keine Folgerungen für das kirchliche Denken oder Handeln diskutiert. Für ein Mitglied der Schwedischen Kirche, in der man das Verhältnis zwischen der Taufe und der Zugehörigkeit zur Kirche in einer von der übrigen Christenheit abweichenden Weise zu betrachten tendiert, mag es aber von Bedeutung sein, noch einmal die ältesten und damit irgendwie verpflichtenden Traditionen näher anzusehen – vielleicht auch für andere.

Lars Hartman

Einleitung

1. Ein früher Text

Kaum fünfundzwanzig Jahre nach dem Tode Jesu schreibt Paulus an die
Christen in Galatien:

> Ihr seid alle durch den Glauben Söhne Gottes in Christus Jesus. Denn ihr alle, die
> ihr auf Christus getauft seid, habt Christus angezogen. So gibt es nicht Juden oder
> Griechen, nicht Sklaven oder Freie, nicht Mann und Frau. Denn ihr seid einer in
> Christus Jesus.
> (Gal 3,26–28)

Dieser Text ist einer der ältesten die Taufe behandelnden Texte des Neuen
Testaments. (Möglicherweise könnte man den 1 Kor – mit 1,13ff – und
vielleicht auch den 2 Kor für einige Monate älter halten. Aber jedenfalls
befinden wir uns für die drei Briefe in der Zeit um das Jahr 55.) Wir werden
später den Text des Galaterbriefes eingehender erörtern, aber hier kann er
uns am Anfang einige Fragen und Perspektiven andeuten, denen wir in
unterschiedlicher Weise im folgenden begegnen werden.

Erstens das bloße Faktum der Taufe: Paulus nimmt sie für etwas Selbstverständliches, und in dieser Hinsicht ist er bei weitem nicht allein unter den
neutestamentlichen Verfassern. Aber wie original ist dieser Ritus, und wie
kam es dazu, daß die ersten Christen ihn auszuüben anfingen?

Ferner schreibt Paulus, daß man „auf (εἰς) Christus" getauft ist. Heutige
Leser sind vielleicht soweit daran gewöhnt, daß biblische Verfasser die
Präpositionen ein wenig eigentümlich gebrauchen („im Geist" z. B.), daß
der Ausdruck sie eigentlich nicht verwirrt. Aber die gewöhnliche, „profane" Bedeutung des griechischen Wortes für „taufen" (βαπτίζειν) ist
„tauchen", „senken", und so kann man also etwas in (εἰς) etwas (z. B. ins
Meer[1]) „tauchen". Aber „taufen auf Christus" = „in den Christus tauchen"
klingt im Grunde befremdend.

Unsere nächste Frage an den Gal-Text liegt nahe: Paulus scheint der
Ansicht zu sein, daß die Taufe zu einem besonderen Verhältnis zwischen
dem Getauften und Christus führt. Hier wird es so ausgedrückt, daß der
Täufling Christus als Gewand anlegte, und die Folge scheint zu sein, daß er
dieser Taufe wegen irgendwie Christus zugehörte oder sein Eigentum war.
Was bedeutet es, wenn ein Ritus einen derartigen Inhalt bekommt?

Auch die Art und Weise, in der im obigen Gal-Text die Taufe eingeführt
wird, kann den Leser etwas befremden. Wer in Paulus besonders den
Apostel des Glaubens sieht, fühlt sich mit dem ersten Satz des Zitats völlig

---

[1] Z. B. *Plutarchos*, Moralia (Superstit.) 166A.

vertraut: „Ihr seid alle durch den Glauben Söhne Gottes." Aber es kann ihn etwas überraschen, wenn Paulus dann diesen Satz erklärt, indem er fortfährt: „Denn ihr alle, die ihr auf Christus getauft seid, habt Christus angezogen." Etwas, was in der Taufe stattfand, ist also der Grund dafür, daß die Galater etwas, d. h. Söhne Gottes, durch ihren Glauben sind!

Die angeführten Zeilen aus dem Gal gehören zu einer in ihren Einzelheiten relativ komplizierten Auseinandersetzung, in der Paulus nachweisen will, daß die Zeit des alttestamentlichen Gesetzes vorbei ist, so daß die Galater, die früheren Heiden, nicht beschnitten werden müssen. Aber die Beschneidung wurde gerade vom Gesetz (Gen 17,10–14; Lev 12,3) geboten. Darum ist es von Bedeutung, daß Paulus auch als eine Folge der Taufe angibt: „So gibt es nicht Juden oder Griechen ... Denn ihr alle seid einer in Christus Jesus." Also nimmt Paulus an, daß die Taufe den Täufling in eine größere Gruppe hineinversetzt, die „einer in Christus" ist und in der religiös und sozial bedingte Unterschiede aufgehoben sind. Im folgenden werden wir mehrmals durch unsere Texte veranlaßt werden, derartige „kirchliche" Folgerungen der Taufe anzuschneiden.

Schließlich ist darauf hinzuweisen, an welcher Stelle des Gedankengangs Paulus die Taufe einführt. Er will zeigen, daß Gottes Verheißungen für Abraham auch für die Galater gelten und daß dies durch das eine neue Epoche schaffende Erscheinen Christi ermöglicht worden ist. Die älteren Verhältnisse werden so gekennzeichnet: „Das Gesetz war ein Zuchtmeister bis zum Kommen Christi" (3,24). Jetzt aber „stehen wir nicht mehr unter einem Zuchtmeister" (3,25). Der Grund dafür, daß dies für „uns" gültig ist, ist der oben angeführte: „alle seid ihr Söhne Gottes, ... denn ihr wurdet getauft ..." Die Taufe hat also, so meint offenbar der Apostel, ihren Platz in diesem Epochenwechsel und wird, mit anderen Worten, in einer eschatologischen Perspektive gesehen.

Die Vorstellungen und Perspektiven, die hier mit einem der ältesten, die Taufe erwähnenden, neutestamentlichen Texte verbunden werden, stellen uns vor die Frage: Wie verhalten sich diese Motive zueinander, und wie weit können sie gegen den Hintergrund und die Vorgeschichte der christlichen Taufe, soweit wir sie rekonstruieren können, verstanden werden? Zur Beantwortung dieser Frage ist es notwendig, das Verständnis der Taufe vor Paulus und Gal zu untersuchen, um dann zur paulinischen Zeit und zu anderen neutestamentlichen Texten zurückzukehren.

Schon jetzt möchten wir daran erinnern, daß wir nirgends im Neuen Testament einen Text finden, dem wir die Überschrift „Über die Taufe" oder ähnlich geben könnten. Gewiß wird die Taufe hin und wieder erwähnt, und in einigen Fällen hält sich der Verfasser eine Weile dabei auf, aber sie wird als etwas Selbstverständliches genannt, und er braucht seine Leser nicht darüber zu unterweisen. Diese Tatsache ermöglicht es wiederum, daß die Taufe oder besser gesagt: Vorstellungen von ihrer Bedeutung als Argumente in einer Diskussion verwendet werden können, wie es in dem oben erwähnten Abschnitt des Galaterbriefes der Fall ist.

2. Taufe als Ritus

Das Urchristentum war keine isolierte Insel im Meer der Religionen der Alten Welt. Dasselbe gilt für ihre jüdische Mutterreligion. So waren auch in dieser Zeit Kulthandlungen üblich, in denen man Wasser auf jemanden oder etwas sprengte, jemanden oder etwas spülte oder badete. Dies gilt sowohl fürs Judentum als auch für andere „heidnische" Religionen.[2] Meistens wird den erwähnten Riten der Sinn zugemessen, sie reinigten den Besprengten oder den Gebadeten, bzw. das Besprengte oder Gebadete,[3] und zwar von etwas im religiösen Sinn Schmutzigem. Der „Schmutz" kann somit Sünde sein, so beispielsweise in der Taufe des Johannes des Täufers „zur Vergebung der Sünden", oder er kann etwas Verbotenes oder sonst Verunreinigendes sein wie das Berühren von unreinen Tieren (Lev 11), oder daß man von Aussatz betroffen ist (Lev 13f). Der „Schmutz" ist nicht immer etwas Verbotenes oder etwas Bedrohliches: eine Gebärende soll nach der Geburt gereinigt werden (Lev 12), und bevor ein Priester den heiligen Dienst verrichten kann, muß er sich reinigen, denn er soll die gewöhnliche, profane Welt hinter sich lassen (wie in Lev 16,4); aber er muß sich auch nach dem Dienst reinigen, um sozusagen im heiligen Raum die Heiligkeit-Ansteckung zurückzulassen, mit der er sich während des Dienstes „infiziert" hat (Lev 16,24).

Die Beispiele des vorhergehenden Abschnitts sind alle der Bibel entnommen. Selbstverständlich hatten die alttestamentlichen Regeln von Waschungen, Bädern und so weiter auch in der neutestamentlichen Zeit ihre Gültigkeit, und die Schriftgelehrten erörterten sorgfältig die Fragen, wie sie angewandt werden sollten. Eine ganze Reihe von Traktaten in der Mischna wird diesem Thema gewidmet, und zwar die Taharoth (= „die Reinigungen"). Die Qumrangemeinde hat sich auch an die biblischen Regeln gehalten – sie beachtete sie sogar genauer als die meisten –, und sie schrieb ihren Mitgliedern auch andere Reinigungen vor.[4] Josephus beschreibt die Essener seiner Zeit in dieser Weise:[5]

---

[2] *Leipoldt*, Die urchristliche Taufe; *Rudolph*, Antike Baptisten; *Thomas*, Le mouvement baptiste.

[3] *Ratschow*, RGG VI 1549.

[4] CD X.10–13; 1 QM XIV.2–3; 1 QS III.4–5; V.13. S. *Thiering*, Inner and Outer Cleansing und *ders.*, Qumran Initiation.

[5] Ich brauche nicht hier auf die Diskussion einzugehen, inwieweit die von Josephus

(129) ... Wenn sie bis zur fünften Stunde angespannt gearbeitet haben, sammeln sie sich ... und waschen den Leib mit kaltem Wasser ...
(149) ... Obwohl die Ausscheidung der Exkremente etwas Natürliches ist, haben sie den Brauch, sich danach zu waschen, als wenn sie sich verunreinigt hätten.
(150) ... So sehr stehen die später Eingetretenen den früher Eingetretenen nach, daß diese, wenn sie die erstgenannten berührt haben, sich waschen, wie wenn sie mit einem Fremden zusammengekommen wären.[5]

Josephus selbst war kein Essener, aber in seiner Autobiographie erzählt er, wie er drei Jahre seiner Jugend mit einem gewissen Bannos zugebracht hat, der in der Wüste ein streng asketisches Leben führte und dabei „wegen der Reinheit Tag und Nacht sich oft in kaltem Wasser badete".[6] Dieser Bannos könnte als ein entfernter geistiger Verwandter von Johannes dem Täufer angesehen werden – auf ihn werden wir später zurückkommen. Wenn auch die Zeugnisse spärlich sind, scheint es zu dieser Zeit auch andere Täuferbewegungen gegeben zu haben.[7] Wahrscheinlich können wir eine solche hinter dem folgenden Zitat aus den Sibyllinischen Orakeln erahnen:[8]

Ihr arme Sterbliche, ändert dies und reizt nicht den großen Gott zu mannigfachem Zorn, sondern verlaßt Schwerter und Jammer, Mord und Frevel, und badet eueren ganzen Leib in immerfließenden Flüssen. Streckt euere Hände zum Himmel und fleht um Vergebung für die früheren Taten ...

Wahrscheinlich sind Johannes der Täufer und seine Nachfolger von großer Bedeutung für die Mandäer gewesen, die sicher einer späteren Zeit angehören, sich aber häufig auf Johannes beziehen. Im Mandäismus spielen auch Taufriten eine große Rolle,[9] und somit ist er noch Zeuge von Täuferbewegungen, von denen wir gerade andere Beispiele gesehen haben.
Unter jüdischen und jüdisch inspirierten Wasserriten soll auch die Proselytentaufe erwähnt werden. Der sich zum Judentum bekehrende Heide

---

beschriebenen Essener mit der Qumrangemeinde identisch sind. Jedoch wird wohl mit Recht die Qumrangemeinde zu den Essenern gerechnet. So lassen sich auch die Spannungen zwischen den Qumrantexten auf der einen Seite und den Texten von Josephus (und Philo und Plinius) auf der anderen erklären. S. *Schürer*, History II 583f.
[5] De bello judaico II.
[6] Vita 11.
[7] *Thomas*, Le mouvement baptiste.
[8] Or. Sib. IV.162–167. Der Text stammt ungefähr aus dem Jahre 80 n. Chr. *Reitzenstein*, Vorgeschichte der christlichen Taufe 235ff versteht ihn in der obigen Weise. In *Schürer*, History III/1 174, wird er so verstanden, als deutete er auf die Proselytentaufe.
[9] S. *Widengren*, Einleitung.

mußte gebadet werden und ein Opfer darbringen; ein Mann mußte auch vorher beschnitten werden. Die Proselytentaufe hat sich während des ersten nachchristlichen Jahrhunderts durchgesetzt, wenn auch der genaue Zeitpunkt diskutiert wird.[11] Aber auch andere Religionen im Mittelmeergebiet haben Wasserriten angewendet. Von einem Schritt in seiner Initiation in die Isis-Mysterien erzählt Apuleius:

> Der Priester ... sollte mich, von der Schar der Frommen umgeben, zum nächsten Bad führen, und nachdem ich zunächst ein gewöhnliches Bad genommen hatte und er um Gnade der Götter gebetet hatte, reinigte er mich völlig, mich ringsum mit Wasser besprengend.[12]

Der Apuleius-Text beschreibt also ein Element einer Initiation, die einen Schritt von einer Phase des Lebens zu einer anderen bedeutet. Im Falle des Apuleius hat er den Schritt in die unter dem besonderen Schutz der Göttin stehende Schar der Isis-Anhänger gewählt. Derartige Riten, oft „rites de passage"[13] genannt, kommen bei Übergängen vor, wie beim Eintritt ins Erwachsenenalter, bei der Eheschließung, oder bei der Aufnahme in eine Gruppe, zum Beispiel in eine Religionsgemeinschaft.[14] In diesem Zusammenhang wird gern das Zurückgelassene in negativen Ausdrücken beschrieben, zum Beispiel als Tod, Chaos, Finsternis oder Elend. Diesen werden die Werte der neuen Lebensphase gegenübergestellt: sie repräsentieren Neugeburt, Leben, Licht, Heil und so weiter.[15] Wasser- und Reinigungsriten bekommen in diesen Zusammenhängen einen neuen spezifischen Inhalt. Das geschieht zum Beispiel im alten katholischen Taufritus, wenn der Priester im Zusammenhang des Exorzismus bittet: „Wir bitten dich, Herr, führe ihn (den Täufling) zum Bad der neuen Geburt, damit er mit deinen Gläubigen gewürdigt werde, die ewigen Belohnungen deiner Verheißungen zu erreichen."[16] Hier gibt das Gebet ein paar Hinweise über die Bedeutung des zu verrichtenden Wasserritus.

Obschon es äußerst gewöhnlich ist, daß ein Wasserritus als Reinigung verstanden wird, wird ihm also ein präziserer Sinn von dem den Ritus umgebenden Ritual oder von einem noch weiteren Zusammenhang gege-

---

[11] *Kuhn – Stegemann*, Proselyten; *Schürer*, a.a.O. 173f.

[12] Metamorphoses XI.23.1. Für andere Mysterien s. *Cumont*, Die Mysterien des Mithra 144; *Graf*, Eleusis 115, 127; *Reitzenstein*, Die hellenistischen Mysterienreligionen 20, 41, 143f.

[13] Der Ausdruck wurde von *van Gennep* (Rites) gemünzt.

[14] *Éliade*, Birth and Rebirth, bes. Kap. 6.

[15] *Éliade*, Traité d'Histoire des religions § 64; Sacred and Prophane 130–141, 184–196; *Widengren*, Religionsphänomenologie 218, 223ff, 385.

[16] Perduc eum, Domine quaesumus, ad novae regenerationis lavacrum, ut cum fidelibus tuis promissionum tuorum aeterna praemia consequi mereatur.

ben. Dies kann in der den Ritus umgebenden gottesdienstlichen Handlung oder in einem dem Ritus vorangehenden oder folgenden Unterricht geschehen.[17]

Diese Bedeutung des Kontextes kann mit zwei weiteren, einfachen Beispielen beleuchtet werden. Gemäß Vita Adae et Evae 6–17 wollen Adam und Eva, die unter schwerem Hunger leiden, Buße tun, damit Gott sich ihrer erbarme und ihnen etwas zu essen gebe. Um Buße zu tun, stellen sie sich bis zum Hals ins Wasser, Adam 40 Tage in den Jordan und Eva 37 Tage in den Tigris. Buße heißt hier ausdrücklich eine Anstrengung, die man fast nicht tragen kann (5–6), aber die als solche vielleicht Gott besänftigen kann. Gewiß handelt es sich hier um einen Wasserritus, aber seine Bedeutung ist kaum, daß er reinige, sondern vielmehr, daß er, als eine freiwillig aufgenommene harte Askese, Gott zu Milde bewege.

Ganz anders verhält es sich mit der jüdischen Proselytentaufe. Auch dort wird man bis zum Hals ins Wasser getaucht, aber sie stellt offenbar eine Reinigung des an sich levitisch unreinen Heiden dar, und sie ist ein deutlicher Grenzpunkt zwischen zwei grundlegend verschiedenen Lebensformen. Im Verlauf des Ritus werden dem Proselyten nämlich leichte und schwere Toragebote vorgelesen, so daß ihm klar wird, daß er, nachdem er aus dem Tauchbad herausgestiegen ist, als Mitglied des Bundesvolkes verpflichtet ist, der Tora Gehorsam zu leisten. Sowohl vor der vorangehenden Beschneidung als auch vor dem Bad ist er zudem in den Torageboten unterrichtet worden.[18]

Nach dieser ersten Orientierung über den Problemkreis der christlichen Taufe und über die allgemeinen religiösen Phänomene, denen sie zuzuordnen ist, wenden wir uns einem näheren Studium ihrer Vorgeschichte zu.

---

[17] *Éliade*, Birth and Rebirth 110ff; *Goldammer*, Formenwelt 235–239, 360f, 390ff.
[18] S. das Material in *Billerbeck*, Kommentar I 102–111.

I. Die Taufe Johannes des Täufers

1. Johannes der Täufer und seine Taufe

Wenn wir nun in diesem Abschnitt Johannes den Täufer und seine Taufe behandeln, so deshalb, weil vieles dafür spricht, daß gerade die Johannestaufe von den ersten Christen aufgenommen und zu einem christlichen Ritus umgewandelt wurde. Eine solche Meinung ist in der heutigen neutestamentlichen Wissenschaft keineswegs originell, im Gegenteil.[1] Wenn wir also später der Frage nach Hintergrund und Ursprung der christlichen Taufe nachgehen, ist es somit ratsam, Johannes und seine Taufe erörtert zu haben.

Das, was wir von Johannes dem Täufer wissen, stammt von den neutestamentlichen Evangelien und dem jüdischen Geschichtsschreiber Josephus.[2] Aber diese Quellen sind nicht einfach zu erschließen. Josephus gibt uns nur eine einzige Angabe, in welcher er versucht, kurz einem nicht-jüdischen Leserkreis zu erklären, wie ein äußerer Reinigungsritus wie die Johannestaufe mit etwas Innerem, Geistlichem, also Umkehr, Vergebung und Gerechtigkeit, verbunden werden konnte. In den Evangelien wird uns manches vom Täufer und seiner Wirksamkeit erzählt, aber ihr Zeugnis ist durchaus von christlichen Deutungen und Umdeutungen gefärbt. Am Ende des Kapitels werden wir diese Deutungen eingehender behandeln.

Johannes, seine Verkündigung und seine Taufe waren etwas ganz Einzigartiges, wie die angeführten Quellen zeigen. Trotzdem hat er einen natürlichen Platz in der religiösen Situation in Palästina zu Beginn unserer Zeitrechnung, und er war in all seiner Originalität ein Kind seiner Zeit. Diese Situation war unter anderem dadurch charakterisiert, daß die jüdische Religiosität seit ein paar Jahrhunderten unter dem Druck der kulturellen und politischen Großmächte stand. Der sogenannte Hellenismus, die Kultur, die während des vierten Jahrhunderts vor Christus mit den Eroberungen von Alexander dem Großen sich im Osten auszubreiten anfing, prägte auch die jüdische Gesellschaft. Aber gleichzeitig wehrten sich die

---

[1] Z. B. *Barth*, Taufe 37ff; *Delling*, Taufe 55; *Dinkler*, RGG III 628; *Lohfink*, Ursprung 42f.

[2] *Josephus*, Antiquitates 18.116–119. Die zentrale Stelle lautet: „Johannes den Täufer ... hatte Herodes hinrichten lassen, obwohl er ein edler Mann war, der die Juden ermahnte, Tugend auszuüben: Gerechtigkeit gegen einander und Frömmigkeit gegen Gott, und so zur Taufe zu kommen. Denn so würde auch die Taufe Gott angenehm sein. Sie sollten sie nicht anwenden, um Vergebung gewisser Sünden zu bekommen, sondern um den Leib zu heiligen und zu reinigen, da nämlich die Seele vorher durch Gerechtigkeit gereinigt worden war."

Juden, oder, sagen wir besser: bedeutende und die die Geschichte prägende Kreise des Volkes, und wollten sich auf verschiedene Weise als *das* Volk Gottes behaupten. Markante Züge dieses dramatischen Prozesses waren unter anderem mehrere prophetische und eschatologische Strömungen (einige möchten sie apokalyptisch nennen[3]). Unter ihnen ist die Qumrangemeinde schon erwähnt worden, und sie soll in diesem Licht verstanden werden. Ihre Mitglieder „gingen in die Wüste hinaus, um dort den Weg des Herrn zu bereiten" (hier wird auf Jes 40,3 angespielt),[4] und sie meinten, daß sie an der Erfüllung dieses eine bevorstehende Heilszeit weissagenden Textes teilnahmen.

Mehrere Texte aus anderen Kreisen des Judentums sind erhalten, in denen direkt oder indirekt die bedrückten Frommen ermahnt werden: Haltet aus in Treue im Bund, den Gott mit euren Vätern geschlossen hat; einmal wird sicher der Herr die Treuen belohnen. Dann will er einen neuen Bund aufrichten, ja, bald wird er es tun; also müssen sich die Abtrünnigen bekehren, sonst wird sie der Untergang treffen. Es ist nicht schwer, in solchen Texten ein Echo vom Ringen der Verfasser mit den Problemen ihrer Zeit zu hören. Ihr Ringen findet unter ständigem und fleißigem Umgang mit den heiligen Schriften statt, und wer ein feines Ohr hat, hört leicht in den Wendungen der Texte vielfältige Nachklänge der Schrift, die so in einer indirekten Weise die Leser / Zuhörer ermahnen, warnen und trösten darf.

Einige Beispiele aus solchen jüdischen Texten können uns eine Vorstellung von der geistigen Umgebung vermitteln, in der Johannes auftrat. So erzählt Josephus von Propheten – selber nennt er sie Betrüger, denn er kennt ja den Ausgang! –, die „die Menge überredeten, ihnen in die Wüste zu folgen, wo sie mit Gottes Hilfe offenbare Zeichen und Wunder zeigen würden".[5]

In einigen Texten ist von einer Reinigung des Volkes in der Heilszeit die

---

[3] Der Ausdruck wird auf viele Weisen gebraucht. Gewöhnlich steht er für Vorstellungen von „der letzten Zeit", welche große Katastrophen, kosmische Phänomene usw. beschreiben, die mit Gottes Eingreifen, seinem Gericht usw. zusammenhängen. Dazu nimmt die wissenschaftliche Tradition gewöhnlich an, daß diese „apokalyptischen" Ideen mit Berechnungen von Epochen und von der Zeit des Endes verbunden seien, was mit einer deterministischen Auffassung der Geschichte zusammenhänge. Die „Apokalyptiker" seien auch gemäß derselben Tradition pessimistisch in ihrer Weise, die Gegenwart zu betrachten. Da m. E. die Verwendung dieser Begriffe wie Apokalyptik, apokalyptisch usw. oft zu allzu einfachen Schlüssen vom Inhalt der Texte führen kann, wähle ich hier andere Termini.
[4] 1 QS VIII.13f.
[5] *Josephus*, Antiquitates 20.167 (vgl. Apg 5,36). Ähnliche Aufgaben von anderen solchen Gestalten in demselben Werk 20.97; 20.169 (Apg 21,38 scheint sich auf dieselbe Episode zu beziehen). Teilweise nimmt Josephus dieselben Ereignisse im Buche vom jüdischen Krieg auf: 2.259–263; 6.285f; 7.437f.

Rede. So steht in der Gemeinderegel der Qumrangemeinde folgendes (1 QS IV.19–23):

> Dann wird die Wahrheit der Welt für immer hervorkommen; denn sie hat sich dahingeschleppt auf den Wegen der Gotteslosigkeit unter der Herrschaft des Frevels bis zum (20) Zeitpunkt des bestimmten Gerichtes. Und dann wird Gott durch seine Wahrheit alle Werke des Menschen läutern und wird sich einige aus den Menschenkindern reinigen, indem er allen Geist des Frevels aus dem Innern (21) ihres Fleisches tilgt und sie reinigt durch heiligen Geist von allen gottlosen Taten. Und er wird über sie sprengen den Geist der Wahrheit wie Reinigungswasser (zur Reinigung) von allen Greueln der Lüge und dem Sich-Wälzen (22) in unsauberem Geist, um die Rechtschaffenen zu unterweisen in der Erkenntnis des Höchsten und der Wahrheit der Söhne des Himmels und klug zu machen, die vollkommen im Wandel sind. Denn sie hat Gott erwählt zum ewigen Bund, (23) und ihnen gehört alle Herrlichkeit des Menschen (oder: Adams). Und Frevel wird nicht mehr sein, zuschanden werden alle Werke des Frevels. Bis dahin kämpfen die Geister der Wahrheit und des Frevels im Herzen des Menschen.

Die Geschichte ist also auf dem Weg zu einer endgültigen Krise, wenn Gott die Bösen verurteilen wird, während die Erwählten gereinigt und mit dem Geist besprengt werden. Dies hängt damit zusammen, daß ihre Sünden vergeben werden („von allen gottlosen Taten … reinigen"). Wer die Bibel kennt, hört die Anklänge an Ez 36,22–32, einen Text, der von der kommenden Wiederherstellung Israels handelt:

> (24) … Ich sammle euch aus allen Ländern und bringe euch in euer Land. (25) Ich gieße reines Wasser über euch aus, dann werdet ihr rein. Ich reinige euch von aller Unreinheit und von allen euren Götzen. (26) Ich schenke euch ein neues Herz und lege einen neuen Geist in euch … Ich lege meinen Geist in euch und bewirke, daß ihr meinen Gesetzen folgt und auf meine Gebote achtet und sie erfüllt. (27) Dann werdet ihr in dem Land wohnen, das ich euren Vätern gab. Ihr werdet mein Volk sein, und ich werde euer Gott sein.

Die folgenden Zeilen aus dem Jubiläenbuch (1,22–25) drücken ähnliche Erwartungen vom Eingreifen Gottes aus:

> Der Herr sagte zu Moses: Ich kenne ihren Widerspruch und bösen Sinn und ihre Halsstarrigkeit (Dtn 31,27), und sie hören nicht, bis sie ihre Sünden und die ihrer Väter erkennen. (23) Dann werden sie zu mir umkehren in aller Aufrichtigkeit, mit ganzem Herzen und ganzer Seele. Und ich werde die Vorhaut ihrer Herzen beschneiden und die des Herzens ihrer Nachkommen. Und ich werde ihnen einen heiligen Geist schaffen und sie reinigen, so daß sie sich nicht mehr von diesem Tag bis in Ewigkeit von mir wenden. (24) Und ihre Seelen werden mir folgen und allen meinen Geboten, und sie werden meine Gebote erfüllen. Und ich werde ihr Vater sein, und sie werden meine Söhne sein. (25) Und sie werden alle Söhne des lebendigen Gottes heißen.

Vorstellungen und Hoffnungen, wie sie in diesen Zitaten zum Ausdruck kommen, finden Resonanz im Auftreten Johannes des Täufers. Daß in ihnen von einer Reinigung des Inneren gesprochen wird, bedeutet nicht, daß sie nicht etwas zum Hintergrund eines äußeren Reinigungsritus sagen könnten. Im Gegenteil, hier wird, wie so oft in der Welt der Religionen, äußerer Ritus und inneres „geistliches" Geschehen eng miteinander verbunden. Aber, wie gesagt, auch wenn wir seine Taufe und seine Verkündigung mit Vorstellungen und Erwartungen im damaligen Judentum verbinden können, stehen sie doch als etwas für ihn Typisches da.[6]

In seiner Predigt verlangte Johannes Umkehr. Das geht sowohl aus der knappen Notiz des Josephus als auch aus den Schilderungen der neutestamentlichen Verfasser (Mk 1,2–6 par; Mt 3,7–10 par) hervor. Das Verlangen nach Bekehrung war damaligen Juden an und für sich nichts Neues. Der Gedanke war ihnen von der Bibel her vertraut,[7] und ein Rabbiner aus neutestamentlicher Zeit, R. Eliezer ben Hyrkanos, sagte einmal: „Wenn die Israeliten nicht Buße tun, so werden sie in Ewigkeit nicht erlöst werden, wie es geschrieben steht: durch Umkehr und Ruhigbleiben wird euch Rettung werden (Jes 30,15)."[8] Umkehr in diesem Sinn des Wortes hieße, entschlossen den Dingen den Rücken zu kehren, die gegen Gottes Willen waren und denen nicht ziemten, die dem Bund Gottes angehörten. In mehreren Fällen im Judentum der römischen Kaiserzeit richtete sich die Forderung nach Umkehr gegen Tendenzen, mit unjüdischen Handlungsweisen oder unzureichendem Gehorsam gegen die Gebote Kompromisse zu schließen. Aber es ist falsch, deshalb zu glauben, daß es bei Forderungen auf eine starre, oberflächliche Gesetzesobservanz ohne tieferes, sittliches Engagement blieb.[9]

Johannes wandte sich mit seiner Bußpredigt an das ganze Volk. Der einzelne wurde zu einem bereitwilligen Gehorsam gegen den Gott Israels verpflichtet, und die schon von den alten Propheten angeführten sittlichen Forderungen für das Zusammenleben der Menschen wurden aus dem Munde dieses Wüstenpredigers erneut gehört. So wollte, wie es scheint, Johannes in der Wüste, dem Ort des Bundesschlusses, dem Herrn ein bereitetes Volk verschaffen (Lk 1,17; vgl. Mal 3,1; 4,5f).

Ein mit dem eben Gesagten eng verbundenes Motiv der johanneischen Botschaft war der Hinweis, daß „der Starke" oder „einer, der stärker ist als ich" „kommen" sollte (Mk 1,7 par). In der Debatte über diese Stelle gibt es verschiedene Erklärungen, wer mit dieser Bezeichnung gemeint sei. Hier wird angenommen, daß der Ausdruck für Gott selbst stand, „den Starken

---

[6] Das meinen auch Forscher, die der Ansicht sind, daß die Taufe des Johannes aus der Proselytentaufe stammte, wie *Lindeskog*, Johannes der Täufer 55–83.

[7] Z. B. Dtn 30,2.8ff; Ps 7,13; 51,15; Jes 10,21f; Mal 3,7. S. *Wolff*, Umkehr in der atl. Prophetie; *ders.*, Kerygma des dtn. Geschichtswerkes.

[8] p Taan 1.1 (63d) (*Billerbeck*, Kommentar I 162f).

[9] S. *Merklein*, EWNT II 1925.

Jakobs" (Gen 49,24; Ps 132,2; Jes 49,26).[10] Er sollte „kommen", verkündigte Johannes, und nahm damit einen üblichen, religiösen Ausdruck in den Mund, der gebraucht wird, wenn man von einem göttlichen Eingreifen in die Welt der Menschen spricht, bittet oder mit einem solchen droht. Einige biblische Beispiele sind: „Der Herr kommt, um die Erde zu richten" (Ps 98,9); kehre um, „sonst werde ich kommen und deinen Leuchter von seiner Stelle wegrücken" (Offb 2,5); „wann kommst du zu mir?" (Ps 101,2). Gemäß der Predigt des Täufers sollte Gott zum Gericht und zum Heil „kommen". Dies wurde mit dem Bild des Dreschens ausgedrückt: die, die nicht umgekehrt waren, wurden mit der nach dem Dreschen ins Feuer geworfenen Spreu verglichen (Mt 3,12 par), das heißt, der göttliche Zorn sollte sie treffen (Mt 3,7 par). Dann würde es nicht genug sein, sich auf die Abraham gegebenen göttlichen Bundesverheißungen zu berufen (Mt 3,9). Andererseits würden in dieser Krise die, die umgekehrt waren, dem Weizen gleich sein, der ausgeschieden und in der Scheune „gesammelt" werden sollte. So wurde auch nach vielen biblischen Texten vom endgültigen Eingreifen Gottes erwartet, daß er seine zerstreuten Kinder „sammeln" sollte (zum Beispiel Dtn 30,3; Jer 29,14; Ez 34,11f.24).

Nach Mt 3,11f hat Johannes seine Wassertaufe der Taufe gegenübergestellt, die der Kommende in Geist und Feuer spenden sollte.[11] Es dürfte keinem Zweifel unterliegen, daß in der Verkündigung des Täufers die Feuertaufe ein anderes Bild für das Gericht war,[12] es sei denn, daß sie für eine schmerzvolle Reinigung (wie in Mal 3,2, „er ist wie das Feuer im Schmelzofen") stand oder für ein Vernichtungsgericht, das auch mit dem Beispiel der verbrannten Spreu veranschaulicht wurde.

Wenn auch oft von der Kombination „heiliger Geist und Feuer" angenommen wird, sie gehe auf Johannes zurück,[13] sind die Meinungen unter den Auslegern geteilt, wenn es zur Frage kommt, wofür in der Täuferpredigt

---

[10] Als für Gott stehend fassen den Ausdruck *Hughes*, John the Baptist 218; *Lindeskog*, a.a.O. 64; *Thyen*, Sündenvergebung 137; *Vielhauer*, RGG III 805, als für den von Gott gesandten Menschensohn *Becker*, Johannes der Täufer 35ff; *Hoffmann*, Theologie der Logienquelle 29; *Neugebauer*, Davidssohnfrage 102f; *Pesch*, Mk I 84.

[11] In Mk 1,8 wird nur von einer Taufe „in heiligem Geist" gesprochen. Wahrscheinlich stellt Mk hier eine christliche Umdeutung dar. So u.a. *Barth*, Taufe 25; *Gnilka*, Mk I 48; *Pesch*, Mk I 84f.

[12] S. z.B. Dan 7,10; Offb 20,10; 4 Esra 13,10; Mech Ex 18,1. *Lang*, ThWNT VI 935f, 938f, 942–946.

[13] So z.B. *Barth*, a.a.O. 25. Daß Johannes nur von einer Feuertaufe gesprochen hat, meinen *Kraeling*, John the Baptist 60 und *Pesch*, a.a.O 85. Die Tatsache, daß die Kombination schon in der Redequelle schwer verständlich scheint, ist ein Grund anzunehmen, daß die Christen in diesem Fall besser überliefert als verstanden haben.

die Geistestaufe gestanden hat. Als ein den Sachverhalt beleuchtendes Beispiel könnte auf den Qumrantext verwiesen werden (1 QS IV.21), der oben angeführt wurde und gemäß dem die eschatologische Reinigung „durch heiligen Geist" stattfindet. Falls dies eine gültige Analogie darstellt, stehen die Taufe in Feuer und die in Geist beide für die bevorstehende göttliche Reinigung. Zudem würden wir mit einer solchen Deutung die üblichste bildliche Bedeutung eines Tauchritus beibehalten, die einer Reinigung.[14]

Mit einer Predigt mit dem eben skizzierten Inhalt wurde also die Taufe verbunden. Die oben angeführte, ein wenig abstrakte Erklärung von Josephus stärkt die Glaubwürdigkeit der Angaben der Evangelisten, daß sie „eine Taufe der Umkehr zur Vergebung der Sünden" darstellte. Sich taufen lassen war ein Zeichen dafür, daß man umkehrte und die Frucht der Umkehr trug oder tragen wollte (Mt 3,8 par). Man kann sich fragen, was in diesem Zusammenhang Vergebung der Sünden bedeutet. Wurde sie in der Taufe gegeben, oder bedeutete die Taufe nur eine Verheißung, daß der Täufling bei der Ankunft des Starken Vergebung finden würde?[15] Ein äußeres Detail scheint hier von Bedeutung zu sein. Die Johannestaufe wurde nämlich passiv entgegengenommen, und man hat dabei nicht selbst gebadet oder sich gewaschen, wie es üblicherweise in anderen rituellen Bädern und Waschungen geschah.[16] Dies spricht eindeutig für die erstgenannte Weise, die Verknüpfung zwischen Taufe und Vergebung zu verstehen. Johannes meinte, daß er von Gott gesandt war, den äußeren Reinigungsritus zu spenden, der das Zeichen dafür war, daß Gott den Umkehrenden vergab. Es sollte hinzugefügt werden, daß das Motiv der Sündenvergebung gut in den Rahmen von eschatologischen Erwartungen paßt, die wir oben schon kurz angesprochen haben.[17]

Die Bekehrung und die Taufe zur Vergebung der Sünden haben nicht dazu geführt, daß eine geschlossene Gruppe wie die Qumrangemeinde gegründet wurde. Gleichwohl bildeten die von Johannes Getauften eine Gruppe, die die Ankunft des Starken zu Gericht und Heil erwartet hat. Wenn das

---

[14] *Hartman*, Taufe, Geist und Sohnschaft 98f; *Fitzmyer*, Lk 454, 473f. Vgl. *Hollenbach*, Social Aspects 968. Für andere Deutungen s. *Barrett*, Holy Spirit 126; *Kraeling*, a.a.O. 61ff; *Schweizer*, ThWNT VI 397 (Geist und Feuer = Feuersturm); *Sint*, Eschatologie des Täufers 69ff (Feuer = Strafgericht, Geist = die Geistesgabe).

[15] Die erste Deutung vertreten *Delling*, Taufe 43; *Thyen*, Baptisma 98; *G. Barth*, Taufe 36, die andere *M. Barth*, Die Taufe – ein Sakrament? 124.

[16] Besonders hat *G. Barth* dies hervorgehoben; s. Zwei vernachlässigte Gesichtspunkte 140–146; *ders.*, Taufe 34ff.

[17] S. auch *Hartman*, Asking for a Meaning 33ff, 133f; *Sjöberg*, Gott und die Sünder 62ff; *Thyen*, Studien zur Sündenvergebung 61ff, 73f.

Neue Testament von Johannesjüngern spricht,[18] ist dies ein Zeichen dafür. In dieser Gruppe hat man auch aller Wahrscheinlichkeit nach gewisse Regeln für die Lebensführung gehabt, die von der eschatologischen Erwartung des Täufers und von seiner herben Botschaft geprägt waren, so wie auch das Leben des Propheten selbst sehr asketisch gewesen zu sein scheint.[19]

So ist die Johannestaufe auch ein „rite de passage" geworden. Die Gruppe, in die sie einführte, war, wie gesagt, nicht streng geschlossen, aber trotzdem gibt es Grund anzunehmen, daß die Mitglieder sich als Mitglieder oder vielleicht vielmehr als werdende Mitglieder eines erneuerten Gottesvolkes betrachteten. Daß Johannes in der Wüste auftrat, gehört zu diesem Motivkreis. Wir haben gesehen, wie andere Prophetengestalten der Zeit ihre Wirksamkeit in die Wüste verlegten und dorthin die Volksmenge führten, um ihr dort, um ein Beispiel anzuführen, „das Zeichen des Heils" zu zeigen.[20] Die Wüste war der traditionelle Ort der Befreiung des Gottesvolkes: dort wurde einmal der Bund geschlossen, dahin war es aus Ägypten und aus Babel gezogen, und dort sollte der Weg des Herrn bereitet werden (Jes 40).

2. Die Deutung der Taufe des Johannes in den Evangelien

Daß Jesus sich mit der Johannestaufe hat taufen lassen, bedeutet wohl auch, daß er sich der oben erwähnten johanneischen Gruppe angeschlossen hat, wenn er sich auch später wieder davon entfernt hat.

Es ist möglich, daß schon Jesus das Auftreten des Johannes im Licht der Erwartungen gesehen hat, die sich beim Propheten Maleachi finden.[21] Daß die Evangelientraditionen es getan haben, leuchtet ein.[22] Gemäß diesem Propheten sollte Gott seinen Gesandten schicken, den Weg des Herrn zu bereiten (3,1), der bald kommen würde (3,1.5). Der kommende Herr sollte die Söhne Levis reinigen (3,3) und wie das Feuer im Schmelzofen sein (3,2); er sollte kommen, um die zu richten, die gegen Mitmenschen und Gott

---

[18] Mt 9,14; 11,2; 14,12; Mk 2,18; Lk 11,1; Apg 19,3f.

[19] Mk 2,18; Joh 3,25; Lk 11,1. S. *Thomas*, Le mouvement baptiste 89–139; *Kraeling*, a.a.O. 76–80, 161ff, 171ff.

[20] S. die oben (Fußnote 5) angeführten Josephusstellen.

[21] *Bultmann*, Geschichte 132; *Schürmann*, Lk 417.

[22] Dies gilt teils für die Redequelle (Mt 11,7–11/Lk 7,24–28), teils für die markinische Tradition (1,2–6). In Mk klingt möglicherweise auch ein Echo aus 2 Kön 1,8 nach: Elija trug einen Ledergürtel, und gemäß Mal 4,5 sollte Elija vor dem Ende erscheinen. Lk 1,17.76 ist lukanisches Sondergut, das auf Mal 3,23f. bzw. 3,1 anspielt.

gesündigt hatten (3,5). Das abtrünnige Volk wurde ermahnt umzukehren (3,7), denn der mit einem brennenden Ofen zu vergleichende (3,19) „Tag" war im Kommen, wenn die Gottlosen wie Stroh verbrannt wurden. Für die Gottesfürchtigen dagegen sollte die Sonne der Gerechtigkeit aufgehen (3,20). Vor dem „Tag" sollte der Prophet Elija zum Volk gesandt werden, um das Herz der Familienglieder zueinander zu wenden (3,24). Wenn man einen solchen Text als Schlüssel zu den Schilderungen vom Auftreten des Täufers verwendet, bekommen viele der Einzelheiten einen sinnvollen Platz, indem sie in ein Bild eingehen, in dem man die Welt vor einer baldigen und endgültigen Konfrontation mit dem Heiligen und Gerechten stehen sieht, die im kritischen Jetzt Nachdenken und Veränderung verlangt.

Wenn die in den Evangelien durchschimmernde christliche Reflexion dem eben referierten Maleachi-Text gegenübergestellt wird, wird eine bestimmte Interpretation deutlich. Der kommende „Herr" wird mit dem Herrn Jesus gleichgesetzt. Dasselbe gilt auch, wenn man sich der Johannesgestalt und seiner Taufe nähert. Sie werden nämlich als Vorbereitungen oder Anfang des Jesusgeschehens aufgefaßt. Gleichzeitig finden wir seitens der Christen eine Tendenz, die Bedeutung des Täufers und der Johannestaufe zu vermindern.[23]

Wenn also das *Markusevangelium* angibt, was der „Anfang des Evangeliums von Jesus Christus, dem Sohn Gottes" (oder: „von dem Evangelium Jesu Christi, des Sohnes Gottes") ist,[24] erzählt es von Johannes und seiner Taufe. Sie werden völlig in seine christliche Sicht eingeordnet, indem Jesus der „Stärkere" (1,7) ist, dessen Weg Johannes bereitet; er ist auch der „nach" Johannes (1,14) „Kommende" (1,9) und der statt mit Wasser in heiligem Geist Taufende (1,8). Nach Markus ist Johannes ein Prediger der Umkehr, aber die Umkehr findet nicht vor einem drohenden Gericht statt, und so hat auch der markinische Johannes nichts von einer Feuertaufe zu sagen. Der Blick auf die endgültige Krise oder, mit anderen Worten, die eschatologische Perspektive des Auftretens von Johannes in Mk wird statt dessen zur in 1,14f durchschimmernden Perspektive: wenn Jesus der Messias mit dem Evangelium vom Reich Gottes erscheint, dann ist „die Zeit erfüllt", dann ist die kritische Zeit, aber die Krise besteht nicht darin, daß das Gericht Gottes bevorsteht.

Markus gibt nicht an, wie er den Satz versteht, daß der Stärkere, Jesus, in heiligem Geist taufen sollte. Es ist jedoch anzunehmen, daß er und seine Leser die allgemeine frühchristliche Auffassung geteilt haben, die Gabe des

---

[23] *Wink*, John the Baptist; *Bammel*, Baptist in Early Christian Tradition 96–113.
[24] Aus der Übersetzung geht hervor, daß ich der Lesart folge, die die Wörter „Sohn Gottes" mitnehmen, obwohl sie in vielen wichtigen Textzeugen fehlen.

Geistes sei irgendwie mit der Taufe verbunden. Dies wäre dann ihrer Meinung nach der Inhalt vom Wort über die Geisttaufe.[25]

Wenn der Evangelist *des Matthäusevangeliums* den Markustext von Johannes und seiner Taufe verwendet, verändert er ihn ein wenig. Während Mk Johannes so darstellt, daß dieser in der Wüste auftritt mit einer Umkehrtaufe zur Vergebung der Sünden (1,4), steht in Mt nur, daß er in der Wüste auftrat und Umkehr verkündigte (3,2). Zudem erfährt der Leser etwas von seinem Kleid und Essen (3,4). Die Folge ist unter anderem, daß die Umkehrpredigt des Täufers größeres Gewicht bekommt und daß die Johannestaufe nicht zu einer Taufe zur Vergebung der Sünden wird, sondern nur zu einer „Taufe mit Wasser zur Umkehr" (3,11). Mt ist also zurückhaltend bezüglich der Gaben der Johannestaufe. Statt dessen wird die Vergebung der Sünden durch Jesus und sein Werk gegeben: der Name Jesu wird so gedeutet, daß er „sein Volk von seinen Sünden retten wird" (1,21), und sein Blut wird „zur Vergebung der Sünden ausgegossen" (26,28).[26]

Es wurde gerade darauf hingewiesen, daß bei Mt Johannes besonders ein Umkehrprediger ist. Diese Predigt und diese Umkehr sind eine Vorbereitung auf das nahe Himmelreich (3,2), das der „Kommende", nämlich Jesus, verkündigen wird (4,17.23). Die Umkehrpredigt des Johannes und seine Umkehrtaufe sind der Hintergrund für das Kommen des „Stärkeren" (3,11) und für sein Taufen mit Geist und Feuer (3,11). Der Zusammenhang macht es ziemlich deutlich, daß die Feuertaufe hier für ein Gericht steht, das der kommende Richter, der Menschensohn, halten wird und von dem Mt manches zu sagen hat, zum Beispiel im Gleichnis vom Unkraut (13,40–43) oder im Text vom Menschensohn, der die Menschen voneinander scheiden wird, wie der Hirt die Schafe von den Böcken scheidet (25,31–46).[27]

Fragen wir uns, wofür bei Mt die Geisttaufe steht, müssen wir am Schluß des Evangeliums eine Antwort suchen, wo der Auferstandene den Ausgesandten befiehlt, „auf den Namen des Vaters und des Sohnes und des Heiligen Geistes" zu taufen (28,19). Die Geisttaufe wäre dann die christliche Taufe, der sich die Leser des Mt unterzogen hatten.

Im *Lukasevangelium* wird das Verhältnis des Johannes zu Jesus schon in den Kindheitserzählungen hervorgehoben, indem die beiden schon da zusammengeführt werden. Im Laufe des Berichts bis zur Schilderung der Taufe Jesu werden sie stets aufeinander bezogen, wobei immer Jesus der Übergeordnete ist. Die Geburt beider wird verheißen (1,13–21; 1,26–33),

---

[25] Ähnlich *Gnilka*, Mk I 48.
[26] *Thyen*, Baptisma 101ff; *Trilling*, Täufertradition bei Mt 286.
[27] Auch sonst steht in Mt Feuer als Bild für Gericht: 3,10ff; 7,19; 13,50; 18,9.

aber der Vater des Johannes zweifelt (1,20), nicht jedoch die Mutter Jesu (1,34–38); der Johannes-Fötus begrüßt den Fötus Jesus (1,41) usw. Die Rolle von Johannes als Prediger der Umkehr und in dieser Funktion als Wegbereiter für Jesus wird schon bei der Ankündigung seiner Geburt hervorgehoben (1,16), und im Lied des Zacharias, das gemäß der literarischen Sitte der Zeit einen reflektierenden und deutenden Ruhepunkt im laufenden Bericht darstellt, wird die Aufgabe des Vorläufers näher bestimmt: er wird dem Volk „Kenntnis des Heils in der Vergebung der Sünden" schenken (1,76f). Wenn Johannes im 3. Kapitel auf der Bühne erscheint, ist es also dem Leser nicht neu, daß seine Taufe (wie in Mk) eine Umkehrtaufe zur Vergebung der Sünden ist (3,3). Aber im Einklang mit den programmatischen Zeilen im Lied des Zacharias sind die Umkehrtaufe und die Vergebung dem Heil zugeordnet, das der Stärkere (3,16) bringen wird. In Lk 3 wird dies dadurch angedeutet, daß Lukas das von Mk stammende Zitat aus Jes 40, mit dem er das Hervortreten des Johannes beleuchtet, durch eine weitere Zeile aus dem Jesajatext erweitert: „alles Fleisch wird das Heil Gottes sehen" (Jes 40,5; Lk 3,3).[28] Über dieses Heil darf schon der alte Simeon im Tempel sprechen: „Meine Augen haben dein Heil gesehen" (2,30).

Lukas erwähnt das Taufen des Johannes, aber trotzdem stellt er ihn mehr als einen Prediger denn als einen Täufer vor.[29] Seine Predigt ist vor allem, wenn auch gewissermaßen indirekt, eine Christusverkündigung. Also wird das Wort von dem mit Geist und Feuer taufenden Stärkeren von Lukas damit eingeleitet, daß Menschen fragen dürfen, ob Johannes der Messias sei (3,15). Die Antwort des Johannes ist, daß er nur mit Wasser tauft, daß aber der „Kommende" mit Geist und Feuer taufen wird. So wird sowohl das von der Geist- und Feuertaufe Gesagte als auch der Satz von der Reinigung des Weizens durch den Kommenden (3,17) eine Verkündigung von Jesus, dem Messias. Zudem charakterisiert Lukas diese Verkündigung des Johannes als eine Verkündigung des „Evangeliums" (3,18), also der Botschaft von Christus.

Im Rahmen der beiden Bücher des Lukas kann es keinen Zweifel geben, daß für Lukas die Aussage von der Taufe im Geist (3,16) auf das Pfingstereignis in Apg 2 zielt. In Apg 1,5 werden nämlich die Johannesworte aus Lk 3,16 wieder angeführt: „Johannes taufte mit Wasser, aber in wenigen Tagen werdet ihr mit dem Heiligen Geist getauft werden." Die Lk-Leser mußten die Worte des Täufers von einer Taufe im Geist so verstanden

---

[28] Im größeren lukanischen Zusammenhang ist auch der Ausdruck „alles Fleisch" wichtig, da ja sowohl in Lk als auch in der Apg das Heil einen weltweiten Horizont hat.

[29] *Schneider*, Lk 70.

haben, daß sie in ihrem eigenen christlichen Leben erfüllt waren. In der Apg wird es ja als normal dargestellt, daß die christliche Taufe – im Unterschied zu der johanneischen – irgendwie mit der Gabe des Heiligen Geistes verbunden war (2,38 und öfter). Auch das Johanneswort vom Stärkeren, der seinen Weizen in der Scheune sammelt, könnte mit der christlichen Taufe, so wie Lukas davon in der Apg erzählt, verbunden sein: da ist die Taufe ein Teil des Vorgangs, in dem Menschen die Predigt aufnehmen, umkehren und so in die Kirche aufgenommen werden. Menschen werden also in die Kirche „gesammelt".[30]

Was kann die Feuertaufe im Lk bedeuten? Gewiß wird in Apg 2,3 von feurigen Zungen erzählt, was ein Argument dafür sein könnte, daß die Feuertaufe für die Gabe des Geistes in der christlichen Taufe steht.[31] Andererseits wird schon im Vers nach den Worten von der Feuertaufe gesagt, daß der Kommende nicht nur den Weizen in der Scheune sammeln wird, sondern auch daß er die Spreu in einem nie erlöschenden Feuer verbrennen wird. Das könnte dafür sprechen, daß die Feuertaufe für die Kehrseite von den Wirkungen der Verkündigung steht, nämlich daß ein Gericht die erwartet, die die Verkündigung zurückweisen.[32] Meines Erachtens ist diese Interpretation vorzuziehen.

Im *Johannesevangelium* werden der Täufer und seine Taufe noch weniger gewichtet. Es kann sein, daß dies teilweise damit zusammenhängt, daß der Evangelist auch Täuferjüngern seiner Zeit etwas zu sagen hat: ihr Meister habe eigentlich von sich selbst weg auf Jesus hingewiesen (1,29–34).[33] Die Johannestaufe wird ja erwähnt, und der Täufer darf sagen, daß er von Gott gesandt worden ist, mit Wasser zu taufen (1,33),[34] aber es wird nicht gesagt, was das bedeutet – sie wird weder eine Taufe zur Umkehr genannt noch eine Taufe zur Vergebung der Sünden. Wenn Johannes verneint, daß er der Messias oder Elija oder der Prophet sei, wird er gefragt, warum er taufe (1,19–25) – als ob von einer der erwähnten drei Gestalten erwartet wurde, daß sie taufen sollte, was ja nicht der Fall ist.[35] Aber die Frage, warum er tauft, wird nicht beantwortet. Auch wird in 1,26f nichts der Wassertaufe

---

[30] Apg 1,5; 2,47. S. *Schneider*, Lk 87,90.
[31] So *Chevallier*, L'Apologie du Baptême d'Eau 530; *Fitzmyer*, Lk 474 (zweifelnd); *Hoffmann*, Theologie der Logienquelle 30; *Grundmann*, Lk 105 (zweifelnd); *Leaney*, Lk 40.
[32] So *Schweizer*, Lk 49; *Schürmann*, Lk 175.
[33] Z. B. *Brown*, Joh lxvii–lxx.
[34] Auch gemäß 1,6 ist Johannes von Gott gesandt, aber dort, um vom Licht zu zeugen (1,7f; s. auch 3,26).
[35] Dagegen könnte, wie oben hervorgehoben worden ist, die Taufe des Johannes als eine Handlung mit eschatologischen symbolischen Obertönen betrachtet werden, und alle drei Erwähnten gehören in einen solchen Zusammenhang.

(„ich taufe euch mit Wasser") gegenübergestellt, sondern vielmehr wird die Person des Täufers dem gegenübergestellt, der mitten unter den Fragenden steht: sie kennen ihn nicht, und Johannes ist es nicht wert, ihm die Schuhe aufzuschnüren (1,27). Tatsächlich ist er gekommen (als Täufer, aber hierauf wird kein Gewicht gelegt), um diesen Unbekannten für Israel zu offenbaren (1,31) und um so dem Messias vorauszugehen (3,28). So wird wirklich in Joh die Gestalt des Täufers „kleiner" (3,30).

Im Johannesevangelium erkennt man in den Johannesworten die synoptische Tradition, in der die johanneische Wassertaufe der des Kommenden gegenübergestellt wird, der in Geist und Feuer taufen wird. Aber sie wird radikal umgestaltet.[36] Die erste Hälfte, „ich taufe euch mit Wasser", wird in 1,26 angeführt, steht aber nicht, wie wir gesehen haben, im Kontrast zu etwas. In 1,33 stoßen wir auf ein Gegenstück der zweiten Hälfte: „ich kannte ihn nicht, aber er, der mich gesandt hat, mit Wasser zu taufen, er hat gesagt: Auf wen du den Geist herabkommen siehst und auf wem er bleibt, der ist es, der mit dem Heiligen Geist tauft." Im Johannesevangelium schenkt ja, nachdem das Werk des Sohnes vollbracht worden ist, der auferstandene Jesus den Seinen den Geist (oder er bittet den Vater, ihn ihnen zu senden).[37] Hier steht also der Geist, bisweilen der Paraklet (in der Einheitsübersetzung der Beistand) genannt,[38] für die Lebensgabe, die der Mensch kraft des Werkes des Sohnes empfängt (auch 6,63). Diese Geistesgabe kommt in unterschiedlicher Weise zum Ausdruck: das Werk des Sohnes wird für neue Menschen weitergeführt und vergegenwärtigt (14,17f.26; 15,26; 16,13f), und Sünden werden vergeben (20,23). Die Täufertradition ist also völlig er mit johanneischen Konzeption verschmolzen worden.

3. Die Taufe Jesu

Es kann kein Zweifel vorliegen, daß Jesus tatsächlich den Täufer und seine Taufe gesucht hat. Denn ohne durch historische Fakten gezwungen zu sein, wären christliche Erzähler kaum auf den Gedanken gekommen zu berichten, daß ihr Jesus sich der Taufe der Umkehr zur Vergebung der Sünden unterzogen habe. Es ist dann auch wahrscheinlich, daß seine Taufe nicht

---

[36] *Haenchen*, Joh 171.
[37] Joh 7,39; 16,7; 20,22.
[38] Ich kann natürlich hier nicht die traditionsgeschichtlich verschiedenen Wurzeln der Begriffe diskutieren. Klar ist jedenfalls, daß sie in der Schlußform des Evangeliums als Synonyme angesehen werden können. S. ferner *Becker*, Joh 470–475.

einfach eine kurze Parenthese von einigen Minuten in seinem Leben darstellte, sondern ein Teil eines größeren Geschehens war, in dem Jesus die Verkündigung des Johannes aufnahm, man müsse sich vor der sich nähernden Krise bekehren, die auch das Kommen des Stärkeren bedeutete.[39]
Die Überlieferung, daß es im Leben Jesu eine Johannesphase gab, war offenbar nicht etwas, was sozusagen zufälligerweise in die Evangelientraditionen aufgenommen wurde wie beispielsweise die Auskunft, daß es mehrere Kinder in seiner Familie gab (Mk 3,31; 6,3). Im Gegenteil nehmen Johannes, seine Verkündigung und seine Taufe – und das Verhältnis Jesu zu all dem – einen, wie es scheint, obligatorischen Platz ein. Die Redequelle enthält Material vom Täufer, und das Markusevangelium fängt damit an wie die Großevangelien, Mt und Lk, in seiner Nachfolge. Obwohl das Johannesevangelium eine spezifische Zielsetzung hat, hat auch Johannes der Täufer einen Platz in der Darstellung. Daß Johannes diese Stellung einnimmt, stützt die Auffassung, daß Jesus sowie die Jesusbewegung entscheidende Impulse von ihm empfangen haben. Wir haben schon Beispiele dafür gesehen, wie die junge Kirche in verschiedenen Weisen mit diesem Erbe umzugehen versuchte, und wir werden mehr davon sehen, wenn wir uns nun den Berichten der Evangelien von der Taufe Jesu zuwenden.

Für die synoptischen Berichte von der Taufe Jesu gilt, daß ihre Funktion in erster Linie christologisch ist, indem sie wesentliche Eigenschaften der Hauptperson der Erzählungen angeben und besonders im Falle des Matthäusevangeliums die Bedeutung der Tatsache interpretieren, daß Jesus getauft wurde.[40] Es ist ein ungewisses Unternehmen, zu versuchen, die vormarkinische Geschichte des *Berichtes* zu rekonstruieren,[41] aber für die Vorgeschichte von den *Motiven* können wir ohne Schwierigkeit feststellen, daß sie in der jüdischen Vorstellungswelt verwurzelt sind, auf die oben anläßlich des Hintergrundes für die Johannestaufe hingewiesen wurde. Dort wird die Erwartung vertreten, daß Gott, wenn er in den letzten Tagen eingreifen wird, sein Volk waschen oder reinigen und ihm einen neuen oder heiligen Geist schenken wird; dies war zudem ein Zeichen dafür, daß er erwählt hatte, und wurde gern mit dem Gedanken verknüpft, daß dann das Volk die Söhne Gottes sein sollte. Dieser ideengeschichtliche Hintergrund des Taufberichtes enthält mehrere Faktoren, die ins Auge gefaßt werden sollten, wenn man danach fragt, wie der Bericht entstanden und wie er geformt und umgeformt worden ist. Es ist dabei auch zu erwägen, daß sich

---

[39] Z. B. *Braun*, Entscheidende Motive 39.
[40] *Haenchen*, Weg Jesu 61; *Lentzen-Deis*, Taufe Jesu 277f; *Pesch*, Anfang 123f, 129; *Sabbe*, Le baptême 193f.
[41] Ich habe es in „Taufe, Geist und Sohnschaft" versucht. Für einen anderen Versuch s. *Lentzen-Deis*, a.a.O.

die jüdischen Vorstellungen auf das Volk bezogen, während hier die Motive von einem einzelnen, Jesus, verwendet werden. Diese Übertragung mag nicht viel über den Inhalt des Berichtes sagen, wie wir ihn jetzt in den Evangelien finden. Aber ziemlich sicher ist, daß man in der frühen Geschichte der Überlieferung gemeint hat, daß mit dem Auftreten Jesu die erwartete Zeit des Heils in einem gewissen Sinn schon angebrochen war oder vor der Tür stand. Aber im übrigen herrscht Unsicherheit.[42]

Wie gesagt, wenn wir in den synoptischen Evangelien dem Bericht von der Taufe begegnen, hat er eine klare christologische Funktion.

Im *Markusevangelium* wird erstens kurz und gut erzählt, daß Jesus kam und von Johannes im Jordan getauft wurde (1,9). Dies ist das erste Mal, daß Jesus, nach der einleitenden Überschrift (1,1), erwähnt wird. Im Vergleich zur Überschrift wird er hier knapp eingeführt, indem er mit seinem bloßen Namen, ohne christologische Titel und mit der geographischen Angabe „aus Nazaret in Galiläa" auf die Bühne tritt. Aber in V. 10f, dem Taufbericht, kommt in einer anderen Weise solches zur Sprache, was eventuelle Titel hätten sagen können. In einer Vision sieht Jesus nämlich den Himmel offen und den Geist wie eine Taube auf sich herabkommen. Die Vision enthält auch, daß er eine Himmelsstimme seine Gottessohnschaft proklamieren „hört", indem sie auf Ps 2,7 („du bist mein Sohn") und auf Jes 42,1 („mein Erwählter, an dem meine Seele Gefallen hat") anspielt. Die Leser bekommen also, mit Hilfe des allwissenden Verfassers, Kenntnis von etwas, das gemäß dem Bericht Jesu eigenes Erlebnis war. Der Sinn ist, daß jetzt eine Verbindung zwischen Himmel und Erde, zwischen Gott und Menschen (der offene Himmel, die Stimme) entsteht, die durch Jesus, den Galiläer aus Nazaret, den verheißenen Gesalbten Gottes (Ps 2,7; Jes 42,1), stattfindet. Er wirkte in der Kraft Gottes (des Geistes, der Sohnschaft).[43]

Die Gottessohnschaft Jesu, die im Taufbericht ein zentrales Motiv ist, spielt überhaupt in Mk eine große Rolle, und die inhaltsschweren Proklamationen dieser Sohnschaft kulminieren im Kommentar des Hauptmanns nach dem Tode Jesu (15,39). Auch wird im Taufbericht angedeutet, mit welcher

---

[42] Man kann zögern, ob man dies vom einzelnen, Jesus, erzählt hat, weil er z. B. als Repräsentant des ganzen geretteten Volkes betrachtet wurde oder vielleicht weil die Christen, die so von Jesus erzählten, sich selbst als des Geistes teilhaft und als Söhne und Erwählte Gottes angesehen haben. Zu ihrem Eintritt in das neue Volk der Heilszeit gehörte auch ihre Taufe, deren grundlegende Referenz Jesus war (s. hierzu den Abschnitt unten „Auf den Namen des Herrn Jesus"). Dann, so könnte angenommen werden, kann die Erzählung von der Taufe Jesu so geformt worden sein, daß diese Taufe den Anfang des Werkes darstellte, in dem die eschatologischen Gaben geschenkt wurden, die den jüdischen Erwartungen entsprachen, denen die Johannestaufe entgegensah, *und* an denen diese Christen ihrer Meinung nach Anteil hatten.

[43] Z. B. *Haenchen*, Weg Jesu 61; *Pesch*, Mk I 89–94.

Autorität Jesus gewirkt hat. Die Folge ist, daß, wenn in der folgenden Geschichte die Autoritätsfrage gestellt wird (1,22.27; 2,7.10 und öfter), der Leser schon eine Antwort darauf weiß.[44]

Im *Matthäusevangelium* hat der Leser, bevor er zum Taufbericht kommt, mehrere Auskünfte von der Hauptperson des Buches erhalten. Seine Geburt bedeutete die Erfüllung der Weissagungen vom Messias (1,23; 2,6.15.18), und auch das Hervortreten seines Wegbereiters war in der Schrift vorausgesagt (3,3). Jesus ist vom Heiligen Geist (1,18.20), er wird das Volk von seinen Sünden erretten (1,21), ja, er ist „Gott mit uns" (1,23). Der Evangelist hat ferner von ihm eine Hoseastelle angeführt, die ihn als den Sohn Gottes angibt (Hos 11,1; Mt 2,15).

In dem Taufbericht (3,13–17) ist bei Mt die Himmelsstimme keine Anrede an Jesus, sondern eine Proklamation über ihn, „dieser ist ..." (3,17). Sie ist wohl in erster Linie an Johannes gerichtet, aber betrifft indirekt ein weiteres Publikum.

Bevor er von der Taufe Jesu berichtet, schiebt Matthäus ein Gespräch zwischen Jesus und Johannes ein, in dem Johannes sich weigert, Jesus zu taufen – er hatte vielmehr das Bedürfnis, von ihm getauft zu werden (3,14f). Hier läßt der Evangelist ein Unbehagen durchblicken, das der Gedanke verursachen könnte, daß der, den man für den „Stärkeren" und für den Heiland hielt, sich der Umkehrtaufe des Schwächeren unterzog.[45] Die matthäische Lösung des Problems wird in der Antwort Jesu gegeben: „Wir (das heißt sowohl Jesus als auch Johannes) müssen so alle Gerechtigkeit erfüllen" (3,15). Klar ist, daß die Antwort so viel bedeutet, daß sie beide etwas von Gott Gefordertes tun, aber der präzisere Sinn ist etwas unsicher.[46] Gute Gründe sprechen aber für folgendes:[47] Es handelt sich um den

---

[44] Die Ansicht, daß Jesus dem Leser des Mk ein Vorbild in dem Sinne ist, daß er, wie der markinische Christ, sich einer Wassertaufe unterzogen hat, hängt davon ab, wie man sich diesen Leser vorstellt. Das Evangelium selbst gibt uns wenig Anhalt, worauf sich eine Antwort stützen könnte. Aber man kann kaum annehmen, daß ein Evangelium, das so schnell und so unproblematisch verbreitet und akzeptiert wurde, in einer Kirche zu Hause war, die in den 70er Jahren ihre Konvertiten nicht getauft hat. M. E. hat sie es wahrscheinlich getan, und dann spricht dies dafür, daß das von Schenk rigoros auf den Text begrenzte Blickfeld erweitert werden kann (er legt darauf Gewicht, daß Mk anderswo nichts von einer Wassertaufe andeutet; *Schenk*, Lima-Ökumene 11).

[45] Das Nazarenerevangelium drückt das Problem eben schärfer aus: „Sieh, die Mutter Jesu und seine Brüder sagten zu ihm: ‚Johannes der Täufer tauft zur Vergebung der Sünden. Laßt uns gehen, um von ihm getauft zu werden.' Aber er sagte zu ihnen: ‚Was habe ich gesündigt, damit ich gehe, um von ihm getauft zu werden?' ..." (Hieronymus, Contra Pelag. 3,2.)

[46] Wie *Luz*, Mt I 154, sagt: „In dem kurzen Ausspruch Jesu ist jedes Wort strittig."

[47] *Gnilka*, Mt I 76f; *Luz*, Mt I 154f; *Sabbe*, Baptême 185ff; *Strecker*, Weg der Gerechtigkeit 179f. Mehrere der angeführten Verfasser wenden sich (mit Recht)

Willen Gottes als etwas Ganzes, das verwirklicht werden soll, von Jesus und von Johannes und von den Christen (5,20; 25,37; 28,20). Dies wird von Jesus durchaus getan – er „erfüllt" im vollen Sinn des Wortes den Willen Gottes (5,17; 23,32). In Mt wird außerdem Jesu Stellung als Sohn Gottes eng damit verbunden, daß er den Willen Gottes vollzieht (4,1–11; 26,39; 27,43.54). Wenn er hier ein erstes Beispiel dafür gibt, wie er die göttliche Forderung nach Gerechtigkeit „erfüllt", paßt dies also gut damit zusammen, daß er gleichzeitig als der Sohn Gottes proklamiert wird.[48] Wenn Jesus sich unter den Willen des Vaters stellt und in Solidarität mit anderen Menschen sich taufen läßt, ist er auch den matthäischen Christen ein Beispiel an Demut. Auch sie konnten Gottessöhne genannt werden (5,9.45). Ja, es können auch Gründe dafür angeführt werden, daß sie in ihm ein Beispiel sahen, weil er wie sie selbst mit Wasser getauft wurde (28,19).[49]

Auch im *Lukasevangelium* hat der Leser vor dem Taufbericht ein paar Eigenschaften Jesu kennengelernt, die dann im Taufbericht hervorgehoben werden (3,21f). Er ist schon als der Sohn des Höchsten bezeichnet worden (1,32), in dem die Verheißungen von dem Gesalbten, dem Messias, erfüllt werden (1,32; 2,11.26). Nach der Tauferzählung beherrscht Jesus allein die Szene, ja, eigentlich schon von dieser an, weil Lukas, ehe er von der Taufe Jesu etwas sagt, von der Gefangennahme des Johannes berichtet (3,19f). Folglich wird Johannes nicht im Zusammenhang mit der Taufe erwähnt. Aber auch die Taufhandlung verliert an Gewicht,[50] indem die Sätze so konstruiert sind, daß die Hauptsache der Erzählung der Punkt wird, wo der Geist herabsteigt und die Himmelsstimme gehört wird. Denselben Effekt hat die Aussage vom Beten Jesu, die Lukas unmittelbar nach der Taufhandlung einfügt: so wird das Herabsteigen des Geistes mit dem Beten Jesu verbunden (3,21c). Auch die Taubengestalt des Geistes wird in Lk konkreter als in Mk und Mt dargestellt, und das hat zur Folge, daß der Geistbesitz Jesu einem weiteren Publikum offenbar wird. Möglicherweise weicht in Lk der Wortlaut des von der Himmelsstimme Gesagten von dem in Mk und Mt ab, wenn nämlich die Lesart richtig ist, die die Himmelsstimme deutlicher Ps 2,7 anführt: „Du bist mein Sohn, ich habe dich heute geboren." Diese Lesart ist umstritten, dennoch, wenn auch nicht ohne Zögern, ziehe ich es vor, so zu

---

gegen die Auslegung von O. *Cullmann*, Tauflehre 13–17, die Taufe Jesu bedeute, daß er zum Knecht Gottes wurde, der stellvertretend leiden sollte.

[48] *Gnilka*, a.a.O. 79f; *Luz*, a.a.O. 156. *Gerhardsson* knüpft die Proklamation des Taufberichtes von der Gottessohnschaft eng an die Rolle des Sohnmotivs im Versuchungsbericht: Gottes Sohn als Diener Gottes.

[49] *Chevallier*, Apologie du Baptême d'Eau 534; *Strecker*, a.a.O. 181.

[50] Trotzdem rechnet Lukas damit, daß die Johannestaufe zu den Dingen gehörte, welche die Zeugen Jesu, die Apostel, hätten miterleben sollen (Apg 1,22).

lesen.[51] Auf die Gottessohnschaft würde dann ein besonderes Licht fallen, indem auf die Worte der Himmelsstimme sofort der Stammbaum Jesu folgt, der seinen Ursprung auf Gott zurückführt, da seine letzten Glieder sind: „von Enosch, von Set, von Adam, von Gott" (3,38).

Zusammengefaßt ergibt sich folgendes für den Taufbericht in Lk: An der Schwelle der öffentlichen Wirksamkeit Jesu, deren Anfang Lukas in 4,14 schildert („Jesus kehrte in der Kraft des Geistes nach Galiläa zurück"), wird dem Publikum kundgetan, daß es sich hier um ein göttliches Werk handelt, das vom verheißenen Messias vollbracht wird. Er vollzieht es in der Kraft und unter der Führung des Geistes (auch 4,1.18). So darf auch Petrus in Apg 10,38 sagen: „Gott hat ihn mit dem Heiligen Geist und mit Kraft gesalbt", gleich wie überhaupt Lukas der Ansicht ist, daß der Geist das im Evangelium und in der Apg beschriebene göttliche Werk führt und lenkt.[52] Die Taufe als solche wird also weder mit der Sohnschaft noch mit der Geistesgabe nahe verbunden; sie gehören näher mit dem Beten Jesu zusammen. (Man vergleiche 11,13: der Vater gibt seinen Kindern, die ihn bitten, den Heiligen Geist.)[53]

Lukas sagt im Taufbericht nichts darüber, was die Taufe Jesu bedeutete. Aber im Lichte des ganzen Lukasevangeliums kann man schließen, daß Jesus, wenn er sich wie „das ganze Volk" (3,21) der Taufe unterzog, etwas von Gott Gewolltes tat, ja, etwas, was zu einem göttlichen Ratschluß gehörte. Davon zeugt 7,29f: „Das ganze Volk hörte Johannes, auch die Zöllner, und sie gaben Gott Recht und ließen sich mit der Taufe des Johannes taufen. Aber die Pharisäer und die Gesetzeslehrer wiesen den Ratschluß Gottes ab und ließen sich nicht taufen." Indirekt deutet diese Notiz an, daß Jesus, indem er sich taufen ließ, das tat, was von dem „Gerechten" (Apg 3,14) gefordert wurde. Auch in der lukanischen Kirche bedeutete es, Gott Recht zu geben, wenn man die Verkündigung annahm und sich der Taufe unterzog. Insofern konnte die Taufe Jesu auch als nachzuahmendes Beispiel gelten.

Im *Johannesevangelium* schließlich wird nie ausdrücklich gesagt, daß Jesus von Johannes getauft worden ist, obgleich 1,32ff Kenntnis davon vorauszusetzen scheint (siehe auch 3,26). In diesen Versen darf Johannes bezeugen, daß er den Geist auf Jesus herabkommen gesehen hat, der der in Heiligem Geist Taufende ist. Darum kann Johannes bezeugen, daß Jesus der Er-

---

[51] Ich folge hier dem Prinzip, daß eine schwierigere Lesart einer leichteren vorzuziehen ist. Hier wäre es somit den Schreibern leichter, der Mk-Version zu folgen, wie es die meisten und gewöhnlicherweise besten Handschriften tun.

[52] Lk 12,12; Apg 4,8; 5,32; 10,19; 13,2; 15,28 usw.

[53] Auch in der Apg sind ja Taufe und Geistesgabe miteinander in der indirekten Weise verbunden, die wir in dem Taufbericht sehen. S. Apg 2,38; 8,15ff; 10,44–48; 19,5f.

wählte Gottes ist. Wir erkennen die Motive von den Synoptikern, und die Ähnlichkeit wäre noch größer, wenn wir „der Sohn Gottes" statt „der Erwählte" lesen würden; das letztere ist jedoch wahrscheinlich vorzuziehen.[54] Hier herrscht völlig das christologische Interesse vor sowie der Wille, Johannes den Täufer diesem Interesse unterzuordnen.

Für die folgenden Erörterungen ist in diesem Kapitel vor allem das von Bedeutung, was wir von Johannes dem Täufer und seiner Taufe erfahren haben. Die Deutungen der Evangelisten von seiner Taufe und von der Überlieferung der Taufe Jesu lehren uns für das Folgende teils, welches Gewicht Johannes und seine Taufe in diesen Kreisen zugemessen wurden, teils daß die Berichte von der Taufe Jesu irgendwie auch etwas zur Taufe der christlichen Leser sagen dürfen.

---

[54] Die Handschriften, die gewöhnlich als die sichersten angesehen werden (und diesmal auch die meisten), lesen „der Sohn Gottes". Aber gerade die Ähnlichkeit mit den Synoptikern spricht dafür, daß diese Lesart im Vergleich mit „der Erwählte" sekundär ist. Möglicherweise ist hier eine Überlieferung in Joh zu spüren, die eine Variante zu der darstellt, die zuerst in Mk auftaucht. Sie könnte eben älter als die markinische sein. S. *Hartman*, Taufe, Geist und Sohnschaft.

II. Der Ursprung der christlichen Taufe[1]

Es gibt viele, wenn auch nicht völlig schlüssige Gründe für die Auffassung, daß von Anfang an der Weg in die Gemeinschaft der jungen Kirche normalerweise auch bedeutet hat, daß der Neophyt getauft wurde.[2] Das ist für Lukas in der Apg selbstverständlich, und andere, von Lukas unabhängige Traditionen besagen dasselbe: die johanneische, die matthäische, und, früher als diese, Paulus und die Christen vor und neben ihm, von denen er indirekt in seinen Briefen zeugt. Wenn man sich die Frage stellt, wie früh die ersten Christen getauft haben, kann es aufschlußreich sein, sich daran zu erinnern, daß Paulus selbstverständlich sich selbst unter die Getauften rechnet (1 Kor 12,13). Das heißt, daß es Christen gegeben haben muß, unter denen der Christ war, der Paulus zu einem Zeitpunkt taufte, der ungefähr fünf Jahre nach dem Tod Jesu liegen dürfte.[3] Und wenigstens ist Paulus selbst der Ansicht, daß die Taufe, der er sich unterzog, eine Art Christus-Taufe darstellte, denn sie brachte die Zugehörigkeit zum Leib Christi mit sich (1 Kor 12,13).

Besonders zwei Gründe sind dafür angeführt worden, daß die Taufe nicht von Anfang an unter den ersten Christen ausgeübt wurde oder wenigstens nicht überall. Einerseits verweist man auf die Aussendungsreden Jesu (Mk 6,8–11/Mt 10,5–16/Lk 10,1–12), die keine Anweisung zur Taufe enthalten, obwohl diese Reden in ihrer jetzigen Form hier und da Wendungen enthalten, die die Missionssituation der Kirche ins Auge fassen. Andererseits werden die Episoden in Apg 18,24–19,7 angeführt, wo Lukas von Apollos erzählt und von einigen „Jüngern", die nur die Johannestaufe kannten. Was die Aussendungsreden betrifft, sind offenbar sowohl Matthäus als auch Lukas der Meinung, daß Jesu Tod und Auferstehung die notwendige Voraussetzung einer weiteren Mission und der Taufe waren. Jesu Tod und Auferstehung waren in dem Maße für sie die notwendige Basis und der Kernpunkt der nachösterlichen Missionsverkündigung, daß es ihnen unmöglich schien, in diesen Aussendungsreden Jesus etwas in den Mund zu legen wie zum Beispiel das, was Lukas den Auferstandenen in Lk 24,46 sagen läßt: „In seinem Namen (also des Messias) wird allen Völkern Umkehr zur Vergebung der Sünden verkündigt werden."[4] Wenn also das Fehlen eines Taufbefehls in den Aussendungsreden des

---

[1] Für eine Übersicht über die Diskussion s. *Barth*, Taufe 11–43; *Lohfink*, Ursprung.
[2] So *Barth*, a.a.O. 11ff; *Chevallier*, Apologie 529; *Conzelmann*, Theologie 64; *Dinkler*, RGG III 629.
[3] Für eine konzentrierte Diskussion der paulinischen Chronologie s. *Köster*, Einführung 535ff.
[4] *Goppelt*, Theologie 547, 607ff; *Gundmann*, Lk 453.

irdischen Jesus sich erklären läßt, sind die beiden Apg-Texte problematischer. Großenteils beruht dies darauf, daß ihr Quellenwert bei weitem nicht klar ist. Zeugt wirklich 19,1–10 davon, daß es in den 50er Jahren Christen gab, die die christliche Taufe nicht kannten? Oder davon, daß es Nachwirkungen des Täuferkreises gab, die Lukas neutralisieren wollte? Und offenbart sich im Abschnitt von Apollos (18,24–28) nicht nur eine Missionsarbeit, die wir auch hinter 1 Kor 1–4 ahnen, sondern auch ein Missionar, der eine andere Taufpraxis als die paulinische gehabt hat? Im letztgenannten Fall würde dann Lukas hier sozusagen Apollos zurechtweisen und ihn in die Paulusgruppe einordnen.[5] Die Fragen sind zu zahlreich, und die Antwortversuche sind zu unterschiedlich, um begründete Vermutungen zuzulassen, inwieweit diese Texte eine außergewöhnliche Haltung bezüglich der Taufe widerspiegeln, die historisch vorhanden war. Andererseits ist klar, daß Lukas sich einen judenchristlichen Verkündiger denken konnte, dem die christliche Taufe unbekannt war, und ebenso die Existenz von „Jüngern" (welches in seinem Sprachgebrauch so viel wie „Christen" bedeutet), die nur mit der Johannestaufe getauft waren. Er hat es sich denken können, obschon es ihm nicht annehmbar schien.

Wenn es also die Regel gewesen ist, daß die Taufe zum Eintritt in die Kirche gehörte, und es von Anfang an so der Fall war, wird die Frage immer dringender: wie kommt dies? Für manche Bibelleser ist die Frage nicht nötig: hat nicht der auferstandene Jesus ausdrücklich seinen Jüngern befohlen, daß sie, wenn sie in die Welt hinausgingen und die Völker zu Jüngern machten, diese auch taufen sollten (Mt 28,19)? Weitgehende Einigkeit herrscht jedoch unter den neutestamentlichen Exegeten darin, daß hier der Evangelist dem Auferstandenen diesen Taufbefehl zugeschrieben hat (an und für sich ist der Taufbefehl eine Nebensache gegenüber dem Hauptbefehl, auszugehen, um Völker zu Jüngern zu machen). Man sieht ihn gern als eine Widerspiegelung der Meinung, die in der Kirche Syriens, wo das Evangelium lokalisiert wird, bestand, sie taufe gemäß dem Willen des Herrn und zudem im Namen des dreieinigen Gottes.[6] Der tragfähigste Grund für diese Ansicht ist die Dreieinigkeitsformel: anderes Material im Neuen Testament, besonders Paulus, deutet darauf hin, daß sie verhältnismäßig spät ist, und auch die Tatsache, daß der Text mehr vom Stil des

---

[5] S. z. B. die Diskussion in *Haenchen*, Apg 531–534; *Pesch*, Apg II 159–166; *Weiser*, Apg 505–509, 512ff.

[6] *Barth*, Gesetzesverständnis 123; *Goppelt*, a.a.O. 332; *Grundmann*, Mt 576; *Lohfink*, a.a.O. 38; *Schweizer*, Mt 348; *Strecker*, Weg der Gerechtigkeit 208ff. Anders *Beasley-Murray*, Baptism 77–92; *Schneider*, Der historische Jesus 533f. Diesem Urteil widerspricht nicht, daß eine redaktionsgeschichtliche Analyse des Textes ältere Muster dahinter enthüllen kann: s. *Barth*, Taufe 15f; *Bornkamm*, Der Auferstandene 173f.

Evangelisten geprägt ist, als es gewöhnlich der Fall ist, wenn er ältere Überlieferungen übernimmt.[7]

Um zu verstehen, warum die Anhänger Jesu die sich der Kirche Anschließenden tauften, ist vorgeschlagen worden, daß sie den Brauch vom Judentum lernten.[8] Oben ist schon erwähnt worden, daß sich die zu ihm bekehrenden Heiden einem Reinigungsritus, der Proselytentaufe, unterzogen (Männer wurden auch beschnitten). Es scheint, daß man mit diesem Brauch im ersten nachchristlichen Jahrhundert angefangen hat,[9] aber dieselben Gründe können gegen diese Auffassung angeführt werden, wie auch gegen die Meinung, Johannes der Täufer habe die Proselytentaufe aufgenommen und umgedeutet. Gewiß war die Proselytentaufe eine Art Übergangsritus („rite de passage"), dem sich die Person nur einmal im Leben unterzog. Insofern gleicht sie mehr der christlichen Taufe als die im Alten Testament oder im Judentum vorgeschriebenen Reinigungsbäder, die auch als erklärendes Vergleichsmaterial angeführt sind.[10] Ferner könnte die Proselytentaufe als eine Reinigung betrachtet werden, eine Deutung, die für viele Wasserriten naheliegt und die auch für die christliche Taufe gültig ist. Aber sie wurde nicht mit einer Vergebung der Sünden verknüpft, auch fehlt der Gedanke von einer Umkehr in einer kritischen, eschatologischen Perspektive. Schließlich und entscheidender als man es annehmen könnte: die Proselytentaufe hat der Proselyt an sich selbst ausgeführt, während in der johanneischen wie in der christlichen Taufe der Täufling passiv war und von einem anderen getauft *wurde*.[11]

Die Ansicht, die Christen hätten die Johannestaufe aufgenommen und sozusagen christianisiert, ist nicht originell, im Gegenteil sie ist unter Exegeten recht üblich.[12] Die Ähnlichkeit zwischen den zwei Taufen und zwischen den Gedanken und Vorstellungen, die an sie geknüpft werden, sind eben angedeutet worden, indem oben einige Unterschiede zwischen der Proselytentaufe und der christlichen Taufe erwähnt wurden. Die Dinge, in denen sie sich unterscheiden, sind nämlich gerade solche, bei denen die christliche Taufe der johanneischen ähnelt.

Aber auf eine Reihe von Ähnlichkeiten hinweisen zu können, ist nicht das

---

[7] S. z. B. *Schweizer*, a.a.O. 348, ferner *Kingsbury*, Composition 577.

[8] So *Cullmann*, Tauflehre 6f; *Jeremias*, Kindertaufe 28ff.

[9] S. *Schürer*, History III.1 174. Gleichwohl ist es unsicher, ob die Proselytentaufe schon ausgeübt wurde, als Johannes der Täufer und bald nach ihm die Urkirche zu taufen begann.

[10] *Barth*, a.a.O. 32f. Vgl. *Thiering*, Inner and Outer Cleansing, und *ders.*, Qumran Initiation.

[11] S. *Barth*, Zwei vernachlässigte Gesichtspunkte.

[12] Z. B. *Barth*, Taufe 37ff; *Delling*, Taufe 55; *Dinkler*, RGG III 628; *Lohfink*, Ursprung 42f.

gleiche wie die Frage zu beantworten, warum die ersten Christen anfingen, mit einer – um es zuzuspitzen – christianisierten Johannestaufe zu taufen. Vermutlich war es nicht ohne Bedeutung, daß Jesus wie auch einige seiner Jünger sich der Johannestaufe unterzogen.[13] Joh 1,35 erzählt ja von zwei Jüngern, die vom Täufer auf Jesus hingewiesen werden, von denen Andreas einer ist.[14] Aber entscheidender und von größerer Bedeutung war die weitverbreitete Auffassung, daß die endgültige Krise angebrochen war. Diese Auffassung hatte Johannes den Täufer in einer entscheidenden Weise geprägt, so auch Jesus; sowohl den Jesus, der von der Verkündigung des Täufers ergriffen wurde, wie auch den, der später selbst das Gottesreich predigte und dafür lebte und starb. Diese Auffassung haben auch die Jünger Jesu teilen müssen, die davon überzeugt waren, er sei von den Toten auferstanden. Alle die Erwähnten sahen die Geschichte sich einem Wendepunkt oder einem Ende irgendeiner Art nähern. Mit anderen Worten, sie lebten in einer eschatologischen Perspektive.[15]

Die erwähnten Jünger fingen also an zu taufen. Insofern ihr Kreis von der Verkündigung des Täufers beeinflußt war, hat die Predigt Jesu vom Reiche Gottes kaum neue Erwartungen mit sich gebracht, auch wenn das Gottesbild Jesu Züge der Wärme aufweisen konnte, die sich bei Johannes nicht fanden. Aber trotzdem kam es darauf an: man befand sich an der Grenze zu den neuen Verhältnissen, die von Gott geschaffen werden sollten, sei es durch eine Weltkatastrophe oder durch ein andersartiges Eingreifen. Die

---

[13] Aber wir können nicht nachweisen, daß man in der Urkirche von Anfang an berichtet hat, daß Jesus mit dieser Taufe getauft wurde, ferner, daß man dieses Ereignis so gedeutet hat, daß die Zeit des neuen Bundes vor der Tür stand, und zudem behauptet hat, daß jetzt andere, die in den neuen Bund eingezogen wurden, sich derselben Reinigungstaufe unterziehen sollten. Etwas desgleichen sahen wir bei Matthäus (s. den Abschnitt im vorigen Kapitel über die Verwendung des Taufberichts bei Mt). *H. Kvalbein* hat die These angeführt, die Taufe Jesu mit ihrer Geistesgabe und Sohnproklamation sei der Ursprung der christlichen Taufe. Die Schwierigkeit scheint mir zu sein, daß sowohl die Art und Weise, in der man in der ältesten Zeit von der Sohnschaft Jesu gedacht hat, als auch die älteste Traditionsgeschichte der Tauferzählung im Dunkeln liegen. Die älteste zugängliche Version schließt eine Vision Jesu in sich, und der Tradent, der Jesus diese Vision zuschreibt, deutet damit in einer bestimmten Weise die Taufe, von der er erzählt. Aber wann diese Deutung anzusetzen ist, wissen wir nicht. Kaum wohl vor einer christlichen Taufpraxis.

[14] Möglicherweise hat auch Jesus selbst eine Zeit vor seiner eigentlichen Wirksamkeit getauft (Joh 3,22.26). In Joh 4,2 ändert jedoch der Evangelist seine Angabe und versichert, daß die Jünger, nicht Jesus, tauften. Jedenfalls ist es zu einem Punkt gekommen, als Jesus das Taufen gelassen hat und, wenn auch respektvoll, von dem Täufer abgerückt ist in der Überzeugung, er habe eine eigene und verschiedene Aufgabe. S. *Becker*, Joh 152 (dort weitere Literatur).

[15] *Barth*, Taufe 43; *Lohfink*, a.a.O. 47ff; *Pokorný*, Christologie et Baptême 374f; vgl. *Dinkler*, RGG III 629.

neue Zeit brach schon herein oder anders gesagt, ein neuer Bund zwischen Gott und Menschen sollte geschlossen werden. Dieses Neue bestimmte die Verkündigung Jesu. Stellenweise, meinte er außerdem, mache sich die Herrschaft Gottes schon in seiner Wirksamkeit geltend. Seine ethische Botschaft sowie seine Forderung nach Umkehr und Glauben an die frohe Botschaft waren auch von der Ansicht getragen, daß die Zeit gekommen war, wo Gott die Macht ergreifen sollte. In diese Richtung haben die Erfahrungen Jesu sowie die seiner Umgebung deuten müssen, die ihn zur Überzeugung brachten, daß der Geist Gottes in ihm wirksam war (Mt 12,28/Lk 11,20). Denn der Glaube war unter den damaligen Juden relativ verbreitet, daß der Geist von Israel mit dem letzten Propheten, Maleachi, genommen war und erst bei Anbruch der Heilszeit wiederkehren würde.[16]

Wenn Leute, die in einer solchen Weise die Situation betrachteten, davon überzeugt waren, daß ihr hingerichteter Lehrer von den Toten auferstanden war, hat dies ihrer eschatologischen Erwartung weiteren Inhalt geben müssen.[17] Denn wenn es auch keine feste jüdische Lehre gab, daß am Ende der Zeiten die Toten auferstehen sollten, war jedoch diese Anschauung unter den damaligen palästinischen Juden verbreitet.[18] So hat die Überzeugung, Jesus sei auferstanden, den Schluß nahelegen müssen, daß jetzt die neue Zeit nähergerückt sei. Sie sollten selbst, zusammen mit ihrem lebendigen Herrn,[19] daran beteiligt sein. An und für sich hätte das dazu führen können, daß sich die Gruppe enger zusammenschloß und sich, wie die Qumrangemeinde, von der Welt zurückzog. Sie hat jedoch im Gegenteil Mission betrieben, zuerst unter Mitjuden und später auch unter Heiden. Ohne die Fragen über den Ursprung und der frühesten Geschichte der Mission anzuschneiden,[20] können wir uns jetzt mit der Feststellung begnügen, daß sie tatsächlich früh begonnen hat. Dies hat in den Erzählungen von Begegnungen mit dem Auferstandenen, die oft einen Missionsbefehl ent-

---

[16] Ein neuzeitlicher Beitrag ist *Greenspahn*, Why Prophecy Ceased.

[17] *Conzelmann*, Geschichte des Urchristentums 27f; *Thyen*, Studien zur Sündenvergebung 147.

[18] *Cavallin*, Life After Death; *ders.*, Leben nach dem Tod, bes. 260ff, 266ff, 310–319.

[19] Es ist schwer, sich eine bestimmte Auffassung davon zu machen, in welchen Kategorien man zuerst diese Gemeinschaft ausgedrückt hat. Eine soll vom Bilde des zum Alten vorgeführten Menschensohnes, Dan 7, inspiriert worden sein. 1 Thess 4,13 zeugt von einer frühen Tradition (*Dupont*, Syn Christo 103; *Hoffmann*, Die Toten in Christus 212ff), gemäß welcher der auferstandene Christus in solchen Menschensohnkategorien gesehen wird *und* die Gläubigen zusammen mit ihm „vorgeführt" werden. S. *Hartman*, Prophecy 186f.

[20] Z. B. *Kasting*, Anfänge der urchristlichen Mission.

halten, ein Gegenstück.[21] Folglich hat die Art und Weise, wie die Jesusanhänger über die neue Situation gedacht haben, zur Überzeugung geführt,
daß es für alle eine Angelegenheit von Bedeutung war.
Eine mit diesem Bild verbundene Tatsache ist, daß die Jünger nach Jerusalem umsiedelten. Jerusalem und/oder sein Tempel sollten gemäß den
traditionellen Erwartungen das Zentrum für das Volk des neuen Bundes
oder der Heilszeit sein. Der folgende Abschnitt aus einem Visionsbericht
im ersten Henochbuch kann dies beleuchten:[22]

> Ich sah, wie der Herr der Schafe ein neues Haus brachte, größer und höher als
> jenes erste. Er stellte es am Ort des ersten auf ... Und alle Schafe waren darin. (30)
> Dann sah ich, wie alle übriggebliebenen Schafe sowie alle anderen Tiere auf Erden
> und die Vögel des Himmels niederfielen, jene Schafe verehrten, sie anflehten und
> ihnen in allem gehorchten. (31) ... sie setzten mich unter jene Schafe, bevor das
> Gericht begann. (32) Jene Schafe waren alle weiß, und ihre Wolle war reichlich
> und rein. (33) In jenes Haus wurden alle Umgebrachten und Zerstreuten gesam-
> melt, ebenso alle Tiere des Feldes und alle Vögel des Himmels, und der Herr der
> Schafe freute sich mit großer Freude, denn sie waren alle gut und waren in sein
> Haus getreten.
> (1 Hen 90,29–33)

Die Bildersprache ist leicht zu durchschauen. Die Schafe stehen selbstverständlich für das Gottesvolk, Israel, und die wilden Tiere für die Heiden.
„Das Haus" ist ein neuer Tempel in Jerusalem. Das zerstreute Gottesvolk
wird gesammelt, und sie sind alle gerechtfertigt (32,33), Heiden schließen
sich ihnen an (30,33), ja, es finden sich dort auch, wie es scheint, auferstandene Tote (33a).[23]
Wenn man Texte wie den gerade angeführten mit Hinblick auf die Situation
unter den Jüngern Jesu nach Ostern liest, kann man deutlich eine umfassende Perspektive ahnen, die es nahelegte, die Umkehrtaufe des Täufers zur
Vergebung der Sünden aufzunehmen. Die Ereignisse, denen der Täufer
entgegengesehen hatte, begannen sich zu verwirklichen. Sollte jetzt die
Scheune gereinigt und der Weizen eingesammelt werden?
Als wir oben den religionsgeschichtlichen Hintergrund der Johannestaufe
diskutierten, sind wir auf eine Reihe von Vorstellungen gestoßen, die zu
dem Gedanken vom neuen Bund gehörten. Sie waren in der jüdischen
Umwelt der Urkirche lebendig – das kann wahrscheinlich gemacht werden.[24] Aber jetzt haben die Jesusanhänger eigene Erfahrungen gemacht, die

---

[21] Mt 28,16–20; Lk 24,36–49; Joh 20,19–23.
[22] Andere Texte, die die Stellung Jerusalems in den eschatologischen Erwartungen
beleuchten, sind Jes 2,2ff; Jer 3,14–17; Ez 47; 1 Hen 25–27; PsSal 11,1–3; 17,28f;
2 Bar 39,7–40,4. S. ferner *Billerbeck*, Kommentar IV 883, 919f.
[23] *Cavallin*, Life After Death 40.
[24] S. *Baltzer*, Bundesformular; *Hartman*, Asking for a Meaning; *ders.*, Bundesideologie.

in den Rahmen von Erwartungen passen, die von einem Sammeln eines erneuten Gottesvolkes sprechen, das sich zum Herrn umkehrt, mit Wasser gereinigt wird, dem ein neuer Geist verliehen wird und das die Kinder Gottes sind, sowie er ihr Vater ist.

Wenn oben die urchristliche Taufe eine christianisierte Johannestaufe genannt wurde, wurde das hoffentlich durch die Hinweise untermauert, die den beiden Taufen gemeinsam sind. Vor allem haben wir uns bei der eschatologischen Perspektive aufgehalten, in der beide gesehen werden. Zwischen den beiden Taufen lagen indessen das Leben und Wirken Jesu, sowie die Ereignisse, die zur Überzeugung führten, daß Jesus von den Toten auferstanden war. Auch dies wurde in der gleichen Perspektive gesehen, aber es führte dazu, daß die christliche Taufe etwas mehr als eine wiederaufgenommene Johannestaufe wurde. Sie wurde christianisiert, was in der Formel deutlich wird, die, soweit wir sie zurückverfolgen können, mit dieser Taufe verbunden war: Sie war eine Taufe „auf den Namen des Herrn Jesus".

III. „Auf den Namen des Herrn Jesus"

1. Die Formel

Aus irgendeinem Grund scheinen die ersten Christen von ihrer Taufe als einer Taufe „im Namen Jesu Christi" oder „auf den Namen des Herrn Jesus" gesprochen zu haben.[1] Aber es gibt im Neuen Testament mehrere Varianten von dieser Formel:

- „auf den Namen des Herrn Jesus" (Apg 8,16; 19,5: εἰς τὸ ὄνομα τοῦ κυρίου Ἰησοῦ);
- „im Namen Jesu Christi" (Apg 10,48: ἐν τῷ ὀνόματι Ἰησοῦ Χριστοῦ);
- „wegen des Namens Jesu Christi" (Apg 2,38; ἐπὶ τῷ ὀνόματι Ἰησοῦ Χριστοῦ)[2];
- „auf den Namen des Vaters und des Sohnes und des Heiligen Geistes" (Mt 28,19: εἰς τὸ ὄνομα τοῦ πατρὸς καὶ τοῦ υἱοῦ καὶ τοῦ ἁγίου πνεύματος).

Mit den beiden ersten Ausdrücken vergleiche man:

- „auf den Namen des Paulus" (1 Kor 1,13: εἰς τὸ ὄνομα Παύλου);
- „auf meinen Namen" (1 Kor 1,15: εἰς τὸ ἐμὸν ὄνομα);
- (ihr wurdet) „im Namen Jesu Christi, des Herrn" (gerechtfertigt) (1 Kor 6,11: ἐν τῷ ὀνόματι τοῦ κυρίου Ἰησοῦ Χριστοῦ)[3].

Lukas, der Verfasser der Apg, hat sicher gemeint, daß es keinen Bedeutungsunterschied zwischen den verschiedenen Ausdrücken gab.[4] Aber wie soll man diese Verschiedenheit erklären? Möglicherweise kannte Lukas verschiedene, tatsächlich gebrauchte Formen, und in dem Fall würden die Variationen auf Tradition beruhen. Die von Paulus in 1 Kor 6,11 gebrauchte Wendung könnte die Existenz einer solchen Tradition andeuten. Für den Sprachgebrauch des Lukas muß in erster Linie eine andere Erklärung gesucht werden.

Als einen Hintergrund der angedeuteten Erklärung müssen wir die Ausdrucksweise von Lukas näher betrachten. Den Wendungen „im Na-

---

[1] *v. Campenhausen* (Taufen auf den Namen) ist anderer Meinung, aber s. *Barth*, Taufe 45ff.

[2] Gewisse Handschriften lesen „in", aber dies soll für eine leichtere, und deswegen für eine schwächere Lesart gehalten werden.

[3] „Auf den Namen des Herrn" (εἰς τὸ ὄνομα [τοῦ] κυρίου) steht in Did 9,5 und *Hermas Pastor*, Vis. III.7.3. In Did 7,1 wird auch die Präposition „auf" (εἰς) gebraucht, aber mit dem „Namen" der Dreieinigkeit verbunden. „Auf Christus" in Röm 6,3 und Gal 3,27 kann für eine Kurzform gehalten werden (vgl. 1 Kor 10,2: „auf Moses").

[4] Vgl. jedoch *Delling*, Zueignung des Heils 84ff, 90ff.

men ..." und „wegen des Namens ..." ist er in dem von ihm verwendeten Markusevangelium begegnet (zum Beispiel Mk 9,37ff/Lk 9,48f). Aber vor allem sind sie ihm aus der griechischen Septuaginta-Übersetzung des Alten Testaments bekannt. Dort werden sie auch für Kulthandlungen gebraucht: man betet zum Beispiel „in Gottes Namen" (Dtn 10,8), und man opfert „wegen Gottes Namen" (Mal 1,11).[5] Es ist eine anerkannte Tatsache, daß Lukas eine biblisch klingende Sprache am Herzen lag. Für die Apg gilt das vor allem für den Anfang des Buches, wo er die jerusalemische Urgemeinde beschreibt. Demnach färbt er seinen Stil mit etwas eigentümlichen Wendungen, denen wir in der griechischen Septuaginta-Übersetzung aufgrund des unterliegenden hebräischen Grundtextes begegnen. Wenn Petrus in diesen Fällen „im Namen ..." und „wegen des Namens ..." braucht, läßt Lukas den Apostelfürsten bibelsprachliche Ausdrücke verwenden.

Die Phrase „auf den Namen ..." ist dagegen unbiblisch in dem Sinne, daß sie in der Septuaginta nicht vorkommt.[6] Außerdem ist es eigenartiges Griechisch, indem der Ausdruck im damaligen Griechisch eigentlich als Fachausdruck im Bankverkehr vorkommt, wo der „Name" den Inhaber eines Kontos bezeichnet. Wenn man Geld auf das Konto anlegte, konnte das so ausgedrückt werden, daß man es „auf den Namen" des Inhabers tat.

Schauen wir nun die Zusammenhänge näher an, in denen Lukas die „auf"-Form verwendet. Es geschieht an Stellen, wo er in seiner Funktion als Erzähler am Werk ist. Sie ist somit die für ihn natürliche Redeweise, das heißt die ihm vertraute Sprache, die er in seiner eigenen kirchlichen Umgebung gelernt hat.

Diese Beobachtungen können wir jetzt mit einer anderen Einsicht zusammenführen, nämlich daß Lukas in der Apg den Regeln und Konventionen der damaligen Geschichtsschreibung folgt. Sie lagen sozusagen in der Luft, aber konnten auch ausdrücklich formuliert sein, wie zum Beispiel bei Lukianos.[7] Zu den Konventionen gehörte es, daß in den Reden der Hauptpersonen die Sprache sowie die Reden als rhetorische Leistungen den Erwartungen des Lesers angepaßt wurden, auch in bezug auf den Redner und die Situation, in der er sich befand.[8] Die „in"- und „wegen"-

---

[5] S. *Hartman*, La formule baptismale.

[6] Daß jemand Schmähungen „gegen (εἰς) seinen (d.h. Gottes) Namen" anführt (2 Makk 8,4), ist natürlich keine Ausnahme; hier ist der „Name" das Objekt der im Verbalbegriff beinhalteten Handlung, nicht das ihrer Umstände.

[7] Die Schrift des Lukianos zur Sache war „Wie man Geschichte schreiben soll" (De arte conscribendae historiae).

[8] *Plümacher*, Lukas als hellenistischer Schriftsteller 39; *van Unnik*, Luke's Second Book 59.

Formeln beruhen folglich in erster Linie auf der Technik des Lukas. Er fand es angemessen, daß die Sprache von Petrus „biblisch" klingt. Dies schließt jedoch nicht aus, daß die Formeln, oder wenigstens die „in"-Variante, existiert haben – die oben angeführte Stelle 1 Kor 6,11 bestätigt diese Annahme.

Es scheint selbstverständlich, die Art, in der Jesus in den Formeln genannt wird, in derselben Weise zu betrachten.[9] Petrus darf somit die Wendung „im Namen *Jesu Christi*" (oder „im Namen des *Messias Jesus*") gebrauchen. Die Kombination „Jesus Christus" ist fest und vor Lukas, vor allem bei Paulus, gebraucht.[10] Wie erwähnt, es ist nicht unmöglich, daß es beispielsweise auf judenchristlicher Seite eine Taufformel „im Namen des Messias Jesus" gegeben hat. Aber trotzdem ist Lukas konsequent. In seinem Werk nehmen die Judenchristen diese Titulatur in ihren Mund, wenn sie mit anderen Juden sprechen.[11] Es scheint, als ob Lukas wollte, daß sie sich so ausdrücken, um als Judenchristen hervorzutreten.

„Des Herrn Jesus" in der „auf den Namen"-Formel kann in derselben Weise mit Blick auf die Verfassertätigkeit des Lukas beurteilt werden.[12] Der Ausdruck repräsentiert die Redeweise des Lukas.[13] Zudem gehört sie zu der von den Christen seines Berichtes untereinander gesprochenen Sprache.[14]

Wir können so einerseits den Schluß ziehen, daß Lukas seine Ausdrücke im Hinblick auf die in seiner Erzählung Sprechenden zu wählen scheint. Andererseits sind die Ausdrucksweisen auf verschiedene Art in der Tradition verwurzelt. Aber für die „auf den Namen"-Formel ist diese Verwurzelung erheblich sicherer als für die anderen.

Wenn also die Formel „auf den Namen des Herrn Jesus" als Tradition sichergestellt ist, bleibt doch die Tatsache, daß sie eigentümlich ist: sie ist ja sowohl unbiblisch als auch ungriechisch. Dies erfordert eine Erklärung, und um die Jahrhundertwende wurde eine solche von W. Heitmüller gegeben.[15] In jener Zeit waren für die Altertumswissenschaft die in Ägypten gefundenen Papyrushandschriften wichtig, von denen eine große Anzahl das alltägliche Leben behandelte. Darunter fand man auch in Ge-

---

[9] *Hartman*, La formule baptismale 735ff. Das Problem wird von *Delling* (Zueignung 85ff) angedeutet.

[10] Z. B. *Wilckens*, Missionsreden 157.

[11] 2,38; 3,6; 4,10; 8,12; 9,34; 10.36.48; 16,18. In ein wenig andersartigen Kombinationen 11,17; 15,26; 28,31.
16,18 ist eine Ausnahme: Beruht sie darauf, daß sich dort eine Beschwörungsformel findet (vgl. 3,6 und 4,10, wo das Thema ähnlich ist)?

[12] S. *Hartman*, a.a.O. 737f.

[13] 4,33; 8,16; 11,20; 19,5.13.17.

[14] 1,21; 7,59; 15,11; 16,31; 20,21.24.35; 21,13.

[15] *Heitmüller*, „Im Namen Jesu".

schäftsurkunden den Ausdruck „auf den Namen von jemandem", und zwar mit dem oben erwähnten im Bankwesen üblichen Sinn. Heitmüller war der Ansicht, daß griechisch sprechende Christen der ersten Generation gerade diesen Fachausdruck aufgenommen hatten, um damit zu sagen, daß der Täufling in der Taufe das Eigentum des erhöhten Herrn wurde. Er wurde also sozusagen auf sein Konto angelegt.

Die Heitmüllersche Erklärung der Namensformel sowie die daraus hergeleitete Deutung von der Taufe wurden von vielen angenommen.[16] Trotzdem wurde sie von einigen Forschern kritisiert. Die Annahme, daß die Christen das Bild über ihr Verhältnis zu Christus aus der Fachsprache der Banken ableiteten, ist ihrer Ansicht nach künstlich herbeigezogen.[17] Diese Kritik scheint berechtigt zu sein. Es ist auch ein fragliches Vorgehen, nach der Funktion eines so vagen Ausdrucks wie „auf den Namen von jemandem" zu suchen. Der präzise Sinn beruht doch völlig auf dem Zusammenhang, in welchem er gebraucht wird. Dies bedeutet, daß er kaum den im Geschäftszusammenhang gültigen Sinn in Verbindung mit der Taufe mit sich bringt, um im letzteren bildlich fungieren zu können.[18] Der Abstand zwischen den zwei Assoziationsbereichen ist zu groß und der Ausdruck zu vage. Um ein einfaches Beispiel zu nennen: Ein Rechnungsabschluß kann so enden: „dem Käufer zugute DM 520". Der Ausdruck „zugute" begegnet uns aber auch in Gen 50,20, wo Josef seinen Brüdern das Böse, das sie ihm angetan haben, so darstellt: „ihr habt Böses gegen mich gedacht, aber Gott hat es zugute gedacht". Gewiß sind die beiden Ausdrücke miteinander verwandt, aber es ist nicht möglich, den Inhalt vom Gen-Zusammenhang mit dem Rechnungsabschluß zu vergleichen, so daß der erste Kontext Licht auf den zweiten werfen könnte.

Nun ist statt der Heitmüllerschen Lösung vorgeschlagen worden, die Wendung „auf den Namen von jemandem" sei eine Übersetzung des hebräischen oder aramäischen Ausdruckes, *l^eschem* beziehungsweise *l^eschum*, der wörtlich „auf dem Namen" bedeutet. Sein Sinn ist „mit Rücksicht auf", „im Hinblick auf" oder etwas ähnliches.[19] Dies dürfte die historisch richtige Erklärung sein, aber die Art und Weise, wie das Ver-

---

[16] Z. B. *Bornkamm*, Lehre von der Taufe 47; *Bultmann*, Theologie 42, 140; *Dinkler*, Römer 6,1–14, 116f; *Dunn*, Baptism 117f; *Haenchen*, Apg 186; *Oepke*, ThWNT I 537; *Schneider*, Taufe 32; *Thyen*, Studien zur Sündenvergebung 147.

[17] Z. B. *Barth*, Taufe 50f; *Bietenhard*, ThWNT V 275; *Delling*, Zueignung 32ff.

[18] *Hartman*, Into the Name 433.

[19] Auch Heitmüller rechnet damit, daß in Sonderfällen die semitische Wendung hinter dem „auf den Namen" zu spüren ist, so in Mt 10,41 („mit Hinblick darauf, daß er Prophet ist") (Im Namen Jesu 113f).

gleichsmaterial behandelt wurde,[20] scheint fraglich. Ein Text, den sie oft und gern verwertet haben, ist die folgende Opferregel in der Mischna:

> Ein Opfer muß auf den Namen von sechs Dingen (also: mit Hinblick auf sechs Dinge) geopfert werden: auf den Namen des Opfers (also: um welche Art von Opfer handelt es sich?), auf den Namen des Opfernden (also: für wen wird zum Beispiel das Sündopfer geopfert?), auf den Namen des Namens (also: mit Hinblick auf Gott), auf den Namen des Altarfeuers (also: es soll ein richtiges Brandopfer sein), auf den Namen des Rauches, auf den Namen des Wohlgefallens (M Zeb IV.6).

Nach gewissen Erwägungen[21] gelangt man zu der Einsicht: so, wie das Opfer Gott übergeben wird, so wird in der Taufe der Täufling Jesus als sein Eigentum übergeben.[22] Die Folge davon ist also ein Ergebnis, das dem Heitmüllerschen auffallend ähnlich ist.[23] Tatsächlich liegt auch in diesem Fall die fragliche Annahme vor, daß die „auf den Namen"-Formel einen festeren Sinn gehabt hat, als ihr in Wirklichkeit zuzumessen ist.[24] Es kommt hinzu, daß im angeführten Mischna-Text die Aussage „auf den Namen des Namens" nicht „zu Gott (geopfert)" bedeutet, sondern vielmehr „mit Hinblick auf Gott (geopfert)", das heißt in seinem Dienst, nicht in dem anderer Götter.[25]

---

[20] *Bietenhard*, a.a.O. 275; *Billerbeck*, Kommentar I 591, 1054f. Vor ihnen war die Lösung in *Brandt*, Onoma en de Doopsformule, und *Dalman*, Worte Jesu, vorgeführt worden. Sie haben Nachfolger u. a. in den Folgenden gefunden: *Beasley-Murray* (Baptism 90f), *Goppelt* (Theologie 331), *Jeremias* (Kindertaufe 35), *Kretschmar* (Geschichte des Taufgottesdienstes 18,32f).

[21] Man versucht, zwischen einem kausalen und einem finalen Sinn der Formel zu unterscheiden, und findet so, daß die Formel eine sogenannte Zweckbestimmung haben kann. Es ist zu befürchten, daß man hier eine zu große Präzision des Sprachgebrauches annimmt, und sogar, daß man unbewußt die Distinktionen seiner eigenen Muttersprache in die semitischen Ausdrücke hineindenkt. S. *Hartman*, Into the Name 434f.

[22] *Bietenhard*, a.a.O. 275; *Billerbeck*, a.a.O. 1005.

[23] Dies wird auch von einigen Verfassern festgestellt. Folglich wird ihnen auch die historische Frage unwichtiger; s. *Beasley-Murray*, a.a.O. 90ff, 100; *Kuss*, Zur vorpaulinischen Tauflehre 98; *Leenhardt*, Le baptême chrétien 36.

[24] *Hartman*, a.a.O. 434ff.

[25] In seinem Werk, Die Zueignung des Heils in der Taufe. Eine Untersuchung zum neutestamentlichen „Taufen auf den Namen", stellte G. *Delling* einen eigenen Lösungsvorschlag dar. Er ging allen neutestamentlichen Belegen von „Namen" nach, ein textimmanentes Verfahren wenigstens insofern, daß er kein außerchristliches Idiom als Erklärung heranzog. Er kam zum Schluß, daß die Namen-Ausdrücke („im Namen" und ähnliche) in den meisten Fällen sich auf Jesus beziehen, und behauptete dann: „die Person, in der Gott eschatologisch handelt, ist von dem Geschehen, das Gott durch sie wirkt, nicht zu trennen" (S. 43). Dies mag eine annehmbare theologische Position sein, aber ich finde es schwer einsehbar, wie sie gestützt werden kann durch die Verwendung der Vokabel „Namen" zusammen mit der Vokabel „Jesus" (und entsprechendem). Ebenso kann wohl

Es gibt nun eine jüdisch-rabbinische Verwendung des Ausdrucks „auf den Namen", die uns die Lösung des Problems geben kann, wie die Formel ursprünglich gelautet hat und welchen Sinn sie gehabt hat. An und für sich hat der Ausdruck einen relativ allgemeinen Sinn, „mit Rücksicht auf", „im Hinblick auf", „zwecks" und so weiter. Aber er wird auch in einem besonderen, in unserem Falle interessanten Zusammenhang gebraucht, nämlich wenn von religiösen Riten die Rede ist. Sie werden „auf den Namen" der Gottheit ausgeführt, der der Ritus gilt oder mit der er verbunden wird. Die betreffende Gottheit ist eine grundlegende Referenz des Ritus.[26]

Eine Zeile in der oben aus der Mischna angeführten Opferregel kann als Beispiel für den genannten Gebrauch dienen: das Opfer „auf den Namen des Namens" sollte also ein Gottes-Dienst, ein Dienst am Gott Israels sein, nicht, sagen wir, ein Zeus-Kultus. Andere Beispiele: die Rabbiner diskutieren, ob die von jungen Leuten abgegebenen Gelübde gültig sind, welche sagen: „wir wissen, auf wessen Namen wir unsere Gelübde getan haben" (M Nid V.6). Von einem Samaritaner wird ferner gesagt, daß er „auf den Namen des Gerissims" beschnitten (T Ab Z III.13), wobei also der Gerissim, der heilige Berg der Samaritaner, für die samaritanische Form von Judentum steht, die den sinngebenden Rahmen des Ritus darstellt. Selbstverständlich werden die Opfer nicht für gültig gehalten, die „auf den Namen der Berge oder der Hügel, des Meeres oder der Wüste" geopfert werden (M Chull II.8; man vergleiche Dtn 12,2); sie werden ja nicht im Rahmen des Kultes des einzigen Gottes dargebracht. Wenn dieser Mischnasatz im babylonischen Talmud aufgenommen wird, ist die Liste länger geworden, indem dort auch Sterne, Planeten und Michael erwähnt werden. Auch sie sind nicht in erster Linie als Empfänger der Opfer gedacht, sondern deuten einen besonderen Zusammenhang der gedachten Opfer an, nämlich der der antiken Astralreligion, die auch einen Platz für solche himmlischen Mächte als Engel und Erzengel hatte.[27] Von Gottesdienst im allgemeinen handeln die folgenden zwei Zitate: „Jede Versammlung, die auf den Namen des Himmels (also: Gottes) stattfindet, wird bestehen" (Ab IV.11),[28] und „es gibt zwei Weisen vorzutreten (also vor Gott, im liturgischen Sinne),[29] eine auf den Namen des Himmels, eine nicht auf den Namen des Himmels" (S Num § 136).

---

kaum der Gebrauch des Wortes „Namen" den Schluß am Ende des Buches tragen: „Die Taufe ‚auf den (im) Namen' fügt dem Heilsgeschehen ein, das an den Namen (Jesus) gebunden ist" (97).

[26] *Hartman*, Into the Name.
[27] S. z.B. Philo, de somn. I.140; Plutarchos, de fato 572F–574C; Röm 8,38.
[28] Mt 18,20 („auf meinen Namen versammelt") verwendet dieselbe Ausdrucksweise.
[29] Vgl. Hebr 4,16; 10,1.22.

Schließlich muß noch erwähnt werden, daß statt des Ausdrucks „auf den Namen von jemandem" bisweilen „in dem Namen von jemandem" auftritt. Diese Form ist auch im Alten Testament (auch in der griechischen Septuaginta-Übersetzung) vertreten und wird nicht selten bei Kulthandlungen gebraucht.[30] Aber der Sinn ist deswegen kaum ein anderer. Ferner konnte die Formel „auf den Namen (von jemandem)" zum einfachen „auf (jemand)" abgekürzt werden, ohne daß dadurch die Bedeutung eigentlich verändert wurde.[31] Diese Möglichkeiten sind für den neutestamentlichen Exegeten interessant, indem sie eine Analogie zu den Varianten „auf den Namen", „wegen des Namens" und „im Namen" darstellen sowie auch zum paulinischen „auf Christus" (getauft zu sein).

Das angeführte Vergleichsmaterial gibt zu folgenden Schlüssen bezüglich der christlichen Taufe Anlaß. Die aus sprachlichem Gesichtspunkt eigentümliche Formel ist eine wörtliche Übersetzung eines hebräisch-aramäischen Idioms, das in der aramäisch-sprechenden Urgemeinde bei der Taufe angewandt worden ist. Wir werden also in eine frühe Epoche der Kirche zurückgeführt. In seiner griechischen Form ist die Wendung ein christlicher Fachausdruck geworden. Es ist schwer auszumachen, aus welcher Zeit die Übersetzung stammen könnte, aber schon die sogenannten Hellenisten der Urgemeinde (Apg 6–7) können der Ursprungskreis der griechischen Form sein. Falls Lukas in Apg 11,19f zu trauen ist, können diese die Wendung dann weiter in Syrien und anderswo verbreitet haben. Die „in"-Form kann an und für sich auch alt sein, aber das Material ist hier noch mehrdeutiger.

Wenn man von der christianisierten Johannestaufe als einer Taufe auf den Namen des Herrn Jesus gesprochen hat, hat der Ausdruck einen Inhalt erhalten, nach dem der „Herr Jesus" dieselbe Bedeutung für die Taufe hat wie „der Name" oder „der Himmel" für den Gottesdienst, die Versammlung, das Opfer oder die Gelübde, die in den obigen Beispielen erwähnt wurden. Dort wurden die genannten Riten im Rahmen des Dienstes von Gott ausgeführt und im Lichte seiner Bedeutung für sein Volk. Hier wird

---

[30] So kann sowohl gesagt werden, daß junge Leute ihre Gelübde „auf den Namen (Gottes)" ablegen, als daß ein Götzendiener es „in seinem (d. h. des Götzens) Namen" tut (M Sanh VII.6). Für das AT s. den Abschnitt oben von dem Septuaginta-Idiom des Lukas.

[31] So heißt es in M Ab Z III.7 von einem, daß er einen Baum „auf den Namen des Götzendienstes" beschneidet, aber wenn dieser Satz in der Gemara (Ab Z 48a) angeführt wird, steht nur „auf Götzendienst". Lukas weiß in einer entsprechenden Weise vorzugehen: in Lk 21,12 verwendet er den Markustext (Mk 13,9), in dem „meinetwegen" steht, aber er schreibt selber „wegen meines Namens". Ferner kann er in Apg 10,43 schreiben, daß Vergebung der Sünden „durch seinen Namen" gegeben wird, während in Apg 13,38 die Vergebung „durch ihn" gegeben wird. Auch in diesen Fällen sollte kein Bedeutungsunterschied vorliegen.

etwas ähnliches vom Herrn Jesus gesagt. Der Name hat in allen diesen Fällen die Gottheit angegeben, die die Voraussetzung des Ritus ist und deren Taten und Macht der Referenzrahmen sind, der die Bedeutung des Ritus in einer grundlegenden Weise bestimmt.

Wenn wir den hauptsächlichen Sinn dieser Ausdrücke in dieser Richtung suchen, haben wir doch gesehen, daß sie leicht auch eine bestimmende, abgrenzende Funktion bekommen. Das Opfer, zum Beispiel, „auf den Namen des Namens" wurde nicht im Rahmen eines Götzendienstes dargebracht, die Bescheidung „auf den Namen des Gerissims" war von der des orthodoxen Judentums zu unterscheiden usw. Für die christliche Taufe hat dann auch die Bezeichnung, wenigstens indirekt, eine Abgrenzung von anderen Taufriten bedeutet, unter denen man wohl zuerst an die Johannestaufe denkt,[32] aber wenn die Praxis der Proselytentaufe etabliert ist, kommt wohl auch sie in Frage.

2. Sinn der Formel

Wir kommen jetzt zur Frage, welchen positiven Sinn eine Taufe haben kann, die „auf den Namen des Herrn Jesus" stattfindet.[33] Gewiß ist jede Antwort unsicher, aber die Unsicherheit ist nicht größer als früher, als man die Formel als Übereignung des Täuflings an den verherrlichten Herrn deutete. Ferner ist wohl eher anzunehmen, daß eine Formel mit solch einem ritualtechnischen Gebrauch einen Sinn hatte, als vorauszusetzen, daß sie nur eine bedeutungslose Floskel war.[34]

Der Versuch, eine Antwort auf die Frage nach dem ursprünglichen Sinn der Formel zu finden, muß damit anfangen, daß wir uns an die eschatologische Perspektive erinnern, die durch die Überzeugung, Jesus sei auferstanden, eine neue Aktualität bekam. In der Verkündigung Jesu hatte das Reich Gottes eine große Rolle gespielt. Jetzt sollte seine Nähe dringender erscheinen. Aber der Glaube, daß Jesus auferstanden war, verschärfte nicht nur das eschotologische Bewußtsein und förderte nicht nur die Überzeugung, daß Jesus, der Auferstandene, der erste der vielen Menschen war, die am Segen des anbrechenden Reiches Anteil hatten. Die Taufformel, als Ritualformel, setzte auch voraus, daß hinter der Taufe eine größere Autorität lag, die ihr Sinn und Bedeutung verlieh.

Die erwähnte Autorität ist Gegenstand der Missionspredigt gewesen. Denn

---

[32] Vgl. die Abgrenzung in Apg 19,1–7.
[33] Fürs Folgende s. *Hartman*, Baptism.
[34] „Nur eine Formel", schreibt *Marxsen*, der davon ausgeht, daß sie erst später einen Inhalt bekam (Erwägungen 174).

aller Wahrscheinlichkeit nach ist die Taufe auf die Verkündigung in derselben Weise bezogen worden, wie es der Fall bei Johannes dem Täufer war. Seine Taufe war untrennbar mit seiner Verkündigung von der sich nähernden Krise und von Umkehr und Sündenvergebung verbunden. Der Verkündiger wandte diese Predigt in der Taufe an: darin wurde die Sündenvergebung gegeben, nicht vom Täufer, aber von dem, der ihn gesandt hatte. Von seiten der Zuhörer gab es eine ähnliche Verkettung: sie hörten die Umkehrverkündigung, einschließlich der Verkündigung von der Taufe, nahmen sie auf und kehrten um. Aber dieses innere Geschehen erhielt einen äußeren Ausdruck, indem sich die Bekehrenden taufen ließen, um die Vergebung zu empfangen. So wurde auch die christianisierte Johannestaufe mit einer Verkündigung verbunden, die eine Forderung zur Umkehr zu demselben Gott enthielt, aber die auch von dem Herrn Jesus handelte, auf dessen Namen getauft wurde und der somit der Taufe einen näheren Sinn gab. Seine Auferstehung wurde als die Rechtfertigung des Verachteten und Hingerichteten betrachtet.[35] Jetzt hatte er eine bleibende, autoritative Stellung als „erhöht" inne.

Gleichzeitig führte diese Überzeugung von der Rechtfertigung Jesu dazu, den geschichtlichen Jesus, seine Verkündigung und sein Werk in einem neuen Licht zu betrachten.[36] Da viele der frühesten urchristlichen Verkündiger noch den irdischen Jesus gekannt hatten, liegt die Annahme nahe, daß ihre Verkündigung der Taufe auf den Namen des Herrn Jesus auch in Bezug zum irdischen Jesus gesetzt wurde, auch wenn er als auferstanden verkündigt wurde. In bezug auf das Vergebungsmotiv liegt dies nahe, denn eine Verkündigung, die zu einer Taufe zur Vergebung der Sünden im Namen Jesu führte, hat wohl auch diese Vergebung berühren müssen. Wie bei Johannes war Gott der Vergebende, aber die göttliche Vergebung wurde hier in Verbindung mit einer Taufe auf den Namen des Herrn Jesus gegeben. Derselbe Jesus hatte im Zeichen des Gottesreiches mit Sündern Tischgemeinschaft gehabt, Sünden vergeben (wie Gott allein es kann; Mk 2,5ff) und unter anderem so gelehrt, wie im Gleichnis vom verlorenen Sohn bewahrt ist.[37] Dieser Jesus der Vergangenheit wurde jetzt in der neuen eschatologischen Perspektive gesehen und war die in der gegenwärtigen Lage lebende Autorität, die dem Ritus, der das äußere Zeichen der Sündenvergebung ist, seinen Sinn gab.

Wenn ferner die Verkündigung, Johannes folgend, zur Umkehr im Zeichen

---

[35] Z. B. *Kümmel*, Theologie 91ff; *Thüsing*, Erhöhungsvorstellung 214ff.
[36] *Thüsing*, a.a.O. (208ff; 60ff) spricht von einer „Transformation".
[37] Zu der Vergebung der Sünden im Auftreten des historischen Jesus s. z. B. *Becker*, Heil Gottes 199–217; *Fuchs*, Frage nach dem historischen Jesus 220; *Perrin*, Rediscovering 102ff, 139ff.

der eschatologischen Krise aufforderte, wurde der positive Aspekt der Umkehr als „Glaube" charakterisiert.[38] Auch das bedeutet eine Anknüpfung an den historischen Jesus.[39] Glauben bedeutet, daß ein Mensch das „Evangelium" aufnahm, sich in den Dienst des Gottesreiches stellte und sich von einem neuen Verhältnis zu Gott umschließen ließ; das, wofür der Herr Jesus stand, wirkte wie ein neues Prisma, durch das dies alles gesehen war.

Es ist schließlich auch anzunehmen, daß die Verkündigung oder die mit der Taufe verbundenen Gedanken auch den heiligen Geist berührten. Johannes der Täufer hatte in irgendeinem Sinn von einer kommenden Taufe im heiligen Geist gesprochen, und wir haben gesehen, daß die jüdischen Erwartungen von der kommenden Heilszeit eine Hoffnung enthalten konnten, daß der Geist dann gegeben werde. Es scheint, daß die ersten Christen gegenüber den Johannesjüngern sich gerühmt haben, diese Gabe erhalten zu haben. Auch in dieser Hinsicht haben sie an den historischen Jesus anknüpfen können, der überzeugt war, daß sein Werk von diesem Geist getragen war (Mt 12,28/Lk 11,20). Jetzt konnten seine Nachfolger meinen, dieser Geist würde in seinem Namen gegeben.

Noch einen Aspekt können wir in der christianisierten Johannestaufe erkennen. Sie war nicht nur ein Übergangsritus auf dem Weg in ein neues, eschatologisch gefärbtes Umfeld, sondern auch das Tor zu einer neuen Gemeinschaft. Wir erkannten etwas ähnliches im Falle der Johannestaufe, und mehrere Aspekte der eschatologischen Perspektive gehören hierher. Hier wurde das Volk des neuen Bundes versammelt, gereinigt, es wurde ihm vergeben, und es wurde geheiligt und mit einem neuen Geist begabt. Ja, auch die Sammlung des Gottesvolkes kann als eine „auf den Namen des Herrn Jesus" geschehene angesehen werden. Mit neuen Vorzeichen konnte die Urkirche an die sammelnde Wirksamkeit ihres Herrn anknüpfen, der Menschen in seine Nachfolge sammelte, nicht um eine geschlossene Gruppe oder Sekte zu gründen, sondern um ein Volk Gottes unter die präsente und kommende Herrschaft Gottes zu sammeln.[40]

Das oben Gesagte zeigt einige Züge dessen, was eine Taufe „auf den Namen des Herrn Jesus" als eine christianisierte Johannestaufe hat bedeuten können, wenn sie im Lichte des Glaubens an die Auferstehung Jesu ausgeführt wurde. Wenn wir uns jetzt den christologischen Bezeichnungen der For-

---

[38] *Behm*, ThWBNT IV 999. Selbstverständlich ist es ein wenig abenteuerlich, von urchristlicher Verkündigung in so weitschweifenden Zügen wie diesen zu sprechen, als ob wir mehr als einige wenige Reflexe davon kennten, v. a. durch Paulus und den erheblich späteren Lukas.

[39] *Behm*, a.a.O. 998.

[40] *Goppelt*, Theologie 254–260.

mel zuwenden, betreten wir ein Gebiet, das mindestens so schwierig ist, nämlich die allerälteste Christologie. Wir müssen uns mit dem Versuch begnügen, uns im Gelände vorsichtig zu bewegen, und uns darauf begrenzen, das für unsere vorliegende Aufgabe Notwendige anzuschneiden.[41] Ob die Taufformel von Anfang an mit der christologischen Titulatur „der Herr Jesus" verbunden war, ist unsicherer als der Schluß, daß der semitisierende Präpositionsteil der Taufformel „auf den Namen des Herrn Jesus" uralt ist. Wir haben gesehen, daß Lukas annahm, daß Petrus von einer Taufe „im Namen Jesu Christi" (oder: „im Namen Jesu, des Messias; Apg 2,38) sprach. Aber wenn wir der Benennung „der Herr Jesus" begegnen, muß die Kombination in einer Art Zusammenhang mit der frühen Bekenntnis-Formel „Jesus (ist) der Herr" (κύριος Ἰησοῦς) stehen.[42] Ihrerseits beruht sie auf Vorstellungen, die vor allem im aramäischen Bittruf *maranatha*, „unser Herr, komm",[43] (1 Kor 16,22; Offb 22,20; Did 10,6) ersichtlich sind. Die Vorstellungen hinter dem Bittruf sind denen ähnlich, die Paulus in 1 Thess 1,9f andeutet, wenn er die Thessalonicher an ihre Umkehr erinnert: „Ihr bekehrtet euch von den Götzen zu Gott, um dem lebendigen und wahren Gott zu dienen und seinen Sohn vom Himmel zu erwarten, Jesus, den er von den Toten auferweckte und der uns vom kommenden Zorn rettet." Wenn Jesus in der Taufformel Herr genannt wird, bedeutet das, daß man ihn als eine himmlische Autorität bekennt, nicht als den Gott, zu dem die Thessalonicher sich bekehrt hatten, aber doch als einen mit göttlicher Autorität versehenen Herrn, der unter Menschen wirksam war. Die Reflexion ging verschiedene Wege, um dies auszudrücken: man nennt ihn den Sohn Gottes, wie zum Beispiel in der angeführten 1 Thess-Stelle, man zitiert Ps 110: „der Herr sagte zu meinem Herrn: setze dich zu meiner Rechten",[44] man spricht von ihm als von der Weisheit Gottes (in Mt 11,19 par. angedeutet) oder als dem Wort Gottes (Joh 1,1–14). Wir brauchen nicht näher auf diese Fragen einzugehen, sondern können uns damit begnügen festzustellen, daß eine Taufe „auf den Namen des Herrn Jesus" einen Glauben an einen verherrlichten Jesus voraussetzt, der jetzt eine auf Erden ausgeübte Macht hat. Man hat wohl auch, wie in 1 Thess 1,10, gemeint, daß diese Macht aus der äußersten Krise retten würde, der Krise, die von Johannes mit dem Dreschen verglichen wurde und die Paulus etwa zwanzig Jahre später „den kommenden Zorn"

---

[41] Eine gute Diskussion ist *Pokorný*, Entstehung der Christologie.
[42] S. Röm 10,9; 1 Kor 12,3; Phil 2,11. S. ferner *Fitzmyer*, EWNT II 811–820.
[43] Wie viele andere ziehe ich es vor, den Ausdruck in der angedeuteten Weise zu lesen, wenn es auch möglich ist, ihn als „unser Herr kommt" zu deuten. Zur Diskussion s. *Schneider*, EWNT II 947f.
[44] Mk 12,36 par.; Apg 2,34f; 1 Kor 15,25; Hebr 1,3.13.

nannte. Der Schar dieses Herrn anzugehören bedeutete, zu den Geretteten zu gehören.

Wir haben schon gesehen, daß diese himmlische Macht auch die Autorität enthielt, jetzt, wie im irdischen Leben Jesu, Sünden zu vergeben. Auch das ist wohl als ein Aspekt seiner rettenden Funktion betrachtet worden.

Wir werden durch die 1 Thess-Stelle gestützt, wenn wir damit rechnen, daß das eschatologische Klima dazu führte, Jesus, den Herrn, in einer nahen Zukunft „vom Himmel" zu erwarten. Da das Bild von dieser sogenannten Wiederkunft nicht völlig eindeutig ist,[45] können wir uns vielleicht ein wenig vage ausdrücken und sagen, daß man eine nahe Konfrontation mit diesem Göttlichen, der grundlegenden Referenz der Taufe, erwartete.

Es ist denkbar – aber kaum mehr –, daß dieser sozusagen im Himmel verankerten Christologie eine mehr in messianischen Kategorien gedachte voranging, gemäß der der auferweckte Jesus als Messias in einem errichteten Gottesreich herrschte. Wie dem auch sei, wir haben schon die Möglichkeit angeschnitten, daß die Taufe schon früh „im Namen Jesu Christi" oder „im Namen von Jesus dem Messias" gespendet worden sein könnte. Damit wird die Messianität Jesu für die Taufe ein Rahmen von entscheidender Bedeutung. Aber wenn wir jetzt in das Dunkel der frühen Epoche hineinspähen, muß eine erhebliche Unsicherheit darüber herrschen, was eine Messiastitulatur im Zusammenhang mit der Taufe bedeutet.[46] Ein Hinweis ist jedoch die Art und Weise, wie Lukas sie in einer späteren Zeit verwendet. Er läßt ja, wie wir gesehen haben, Judenchristen diese christologische Bezeichnung gebrauchen, wenn sie mit anderen Juden sprechen. Der auferstandene Jesus würde dann als der dargestellt werden, der Gottes Verheißungen an sein erwähltes Volk von dem kommenden Herrscher im Reich Gottes erfüllte. Gleichzeitig müssen wir damit rechnen, daß die Erwartungen umgedeutet und neuinterpretiert wurden, indem vor allem dem Leiden und dem Tod Jesu ein Platz eingeräumt werden mußte.[47] Eine auf einen solchen Messias referierende Taufe hat man auch mit anderen der oben genannten und vom Täufer übernommenen Motive verbinden müssen (der Sündenvergebung, der Umkehr, dem Glauben, der Gabe des Geistes). Wie wir es im Zusammenhang mit der Herr-Jesus-Titulatur angenommen haben, mußten wohl die Verkündiger auch in diesem Fall die Verwurzelung dieser Motive im Leben Jesu in Betracht ziehen.

---

[45] Die „Richtung" der „Parusie" des Menschensohnes kann erstens, wie in Dan 7,13f, gegen den Himmel gewesen sein. S. *Glasson*, Second Advent; *Lagrange*, Mk ad 14,62; *Robinson*, Jesus; *Taylor*, Mk ad 14,62.
[46] *Pokorný*, Entstehung der Christologie 36–40, 65ff.
[47] *Pokorný*, a.a.O. 66 (dort weitere Literaturhinweise).

Die frühere Forschung hat oft die Frage gestellt, ob bei der Taufe „der Name" irgendwie erwähnt wurde. Für W. Heitmüller lag etwas in dieser Richtung nahe, denn er baute großenteils seine Rekonstruktion darauf, die Taufe im Rahmen der Religionsgeschichte der alten Welt zu betrachten. Sie sollte nämlich im Lichte davon verstanden werden, wie heilige Namen für Beschwörungen und Magie gebraucht wurden oder, bisweilen, um etwas als dem zugehörig darzustellen, dessen Namen genannt wurde.[48] Wenn mein Versuch richtig ist, den Hintergrund der Formel „auf den Namen des Herrn Jesus" zu erklären, kann man die Frage nicht in Heitmüllers Weise beantworten. Statt dessen sollten wir solche rituellen Analogien suchen, wie ich oben angeführt habe. Das heißt, daß, wenn wir auch kein festes Taufritual annehmen, die Taufe doch von solchen Gebeten, Anreden und Akklamationen begleitet war, die mit Jesus als grundlegender Referenz entstanden sind. Die Tatsache, daß der Ausdruck trotz seiner sprachlichen Ungelenkigkeit so verbreitet war, kann ein Zeichen dafür sein, daß er im Ritus in solcher Weise angewendet wurde, daß er sich in dem Denken der Anwesenden eingeprägt hat.[49]

Wenn wir uns jetzt zu den die Taufe behandelnden neutestamentlichen Texten wenden, werden wir für jedes Buch oder jede Textgruppe einen Vergleich mit den obigen Versuchen anstellen, einige Züge der frühesten Taufe auf den Namen des Herrn Jesu zu rekonstruieren. Wir begegneten der Mehrzahl von diesen Zügen schon beim ersten Blick in den Galaterbrief, dann auch in einer besonderen Gestalt bei Johannes dem Täufer und schließlich in den Erwägungen betreffs der frühchristlichen Phase. Kurz gefaßt, handelt es sich um folgende Motive. Erstens vor allem die übergreifende *eschatologische Perspektive*: einerseits die Überzeugung, daß das

---

[48] *Heitmüller*, Im Namen Jesu, 2. Teil. S. auch *Dibelius*, Jak 175ff. In späteren Texten wird ausdrücklich gesagt, daß ein Name über den Täufling ausgerufen wurde (Hermas Pastor, Sim. 8.6.4 und Justin. Mart., Apol. I.61,10–13). Diese Sitte kann, an und für sich, einen frühen Ursprung haben. Aber wenn Jak 2,7 als Begründung herangezogen wird, kann die Tragfähigkeit bezweifelt werden. Dort wird gesagt, daß gewisse Leute „den über euch ausgerufenen (ἐπικληθέν) guten Namen" lästern. (Übrigens spielt deutlich die angeführte Herm.-Stelle auf Jak 2,7 an.) Der Ausdruck ist aber fest biblisch und wird im AT vom erwählten Volk Gottes gebraucht (z. B. 2 Chr 7,14; Jer 14,9; Bar 2,15; Dan 9,19), sowie von dem Gott geheiligten Tempel (z. B. 2 Kön 8,43; Jer 7,30). In Jak 2,7 mag also der Ausdruck kaum direkt auf die Taufe anspielen, sondern er besagt vielmehr, daß die angeredeten Christen ihrem Gott geheiligt sind und ihm gehören, ganz wie das alte Israel. Vgl. *Galling*, Ausrufung des Namens 65–70.

[49] Eine gewisse Analogie könnte der in Pes 60a bezeugte Gebrauch sein, gemäß welchem man beim Opfern im Tempel die Art des betreffenden Opfers angab, z. B. „ich schlachte das Passahopfer auf seinen Namen" (d. h. „dies ist ein Passahopfer").

Ende nahe war, andererseits der Glaube, daß die Heilszeit schon angebrochen war. Diese Perspektive war vom Herrn Jesus bestimmt, dem einmal auf Erden Lebenden, dessen aktuelle Herrschaft man bekannte. Wir fragen also nach dem *Verhältnis der Taufe zum Herrn Jesus*. Weil der Glaube an seine Auferstehung und an seine jetzt ausgeübte Macht eine so große Rolle in der versuchsweise rekonstruierten ersten Phase der Taufe spielte, werden wir auch im folgenden sehen, welche Rolle diese Züge in den konkreten Texten spielen. Ferner sahen wir, was von Anfang an die neue Situation mit sich brachte: eine jesusbestimmte *Verkündigung*, die auf *Umkehr* und *Glauben* zielte (in einer Weise, die ein gewisses Gegenstück im Erscheinen von Johannes dem Täufer hatte). Auch das Motiv der *Sündenvergebung* sahen wir sowohl beim Täufer als auch in dem Auftreten des historischen Jesus und in unserer Rekonstruktion der frühen Vorstellungen von der Taufe. Durchgehend war die Vergebung in dem Rahmen der eschatologischen Erwartungen verstanden. Schließlich fanden wir sowohl bei Johannes als auch bei Jesus und in der Taufe der Urkirche den Gedanken, daß jetzt das *Gottesvolk* des neuen Bundes gesammelt wurde, das auch des *heiligen Geistes*, der Gabe der Heilszeit, teilhaftig wurde.

IV. Paulus

1. Einleitung

Wenn wir nun näher einzelne Texte über die Taufe beurteilen wollen, könnten wir den Versuch machen, einer chronologischen Linie zu folgen, die in den oben versuchsweise rekonstruierten Verhältnissen beginnt, um danach die Epoche zwischen dem Ursprung und den Paulustexten aus den 50er Jahren zu behandeln. Solch eine Arbeitsweise würde bedeuten, daß wir vor den Paulusbriefen das vorpaulinische Material verwerteten, das man in den Briefen vorfinden kann. Aber ich ziehe es vor, diesen Stoff erst nach der Diskussion der Paulustexte zu behandeln, vor allem weil ein solcher Versuch, der Chronologie nachzugehen, den trügerischen Eindruck geben könnte, wir folgten einer erkennbaren geschichtlichen Entwicklung. Gewiß sind Gedankenkomplexe und besondere Akzente in verschiedenen Texten zu erkennen, aber das Material ist allzu spröde, um uns zu erlauben, z. B. Phasen in der Entwicklung der verschiedenen in Kapitel III vorgeschlagenen Grundmotive zu unterscheiden. Außerdem ist anzunehmen, daß es sich hier kaum um einen ruhig fortschreitenden Prozeß handelt, in dem die Reflexion in verschiedenen Kreisen und unter verschiedenen Theologen sich entwickelt hat. Darum scheint es richtiger, den Blick von einem Textabschnitt auf den anderen zu richten und nur in Einzelfällen die Frage nach einer Entwicklung zu stellen. Ein solcher Fall ist der Schritt von Paulus zu seinen Jüngern.

Relativ oft erwähnt Paulus die Taufe oder spielt auf sie an. Aber es ist zu bemerken, daß nirgends in den hinterlassenen Texten ein Abschnitt vorkommt, dem wir die Überschrift „über die Taufe" geben könnten und in dem Paulus seine Adressaten über einige Grundlinien seiner Tauftheologie unterrichtete. In den Fällen, in denen er von der Taufe spricht, diskutiert er tatsächlich andere Dinge, und wenn er auf die Taufe eingeht, dann um das über die Taufe Gesagte als ein Argument für die jeweilige Diskussion anzuführen. In solchen Zusammenhängen gibt Paulus oft an, daß er damit rechnet, daß der Gesprächspartner das Gesagte gutheißt oder selber kennt oder glaubt. Dies kann auf verschiedene Art geschehen: „wisset ihr nicht, daß wir ..." (Röm 6,3), „ihr wurdet wohl nicht getauft ..." (1 Kor 1,13), „wir wurden ja alle getauft ..." (1 Kor 12,13), „was werden diejenigen unter euch tun, die sich für die Toten taufen lassen?" (1 Kor 15,29). In den erstgenannten Fällen teilt Paulus bestimmt die Ansicht der Empfänger des Briefes. (Daß sie tatsächlich so denken, wie er annimmt, ist für die Effektivität des Arguments fast notwendig.) Aber im letzten Fall bezieht sich Paulus vermutlich nur auf eine Meinung, die er dann verwendet, um die Ansicht der Gegner zu widerlegen.

Wenn man mit Hilfe der die Taufe besprechenden Stellen eine paulinische Tauftheologie zu rekonstruieren versucht, muß man sich der historischen Schwierigkeiten bewußt sein. Es sind Fragmente, die nicht die Funktion haben, das Denken des Paulus von der Taufe zu repräsentieren, sondern als schlagkräftige Argumente in der Diskussion anderer Probleme zu dienen. Wir könnten es so ausdrücken, daß die paulinische Tauftheologie, die wir durch dieses Verfahren aufbauen können, allein in den Briefen des Paulus ihren Ausgangspunkt hat. Aber Paulus, wie wir ihn aus den Briefen kennen, kann dem historischen Paulus mehr oder weniger ähnlich sein. Der historische Paulus hat an und für sich erheblich mehr von der Taufe sagen können, was ihm vielleicht sogar sehr wichtig war. Aber aus irgendeinem Grund fühlte er sich nicht veranlaßt, es in seine Briefe aufzunehmen.

Das angedeutete historische Problem hat noch eine andere Seite. Der Stellenwert der klaren Tauftexte ist schon ein Problem, aber es ist gut möglich, daß tatsächlich mehrere andere Texte auf die Taufe anspielen oder sogar ursprünglich Teile einer Taufliturgie oder eines Taufunterrichts gewesen sind. Falls zum Beispiel Phil 2,5–11 ein sowohl für Paulus als auch für seine urchristlichen Leser bekannter Tauftext war,[1] könnte er uns Wesentliches über eine Sicht der Taufe sagen, die nicht nur von Paulus, sondern auch von anderen urchristlichen Theologen vertreten wurde. Aber wir wissen nicht genug, um sicher zu sein. Ebenso ist es denkbar, daß er in gewissen Fällen auf seinen eigenen Unterricht von der Taufe anspielt, aber daß wir einfach die Anspielung nicht erfassen oder unsicher sind, ob eine solche vorliegt. Gilt das zum Beispiel in 2 Kor 1,22 „(Gott) der uns sein Siegel aufgedrückt hat"?[2] Auch hier ist keine Sicherheit zu finden. In dieser Lage habe ich es vorgezogen, lieber zu wenig Texte zu behandeln als zu viel. Bei diesem Verfahren sind wir jedenfalls sicher, daß unser Material paulinische Gedanken von der Taufe wiedergibt, wenngleich es offenbleibt, inwieweit es für den historischen Paulus repräsentativ ist. Doch ist ein derartiges Verfahren demjenigen vorzuziehen, das eine paulinische Tauftheologie mit einer nur ungewissen Entsprechung in der Wirklichkeit der Texte und der Geschichte aufbaut.[3]

Im folgenden werden wir also die Paulustexte behandeln, die die Taufe

---

[1] So meint z. B. *Käsemann*, Kritische Analyse. Dieselbe Ansicht vertritt er für Kol 1,15–20: Eine urchristliche Taufliturgie.

[2] So z. B. *Furnish*, 2 Kor 148.

[3] *Barth* (Taufe 92–106), *Delling* (Taufe 108–131) und *Schneider* (Taufe 43–57) verwerten folgende Texte aus den unumstrittenen Briefen: Röm 6,1–14; 1 Kor 1,13–17; 6,11; 10,1–4; 12,13; Gal 3,27. Aber *Schnelle* (Gerechtigkeit) behandelt auch Röm 3,25; 4,25; 12,5; 1 Kor 1,30; 2 Kor 5,21; Gal 2,19f, sowie die Formel „in Christus".

ausdrücklich nennen oder sich mit großer Wahrscheinlichkeit darauf beziehen. Wir werden sie in ihrem Zusammenhang behandeln, einerseits im Textzusammenhang und andererseits im Kontext der paulinischen Theologie. Gerade das letztere ist kein problemloses Unternehmen, denn diese Theologie enthält keinen eindeutigen, klaren und konsequent strukturierten Gedankenaufbau, sondern ist vielmehr ein spannungsvoller, pulsierender Organismus.[4] Trotzdem erlaube ich mir, mit den Tauftexten zu arbeiten, ohne die Frage zu stellen, ob der Apostel seine Ansicht im Laufe der Jahre geändert hat; dies nicht, um mögliche Unterschiede zu verdecken, sondern weil das Material uns dafür kaum genügend Grundlage gibt. Die Texte sind in relativ kurzer Zeit geschrieben worden, und vor allem scheint das im einzelnen Fall von der Taufe Gesagte in so hohem Grade der jeweiligen Debatte angepaßt zu sein, daß es vorzuziehen ist, die verschiedenen Aussagen, die die Taufe betreffen, als Varianten einer im Grunde relativ festen Taufanschauung zu sehen.

2. Gal 3,26f

In der Einleitung zu diesem Buch sind wir schon auf Gal 3,26f gestoßen, einen Text, der uns die Kombination von Motiven zeigte, denen wir jetzt in verschiedenen Formen begegnet sind, sowohl als wir nach dem Hintergrund und der Vorgeschichte der Taufe fragten als auch bei unserem Versuch, den Motivkreis von den Anfängen der Taufe auf den Namen des Herrn Jesus zu rekonstruieren.

In Gal 3,26f befindet sich Paulus in einer Auseinandersetzung, deren Einzelheiten nicht ganz klar sind. Er will beweisen, daß die heidenchristlichen Galater sich nicht beschneiden lassen müssen, um dem Gottesvolk angehören zu dürfen. So ist es die Hauptangelegenheit des Briefes, solch eine Forderung zurückzuweisen. Denn Paulus betrachtet die Beschneidungsforderung nicht als etwas, das eine rituelle Kleinigkeit betrifft, sondern als eine Frage von äußerst prinzipieller Bedeutung.

Ein Abschnitt des Beweises ist 3,6–20, wo Paulus die Abraham-Gestalt für seinen Zweck verwendet. Er scheint dabei nach drei Dingen zu streben: erstens will er dem Glauben eine entscheidende Bedeutung beimessen, also der Tatsache, daß die Galater die Missionsverkündigung angenommen haben, daß sie sich zum Christentum bekehrt haben und jetzt an Christus festhalten. Ferner will er zeigen, daß die dem Abraham gegebenen Verheißungen von Segen und Erbe auch für die heidenchristlichen Galater gelten.

---

[4] Zur Diskussion der Spannungen im paulinischen Denken s. u. a. die Arbeiten von Chr. Beker, H. Hübner, H. Räisänen, E. Sanders.

Schließlich muß er dem Gesetz einen Platz zuweisen, ohne folgern zu müssen, daß die Galater dem Gesetz folgen müssen.

Abraham „glaubte Gott" (3,6) und bekam von Gott die Verheißung, „in dir sollen alle Völker Segen erlangen" (3,8). So, behauptet Paulus, werden sie durch „Glauben" gesegnet werden, nicht dadurch, daß sie das vom Gesetz Geforderte[5] tun. Nachdem er so in 3,6–14 argumentiert hat, will er auch behaupten, daß die Glaubenden des Abraham verheißenen Erbes teilhaftig sind. Wenn also von Abraham gesagt wird, daß das Erbe auch seinem Samen verheißen wurde, greift Paulus zu einer Deutung, die ihm bei seiner Argumentation helfen soll. Mit dem Kunstgriff eines überzeugten christlichen Schriftgelehrten behauptet er nämlich: „seinem Samen – das ist Christus" (3,16). Jedoch bleibt es noch offen, diese Verheißung auf die Galater anzuwenden. Vorher weist er dem Gesetz einen Platz zu: in Erwartung des Inkrafttretens der Verheißung – des Testaments – ist das Gesetz ein „Zuchtmeister" der Art, der in gewissen Familien die Jungen während ihrer Schulzeit bis zu ihrer Volljährigkeit unter Aufsicht halten sollte. Jetzt aber, behauptet Paulus in 3,26, ist die Zeit des „Zuchtmeister" – Gesetzes vorüber, denn mit Christus ist die Epoche des Glaubens gekommen. So hat das Gesetz „uns" gegenüber keine Aufgabe mehr.

Jetzt muß Paulus die Galater in seinen Gedankengang einfügen. Er muß erklären, warum „wir", wenn die Zeit des Glaubens gekommen ist, nicht mehr unter einem „Zuchtmeister" stehen. Er gibt folgenden Grund an: „denn ihr seid alle durch den Glauben Söhne Gottes in Christus Jesus" (3,26). Um als Grund fungieren zu können, muß aber dieser Satz weiter erklärt werden. Ein Teil der Erklärung wird hier nicht ausdrücklich gegeben, sondern ist vorausgesetzt, indem diese Voraussetzung im Kontext wahrgenommen werden kann. Als nämlich die Galater zum Christentum bekehrt wurden – „die Botschaft des Glaubens" annahmen, empfingen sie auch den Geist (3,2–5; 4,6), was in charismatischen Erlebnissen zum Ausdruck gekommen ist (3,4; 6,1). Mit Recht konnten aber die mit Gottes Geist ausgerüsteten Söhne Gottes genannt werden (4,6f; auch in Röm 8,15f). Während diese Erklärung nur implizit ist, folgt in 3,27 eine ausdrückliche Erläuterung, warum die Galater „Gottes Söhne durch den Glauben in Jesus Christus" sind: „denn ihr alle, die ihr auf Christus getauft seid, habt Christus angezogen". Schon im Einführungsabschnitt haben wir gesehen, daß Paulus hier eine Verbindung zwischen dem Gedanken an den Glauben und dem an die Taufe voraussetzt, indem das, was vom Glauben gesagt wird, mit einem Satz von der Taufe erklärt wird. Taufe und Glauben sind offenbar zwei Seiten vom Eintritt in die Christusgemeinschaft. Daß dies der Fall ist, ist hier von entscheidender Bedeutung für die Argumenta-

---

[5] Zum Beispiel in Gen 17,10, wo die Beschneidung geboten wird.

tion, denn es kann zum Schluß führen, daß das dem Samen Abrahams – Christus – zugehörige Erbe auch den Galatern gehört.

Der oben gebrauchte Ausdruck „die Christusgemeinschaft" ist mehrdeutig, genauso wie die Aussagen im Text, die er decken soll. Er kann teils „die Gemeinschaft mit Christus" bedeuten, teils „die Gemeinschaft von Christus zugehörigen Menschen". Wir müssen wahrscheinlich beide Bedeutungen mitklingen lassen. Von dieser Christusgemeinschaft wird auf mehrere Arten gesprochen, von denen uns eine im Satz von der Taufe begegnet, nämlich daß sie „Christus anzuziehen" bedeutet. Das Bild von den Kleidern steht für die Lebensbedingungen;[6] Christus als Kleid zu haben heißt unter die von ihm geschaffenen Lebensbedingungen eingetreten zu sein. Er steht mit anderen Worten für eine besondere Identität des Getauften. Im unmittelbaren Kontext wird diese Christusgemeinschaft mit einer anderen Wendung ausgedrückt: „in Christus Jesus" sind nämlich die Galater die Söhne Gottes durch den Glauben (derselbe Ausdruck findet sich auch in 3,28). Hier sind Christus und sein Werk zum Teil die grundlegende Voraussetzung dafür, daß der Glaube diese Folge haben kann, und die Präposition „in" hat auch die Bedeutungsnuance von „durch". Zum Teil ist dieser Christus auch ein in der Gegenwart Wirkender, in dessen Machtbereich die Glaubenden leben. So ermöglicht und bestimmt er jetzt die Sohnschaft der Galater. Die Taufe, die rituelle Seite des Glaubens, meinte, daß die Galater „in" dies hineinversetzt wurden, denn es war eine Taufe „auf Christus" (oder „zu Christus"). „Auf Christus" führte also zu einem „in Christus". Die Wendung „auf Christus" ist sicherlich von der Taufformel „auf den Namen ..." hergeleitet, aber steht hier noch als ein Ausdruck dafür, wie Glaube und Taufe in diese nahe Christusbeziehung führen.[7]

Diese von Christus geprägten Lebensbedingungen haben Folgen für die menschliche Gemeinschaft, deren Voraussetzung sie sind. Ja, sie lebt davon. Das wird dann ersichtlich, wenn Paulus mit fast demselben Federstrich schreibt: „So gibt es nicht Jude oder Grieche, nicht Sklave oder Freier, nicht Mann und Frau. Denn ihr alle seid einer in Christus Jesus" (3,28). Möglicherweise geht der Vers auf eine Proklamation in einer Taufliturgie zurück.[8] Jedenfalls werden die radikalen Folgen durch die

---

[6] Zum Bild s. das Material und die Diskussion in *Betz*, Gal 187ff und *Mussner*, Gal 263.

[7] Wenn man die hier aus dem Kontext genommenen Bedeutungsnuancen von „in Christus" beachtet, wird sichtbar, daß der Gedanke dem in 1 Kor 12,13 ähnelt, wo Paulus davon spricht, daß die Christen „in einen einzigen Leib", d. h. in den Leib Christi, getauft sind.

[8] S. *Betz*, a.a.O. 181ff. In einer ähnlichen Form begegnet der Satz in 1 Kor 12,13 und Kol 3,11. An beiden Stellen ist die Taufe im Kontext besprochen.

neuen Christusbedingungen dargestellt. Hier werden von Religion, Gesellschaft und Kulturkonventionen errichtete Strukturen und Unterschiede eliminiert.[9] Im Zusammenhang ist es für Paulus wichtig, daß der Unterschied „Jude und Grieche" als ungültig erklärt worden ist, denn ein solcher Satz betrifft das galatische Problem, insofern die Position des erwählten Israel anderen Völkern gegenüber in Frage gestellt wird. Aber auch auf das herkömmliche Muster im „Hause" wird neues Licht geworfen.

Andererseits bringen die neuen Christusbedingungen eine Einheit unter den Menschen, die unter und von diesen Bedingungen leben, indem sie „einer" sind. Dies ist wiederum ein Ausdruck dafür, wie intensiv Paulus alles an Christus bindet. Die von den Christusbedingungen Betroffenen teilen ein überindividuelles Leben, das Jesus Christus genannt wird.[10] (Hier erwähnt er nicht einen anderen Faktor dieses Lebens, aber schon in 4,6 kommt es zum Vorschein, nämlich daß die zu dieser Einheit Gehörigen denselben Geist des Sohnes haben. Dies wird aber nicht hier herausgearbeitet, sondern erst in 1 Kor 12, was unten behandelt wird.)

In 3,29 zieht Paulus die Folgerung aus seiner bisherigen Auseinandersetzung und wendet – endlich! – die Abrahams-Verheißung auf die Galater an: „wenn ihr zu Christus gehört, seid ihr also der Same Abrahams, Erben gemäß der Verheißung". Die Voraussetzung für diese Folgerung ist also, daß die Galater sozusagen mit dem Erben, dem Samen, Christus, identifiziert werden können. Für diesen Zweck braucht Paulus noch einen Ausdruck für die schon besprochenen Lebensbedingungen, unter denen die Galater leben; sie gehören nämlich Christus (wörtlich: „ihr seid Christi").[11] Die anderen Stellen, in denen er sich dieser Ausdrucksweise bedient,[12] und besonders der Gal-Zusammenhang deuten an, daß es sich wieder um die nahe Zusammengehörigkeit, ja, gewissermaßen die Identität zwischen den Gläubigen und Christus handelt. Der Genitiv ist von einer im Griechischen üblichen Art, die ein Eigentumsverhältnis, aber auch eine Gruppenzugehörigkeit, Familienverhältnisse[13] oder Solidarität angeben kann. Die Ausdrucksweise kann durch etwas in mehreren Religionen Vorkommendes deutlich gemacht werden.[14] Der jeweilige Gott ist der Herr seiner Anhän-

---

[9] *Betz*, a.a.O. 190ff.

[10] Auch hier kann man den Vergleich zu dem Bild vom Leib Christi ziehen, obschon Paulus es nicht hier, sondern in 1 Kor 12 verwendet, s. z. B. *Betz*, a.a.O. 200f.

[11] Diese Zugehörigkeit kann kaum im Lichte des Heitmüllerschen Verstehens der Taufformel verstanden werden; vgl. meine Fragen im vorigen Kapitel.

[12] 1 Kor 1,12; 3,23; 2 Kor 10,7. Vgl. 1 Kor 7,22: „der als Freier berufen ist, der ist Sklave Christi".

[13] Er kann somit „Sohn von" oder „Tochter von" (Mk 1,19), „Frau von" (Joh 19,25), „Mutter von" (Mk 15,47) angeben.

[14] *van der Leeuw*, Phänomenologie § 69, § 99.

ger (zum Beispiel Jes 44,5), herrscht über sie und nimmt sie in seinen Schutz.[15] Nach 3,29 gehören die Galater zu Christus, der ihre Identität und Lebensbedingungen bestimmt.

Als Paulus also im Gal auf die Taufe gekommen ist, hat er die folgenden Elemente seiner Tauftheologie für seine Auseinandersetzung verwertet: erstens, daß die Taufe ein Pendant des Glaubens ist. Das Gläubigwerden und das Getauftwerden sind zwei Ausdrücke des Schrittes „in Christus" hinein. Andererseits sind die Folgen dieses Schrittes nicht Dinge, die man sich sozusagen verschafft, sondern Gaben: das Erbe, der Segen, der Geist, die Lebensbedingungen, also solches, wofür die Formel „in Christus" steht. Diese Aspekte braucht Paulus, um die Galater mit Christus, dem Erben, identifizieren zu können. Eine Folge dieses nahen Christusverhältnisses ist die Einheit der Christen, denn dieses christusbestimmte Kollektiv gehört auch zu den Assoziationen des Paulus, wenn er an die Taufe denkt. Seine Einheit beruht darauf, daß die ihm Zugehörigen im selben Leben leben. In der aktuellen Auseinandersetzung ist das „nicht Jude, nicht Grieche" von besonderem Belang. Schließlich können wir auch feststellen, daß die Taufe gewissermaßen in einen eschatologischen Rahmen hineingestellt ist, denn die Zeit des Glaubens, die der unter dem „Zuchtmeister" nachgefolgt ist, ist „die Erfüllung der Zeit" (4,4), wenn die Verheißungen vom neuen Bund erfüllt werden und Paulus mit Hilfe von schriftgelehrten Kunstgriffen die heidenchristlichen Galater von der Pflicht der Gesetzerfüllung freisprechen kann. Die letztgenannten Erwägungen bekommen mehr Inhalt, wenn wir uns daran erinnern, daß in der Zeit des neuen Bundes ein neuer Geist gegeben werden sollte, ferner, daß das Volk Gottes dann seine Söhne genannt werden und wahrlich sein Eigentum sein sollten – alles Dinge, die Paulus den Galatern zuerkennt.[16]

---

[15] Vgl. wie man auf jüdisch-alttestamentlicher Seite vom Bund zwischen Gott und seinem Volk dachte. Ein typischer Zug begegnet in Ex 19,5: „ihr werdet mein Eigentum unter allen Völkern sein" (vgl. u. a. Dtn 29,12, und s. z. B. *Perlitt*, Bundestheologie, bes. 102ff). Im neuen Bund gilt dasselbe: „in jener Zeit werde ich der Gott aller Stämme Israels sein, und sie werden alle mein Volk sein" (Jer 31,1). S. auch Jer 32,38 und z. B. Dtn 27,9 und 1 Hen 1,8 („sie werden zu Gott gehören"). Ferner aus Qumran: 1 QDM XIII.9 („du [Gott kauf]te uns, um dir ein ewiges Volk zu sein": 1 QDM II.1; 1 Q34 bis 3 II.5; und vgl. 1 QS IV.18–23 und Jub 1,22–25.

[16] S. oben am Anfang des Kapitels von Johannes dem Täufer, ferner *Hartman*, Bundesideologie 109–112.

3. 1 Kor 1,12–17

Auch im nächsten zu behandelnden Tauftext, 1 Kor 1,12–17, ist Paulus vor die Aufgabe gestellt, ein akutes Problem seiner Adressaten anzuschneiden. Es handelt sich um Spaltungen in der Gemeinde, die sich darin zeigen, daß man sich um verschiedene Autoritäten sammelt: „ich halte zu Paulus, ich zu Apollos, ich zu Kephas, ich zu Christus" (1,12). Demgegenüber fragt Paulus rhetorisch: „ist Christus zerteilt?, wurde Paulus für euch gekreuzigt?, wurdet ihr auf den Namen des Paulus getauft?" (1,13) Aus irgendeinem Grund fügt er hinzu, daß er dankbar ist, daß er nur einige Leute in der Gemeinde getauft hat (1,14–16), „denn Christus hat mich nicht gesandt zu taufen, sondern das Evangelium zu verkündigen, aber nicht mit gewandten und klugen Worten, damit das Kreuz Christi nicht um seine Kraft gebracht wird" (1,17). Mit dem zuletzt Genannten geht er zu einem anderen Thema über, das vermutlich ein Grund für die Spaltung war, nämlich daß Weisheit und rhetorische Eleganz in Korinth sehr geschätzt worden sind. Die Situation, für welche dies geschrieben wurde, liegt im Dunkeln. Gab es wirklich Parteien in Korinth, und gab es eine Christuspartei? Und was haben die Taufe und die Tatsache, daß Paulus nur einige Leute getauft hat, mit den korinthischen Spaltungen zu tun? Wir brauchen nicht alle diese Fragen zu beantworten, um die hier erkennbare Sicht der Taufe des Paulus zu verstehen, aber es wäre wenigstens wünschenswert, eine Vorstellung davon zu erhalten, warum er auf sein eigenes Taufen zu sprechen kommt. Haben die, die die Taufe spenden, eine allzu große Bedeutung für die Getauften bekommen, mit der Ehrfurcht vergleichbar, die der einen Konvertiten in eine Mysterienreligion Einführende genießen konnte? Aber Petrus wird auch genannt, und hat er Leute in Korinth getauft? Wohl nicht. Wir können die Sache ungefähr in folgender Weise betrachten:[17] die Fortsetzung und der Schluß der Auseinandersetzung (2,4–16; 3,22f) lassen erkennen, daß vor allem Ehrfurcht vor der Weisheit ein Problem gewesen ist und Apollos eine Schar von Verehrern verschafft hat. Apollos ist derjenige, den Lukas in Apg 18,24–28 als „aus Alexandria, ein redekundiger Mann, in der Schrift bewandert" beschreibt. Einige Korinther haben trotzdem zu ihrem ersten Missionar, Paulus, gehalten. Im Hintergrund können wir die Existenz einiger Christen ahnen, die das Erbe vom Leiter des Apostelkreises respektiert haben, aber die für die Auseinandersetzung keine Rolle gespielt haben. Die Christusanhänger – falls sie überhaupt als Gruppe existiert haben und nicht nur eine rhetorische Übertreibung des Paulus sind – könnten Leute sein, die sich der Debatte der anderen Gruppen entzogen haben und sie

---

[17] Das Folgende findet sich in mehreren Kommentaren.

vielleicht verachtet haben. Aber es gibt mehrere Vorschläge, auf die wir hier nicht einzugehen brauchen.

Vermutlich können wir hinter diesen Versen des 1 Kor eine Missionspraxis erraten. Paulus ist der an der Spitze gehende Missionar gewesen. Er hat nicht auf die Taufe herabgesehen, aber normalerweise scheint er es anderen überlassen zu haben, sie zu spenden. So etwas ist natürlich, wenn die Taufe nicht ein schnell vorübergehender Ritus war, der unmittelbar damit verbunden wurde, daß man die Missionsbotschaft annahm, „gläubig wurde". Die Schilderung der Apg, wie zum Beispiel der philippische Gefängniswärter und sein Haus in einigen wenigen nächtlichen Stunden sich bekehrten und getauft wurden (Apg 16,30–33), spiegelt kaum das Verfahren in Korinth wieder. Vielmehr ging wohl der Taufe eine Zeit des Unterrichts voraus, für welchen der taufende Missionar verantwortlich war. Nachdem Paulus Korinth verlassen hatte, ist der gelehrte Apollos wohl ein solcher Mystagoge gewesen, aber er hat auch in anderer Weise als inspirierender Lehrer gewirkt. Eine Wirksamkeit dieser Art beschreibt Paulus mit verschiedenen Bildern: „ich pflanzte, Apollos begoß" (3,6), ferner „ich legte den Grund, ein anderer baut darauf weiter" (3,10). Mit einem solchen korinthischen Hintergrund wird es verständlicher, warum sich Paulus darüber freuen konnte, daß er nicht so viele getauft hat.

Bevor wir den Inhalt dieser Verse näher untersuchen, können wir festhalten, daß Paulus damit rechnet, daß die Korinther ihm folgen, wenn er, obwohl nicht explizit, den kleinen Schritt tut von einem Getauftsein auf den Namen Jesu zum Gedanken, daß dieser Jesus für die Korinther gekreuzigt wurde. Daß diese Verknüpfung für die Korinther annehmbar ist, deutet auch darauf hin, daß sie nicht besonders paulinisch ist. Folglich werden wir im Kapitel von vor- und nebenpaulinschem Taufdenken auf sie zurückkommen.

Ferner soll festgestellt werden, daß der Text deutliche Spuren der alten Taufformel enthält. In all ihrer sprachlichen Ungelenkigkeit ist sie also feste rituelle Fachsprache gewesen, als Paulus am Anfang der fünfziger Jahre in Korinth als Missionar gewirkt hat.

Es kann sein, daß die Anspielung auf die Taufformel den kurzen Schluß erklärt vom Gedanken an die Kreuzigung Christi „für euch" zur Assoziation der Taufe auf seinen Namen. Denn es scheint, daß die Formel auch hier die grundlegende, sinngebende Referenz des Ritus angibt, wobei Paulus hier die Bedeutung Christi in der Wendung „für euch gekreuzigt" zusammenfassen kann. In demselben 1 Kor (11,24) zitiert er die Abendmahlstradition, wo von „meinem Leib für euch" die Rede ist, und in 15,3 führt er eine Tradition von der Auferstehung an, die besagt: „Christus starb für unsere Sünden gemäß den Schriften". Daß er persönlich der Meinung ist, daß Christus stellvertretend und für „unsere" Sünden gestorben ist, geht aus 1 Kor 15,17 hervor („ihr seid immer noch in euren Sünden").[18] Daß dies nur ein, wenn auch ein bedeutender Aspekt in der paulinischen Auffassung von der Bedeutung des Todes Jesu ist, ist eine andere Sache.[19] Die gerade angeführte Stelle 1 Kor 15,17 kann uns auch davor warnen zu vergessen, daß dieser Sühnetod nicht von der Auferstehung des so Getöteten zu trennen ist (z. B. Röm 4,25). Aber in 1 Kor 1 fügt sich die Einengung des Blickfelds zum Kreuz gut in den Gedankengang, weil dieses Motiv sich dafür eignet, zu zeigen, daß Gott für das Heil nicht das Erhabene, Edle oder Weise verwendet hat.

Die Anspielung auf die Taufformel erlaubt uns also, in 1 Kor 1,13 den Zusammenhang zwischen dem Gedanken an die Taufe und der Deutung vom Tode Jesu – „für euch" – zu sehen.[20] Anderswo verbindet Paulus Taufe und Sündenvergebung miteinander (1 Kor 6,11; Röm 6,11), aber in 1,13 liegt der Gedanke an die Sündenvergebung nur hinter dem Text, indem sie zu den Auswirkungen des jesuanischen Heilswerks gehört und in der Formel „für euch" angedeutet ist. Die Taufe bezieht sich auf dieses Werk und vergegenwärtigt es für den Täufling.

In 1 Kor 1,13 stehen wir vor zwei Motiv-Paaren: einerseits „Christus wurde gekreuzigt" und „das geschah für euch", teils „ihr wurdet getauft" und „es geschah auf seinen Namen". Aus dem von der Christusverkündigung in 1,17b–25 Gesagten können wir einige Sätze herausnehmen, die an die aus 1,13 Herausgehobenen erinnern: „Christus wurde gekreuzigt" (1,17b.23) und „das wird als Evangelium verkündigt" (1,17f.23), beziehungsweise „Leute nehmen die Verkündigung an oder glauben" (1,21.24), und „so rettet sie Gott" (1,18.21). Gewissermaßen sind die beiden Motivgruppen zueinander parallel, und es kann sich lohnen, sie miteinander zu vergleichen. In beiden wird *die Kreuzigung Jesu* erwähnt, die als etwas in der Vergangenheit objektiv Geschehenes dasteht. Aber wenn sie *verkündigt* wird, wird sie als etwas jetzt Relevantes dargestellt. Dies geschieht auch in der Taufe, wenn sie *auf den Namen Jesu* gespendet wird, das heißt, im Hinblick auf den, der auch der Gekreuzigte ist. Die Kreuzigung als etwas *„für euch"* Geschehenes zu bestimmen bedeutet, daß ihr eine Heilsbedeutung gegeben wird, die den Adressaten gilt. Entsprechend wird im zweiten Gedankenkomplex behauptet, daß *Gott* (durch die Verkündigung) *rettet*. Es bleiben in der ersten Gedankenreihe die *Taufe* und in der zweiten der *Glaube*. Ganz wie in Gal 3,26f stehen sie in einer eigenartig nahen Beziehung zueinan-

---

[18] S. auch Röm 3,24f; 2 Kor 5,14f.
[19] S. z. B. *Goppelt*, Theologie 415–433.
[20] Die in 1,12 erwähnte Zugehörigkeit soll also nicht in der Heitmüllerschen Weise verstanden werden.

der. Sie gehören zu derselben göttlichen Heilsaktion, wo der Glaube ein subjektives Element wird, das darin besteht, daß man das in der Verkündigung vom Kreuz gepredigte Heil annimmt, während die Taufe das objektive Mittel dafür wird, daß dasselbe Heil wegen des Todes Christi einem Menschen zugeeignet wird.[21]

Die Christusverkündigung, deren Torheit Paulus in 1 Kor 1ff verteidigt, hat deutliche eschatologische Vorzeichen. Daß einige durch den Glauben gerettet werden und andere (durch eine Ablehnung der Verkündigung) verlorengehen (1,18), sind Ausdrücke, die im Hinblick auf die Tatsache verstanden werden sollen, daß Paulus die baldige Konfrontation zwischen Gott und Welt erwartete (Röm 5,9; 1 Thess 1,10; Phil 3,19 usw.). Indirekt wird dann die Taufe in dieselbe kurze Perspektive einbezogen, denn der Prozeß des göttlichen Rufens und Sammelns in die Ekklesia (1,2), in den die Taufe einging, fand in derselben eschatologischen Perspektive statt. Später werden wir mit Blick auf 1 Kor 10 und 15 sehen, wie gewisse Leute in Korinth vermutlich ihre Taufe so verstanden haben, daß sie ihnen schon in der Gegenwart das volle und definitive eschatologische Heil gegeben habe. Paulus wendet sich gegen solch eine Sicherheit, aber die wahrscheinliche Existenz dieser (nach Paulus) irrigen Auffassung macht es desto wahrscheinlicher, daß auch hier in 1 Kor 1 die Taufe mit eschatologischen Assoziationen verbunden ist.

Noch ein Aspekt sollte erwähnt werden. Die erste von den gegen die Spaltungen gestellten rhetorischen Fragen ist: „ist Christus geteilt?" Davon abgesehen wie sie sich auf das Vorausgehende bezieht – das ist nicht ganz einfach zu entscheiden – ist Voraussetzung, daß die Christen zusammen eine Einheit bilden, weil sie „einer" (Gal 3,28) in Christus sind. In demselben 1 Kor wird Paulus wieder diese Einheit in 12,13 ansprechen, indem er dort behauptet, daß die Christen „in einen einzigen Leib" getauft worden sind, und er wird das Bild von der organischen Einheit eines Leibes gebrauchen, um seine Meinung zu veranschaulichen. Durch ihre Spaltungen leugnen die Korinther diese Einheit, indem sie sich mit menschlichen Autoritäten solidarisieren. Wenn Paulus ans Ende seiner Auseinandersetzung mit den Spaltungen kommt (3,21–23), zieht er im Gegenteil den folgenden Schluß: „also soll sich niemand eines Menschen rühmen. Denn alles gehört euch: sei es Paulus oder Apollos oder Kephas ... Aber ihr gehört Christus, und Christus gehört Gott."

Im Rahmen der Auseinandersetzung mit den Spaltungen in Korinth war Paulus also in seiner Sicht der Taufe vor allem der Umstand von Bedeutung, daß in der Taufe der Tod Jesu „für" die Täuflinge vergegenwärtigt wurde, wodurch diese eng mit Christus verbunden wurden. Vor diesem

---

[21] *Barth*, Taufe 105.

63

Hintergrund sind Spaltungen eine faktische Verneinung der in und mit Christus erreichten Einheit.

4. 1 Kor 6,11

In Gal 3,26–29 wurde von der nahen Verbindung zwischen dem Täufling und Christus in mehreren Weisen gesprochen. Mit Hilfe des Bildes von einem Anziehen von Christus war von radikal neuen Lebensbedingungen mit und in Christus die Rede. Der Eintritt in diese neuen Bedingungen, aber teilweise auch die Lebensbedingungen selbst, werden mit ganz anderen Ausdrücken in 1 Kor 6,11 besprochen: „Ihr wurdet reingewaschen,[22] ihr wurdet geheiligt, ihr wurdet gerechtfertigt in dem (oder: durch den) Namen Jesu Christi, des Herrn, und in dem (oder: durch den) Geist unseres Gottes." Der Satz mag an geprägte Wendungen anknüpfen,[23] aber im Zusammenhang hat er eine völlig natürliche Funktion. Falls er eine von den Korinthern gekannte Tradition ist, kann diese Tatsache seine ermahnende Kraft den Adressaten gegenüber verstärken. In diesem Zusammenhang dreht es sich nämlich um moralische Probleme, genauer darum, daß die korinthischen Christen miteinander wegen Zivilsachen ins Gericht gehen. Ein solches Benehmen betrachtet Paulus als ein Zurückfallen in ein in ihrer heidnischen Vergangenheit typisches Verhalten, das ihrem Christsein widerspricht.

Nicht alle Kommentatoren sind der Meinung, daß diese Stelle sich auf die Taufe bezieht,[24] aber es scheint genug Gründe dafür zu geben, wenn auch nicht die Taufhandlung allein im Blick ist, sondern eher der ganze Prozeß, der es in sich einschließt, das Alte hinter sich zu lassen und in die christliche Gemeinschaft einzutreten.[25]

Daß also das Waschen einerseits ein von der Taufe als Wasserritus inspiriertes Bild ist, ist natürlich. Aber als Bild spricht der Ausdruck von Reinigung, in diesem Fall von Reinigung von den Sünden des Vergangenen. „Aber ihr wurdet gewaschen" wird nämlich in Gegensatz zu einem in 11,9f angeführten Lasterkatalog gestellt, der Sünden aufnimmt, denen sich die Adressaten

---

[22] Ich lese die Form als Passivum statt als (ein denkbares) Medium: „ihr wuschet euch". S. z. B. *Conzelmann*, 1 Kor 136; *Halter*, Taufe 581; vgl. *Beasley-Murray*, Baptism 163, und *Schenk*, Lima-Ökumene 14ff. Aber liest man Medium, kann tatsächlich auch mit „sich waschen lassen" übersetzt werden.

[23] Mit guten Gründen halten ihn für von Paulus unabhängige Tradition u. a. *Hahn* (Taufe 105f) und *Schnelle* (Gerechtigkeit 39–42). Aber vgl. *Schenk*, a.a.O. 14ff.

[24] *Fee*, 1 Kor 246f, gehört zu denen, die eine solche Verbindung bezweifeln.

[25] Vgl. *Schenk*, a.a.O. 17: Falls überhaupt die Taufe im Blickpunkt ist, soll man sie im Zusammenhang des ganzen Christwerdens sehen.

im Vergangenen gewidmet haben, wie Götzendienst, Ehebruch und anderes. Andererseits scheint der Zusammenhang anzudeuten, daß es sich nicht einfach um eine Reihe von sündigen, aber jetzt vergebenen Handlungen des Vergangenen handelt, sondern darum, daß die Briefempfänger von den früheren, von Verderbtheit und Heidentum bestimmten Lebensbedingungen befreit worden sind.

Die zweite Aussage entwickelt den besprochenen Aspekt: die Korinther wurden „geheiligt". Schon am Anfang des Briefes werden sie als solche angeredet, die zur „Kirche Gottes" gehören, zu den „Geheiligten in Jesus Christus, den heiligen Berufenen" (1,2). Heilig zu sein bedeutet, daß jemand oder etwas zu Gott und dem Bereich des Daseins gehört, das für ihn besonders reserviert ist und wo er selbst in einer besonderen Weise anwesend ist. So ist der oder das Geheiligte von der profanen Welt abgesondert (zum Beispiel Röm 12,2; 1 Kor 5,9f; Gal 1,4). Dem diesem gottgeweihten Bereich Zugehörigen gebührt ein des Göttlichen würdiges Leben.[26] Nach 1 Kor 6 ist das Gegenteil eingetroffen: die Korinther haben sich in einer Weise benommen, die ihrem heiligen Status zuwiderläuft.

Drittens wird der Übergang vom Alten zum Neuen so beschrieben: „ihr wurdet gerechtfertigt". Im Zusammenhang wird dies gegen den vorhergehenden Satz in Vers 9 gestellt, daß „Ungerechte (ἄδικοι) das Reich Gottes nicht erben werden". Wenn Paulus hier vom Gerechtfertigtwerden spricht, bedeutet dies nicht nur, daß die Übertretungen des Vergangenen vergeben wurden, sondern seine ganze Art und Weise, die Rechtfertigung zu betrachten, klingt mit. Der Eintritt in die Kirche Gottes brachte mit sich, von der Macht der Sünde befreit zu werden und in einen neuen Machtbereich einzutreten, wo der schöpferische Geist Gottes herrschte.[27] Daß die Zeitwörter hier durchgehend im Passivum stehen, bedeutet eine Verlegung der Aktivität auf Gott: er ist der Reinigende, der Heiligende, der Rechtfertigende. So spricht auch Paulus mehrmals vom Eintritt in die Kirche aus einem Blickwinkel, gemäß welchem die Sache als ein göttliches Handeln dargestellt wird: die Korinther werden „berufen" (1,26; 7,18ff), und Gott ist der Rufende.

Die Waschung, die Heiligung und die Rechtfertigung geschahen „in dem (oder: durch den) Namen Jesu Christi, des Herrn, und in dem (oder: durch[28] den) Geist unseres Gottes". Es gibt Gründe anzunehmen, daß hier

---

[26] *Barrett*, 1 Kor 142; *Halter*, a.a.O. 149; *Schnelle*, a.a.O. 39f.
[27] *Hahn*, a.a.O. 107; *Halter*, a.a.O. 150; *Lang*, 1 Kor 80; *Lohse*, Taufe 242; *Schweizer*, Mystik 196.
[28] Instrumentale und lokale Nuancen gehen ineinander über (*Lang*, a.a.O. 80).

das Echo einer Taufformel nachklingt.[29] Oben haben wir gesehen, daß kein Bedeutungsunterschied zwischen „auf den Namen" und „im Namen zu taufen" vorzuliegen scheint. So stimmt es auch mit dem Zusammenhang gut überein, wenn man damit rechnet, daß Jesus Christus, sein Werk und seine Bedeutung der Grund der Taufe und der übrigen Phasen des Christwerdens sind. Sie sind es, die es sinnvoll machen, von einer Reinigung, von einer Gottesweihe und von einer Rechtfertigung im paulinischen, umfassenden Sinne des Wortes zu reden.

Aber hier wird auch beigefügt, daß die drei Aspekte des Eintritts in die neuen Verhältnisse „in dem / durch den Geist unseres Gottes" bestimmt sind. Wenn auch Paulus und die Korinther meinen, daß die Taufe die Gabe des heiligen Geistes (1 Kor 12,13) bringt, ist dies vermutlich hier nicht im Blick. Der Zusammenhang (6,17.19) deutet eher an, daß Paulus hier an den Geist als die gegenwärtige Wirkung Gottes und als eine göttliche Kraft denkt. Er vermittelt und bewirkt die Reinigung, die Heiligung und die Rechtfertigung, die der Eintritt ins Neue meint, und in diesem Geschehen nimmt die Taufe eine selbstverständliche, zentrale Position als sein objektiver, ritueller Faktor ein.[30]

Auch in diesem Fall ist der Übergang vom Alten zum Neuen in einer eschatologischen Perspektive gesehen. Denn das gegebene und zu verwirklichende Neue wird der Warnung von 6,9 entgegengestellt: „Ungerechte werden das Reich Gottes nicht erben." Indirekt sagt also Paulus: Ihr, die ihr reingewaschen, geheiligt und gerechtfertigt seid, werdet es erben – wenn ihr nämlich daran festhaltet, das zu sein, was ihr seid.

Das, was Paulus aus seinem Denken über die Taufe diesmal verwertet, ist der Aspekt, daß die Taufe die Vergebung der Sünden verlieh und den Täufling für Gott „heiligte". Hieraus ergibt sich die Pflicht eines diesem Status gebührenden Lebens, welches er hier herausstellen will. Aber da er eine vorgeprägte Formel gebraucht, folgen auch andere Elemente der Taufauffassung, wie die zentrale Bedeutung von Christus und heiligem Geist.

---

[29] Vgl. oben Kap. III.1 (Ende). Daß hier „in" statt „auf" steht, kann zwei verschiedene, aber einander nicht notwendigerweise ausschließende Erklärungen haben. Denn es kann ein wenig natürlicher scheinen, das unbequeme „auf" in der festen Kombination mit dem Zeitwort „taufen" zu gebrauchen, während andererseits, mit anderen Zeitwörtern, die „in"-Wendung geschmeidiger erscheinen könnte. Andererseits könnte sich der „in"-Ausdruck um so leichter darbieten, falls wir mit der Existenz einer Taufformel „im Namen . . ." rechnen.

[30] *Barth*, Taufe 72.

5. 1 Kor 12,13

Noch ein Text aus dem ersten Korintherbrief soll behandelt werden, nämlich 1 Kor 12,13. Mit Kapitel 12 des Briefes hat Paulus eine Auseinandersetzung angefangen, die bis zum Ende des 14. Kapitel dauert und die die Geistbegaten oder die Geistesgaben[31] behandelt. Diese Leute – oder die Gaben, derer sie sich rühmen, besonders die der ekstatischen Zungenrede, sind die Ursache einiger Probleme in der Gemeinde. Die Zusammenkünfte sind offensichtlich in Unordnung geraten, und Klüfte sind entstanden zwischen denen, die sich stolz als vom Geist gespielte Instrumente[32] betrachten, und den anderen, nicht so Außergewöhnlichen.

Paulus hat vor unserem Vers in 12,4–11 behauptet, daß der eine und selbe Geist die verschiedenen Geistesgaben gibt, Glauben, Weisheit, Zungenrede usw. Mit 12,12 führt er das Bild vom Leib ein, der einer ist, aber viele zusammenwirkende Glieder hat. So verhält es sich mit der Kirche in Korinth, wo es Leute mit verschiedenen vom Geist gespendeten Gnadengaben und Aufgaben gibt, die alle nötig sind und für das Beste der Gesamtheit zusammenwirken sollen: „Denn wie der Leib einer ist, doch viele Glieder hat, alle Glieder des Leibes aber, obgleich es viele sind, einen einzigen Leib bilden: so ist es auch mit Christus. Denn durch den einen Geist wurden wir alle in einen einzigen Leib getauft, Juden und Griechen, Sklaven und Freie, und alle wurden wir mit dem einen Geist getränkt." Wieder richtet also Paulus seinen Blick auf die Einheit der Gemeinde, und das ist sein Grund, die Taufe aufzunehmen.[33] Aus Gal 3,28 erkennen wir den Gedanken, daß die neuen Lebensbedingungen, in die man getauft wurde, alte soziale und religiöse Selbstverständlichkeiten in Frage stellen. Hier wird aber der Satz angeführt, um die Einheit in der Vielfalt der Kirche

---

[31] Die Genitiv Pluralis-Form kann als Maskulinum oder als Neutrum aufgefaßt werden.

[32] Ich ziele hier auf eine mögliche, in der griechischen Kultur vertretene Denkweise, gemäß welcher Weissager in ihrer Trance als von einem Gott gespielte Musikinstrumente angesehen wurden.

[33] *Dunn*, Baptism 127–131, und *Fee*, 1 Kor 603ff bezweifeln, daß Paulus hier an die Wassertaufe denkt, und nehmen stattdessen an, daß „taufen" hier bildlich ist und daß das Ganze auf die Bekehrung zielt, besonders in Hinblick darauf, daß sie mit sich die Geistesgabe brachte. Aber wir haben schon in 1 Kor 1,13 beobachten können, wie es für Paulus naheliegt, den Gedanken an die Taufe zu ergreifen, wenn er für die Einheit der Christen argumentieren will (vgl. Eph 4,4–6). Es scheint, daß sie für ihn ein objektives Zeichen der Einheit in Christus gewesen ist. Gerade im Zusammenhang mit der Taufe führt Paulus auch in Gal 3 die geprägte Wendung „nicht Jude, nicht Grieche ..." an. Ebenso wird sie an der dritten Stelle, wo sie auftaucht, Kol 3,11, in einem Taufkontext gebraucht.

zu unterstreichen.[34] Wieder können wir feststellen, wie eng Paulus Christus und die Gruppe von Menschen miteinander verbindet, die unter und in den neuen Bedingungen leben. Er sagt ja nicht: „wie der Leib einer ist ... so ist es auch mit der Kirche", sondern „... so ist es auch mit Christus". Die von Christus errichteten Bedingungen ergeben ein Christusleben, welches geschädigt wird, wenn die Einheit geschädigt wird.

Aber weil gerade die problematischen Geistesgaben zur Debatte stehen, kommt hier der Geist besonders zur Sprache. So wird hervorgehoben, daß man „im Geist" in die neue Christussphäre getauft wurde. Wie in 6,11 bedeutet hier vom Geist zu reden, von der Wirkung und der Kraft des nahen Gottes zu reden, und diese Kraft ist eine einzige. Paulus ist sich im klaren, daß nicht das Wasser an und für sich, sondern der Geist des nahen und wirksamen Gottes es herbeiführt, daß der Täufling in die Christusgemeinschaft versetzt und deren neuen Bedingungen teilhaft wird. Wenn er schreibt, daß dieser Geist einer ist, knüpft er einerseits an das Vorhergehende an (12,4.9.11), andererseits schärft er den Korinthern ein, daß sie mit ihren Unähnlichkeiten und Verschiedenheiten auch in der Taufe Gegenstand der Wirkung desselben einen Geistes gewesen waren.

Der letzte Satz, „alle wurden wir mit dem einen Geist getränkt", könnte ebensowohl mit „wir bekamen alle den einen Geist über uns gegossen" wiedergegeben werden.[35] Der Geist bewirkte also nicht nur, daß die Täuflinge in den Leib Christi aufgenommen wurden, sondern er blieb auch bei ihnen als eine wirksame göttliche Anwesenheit. Paulus bindet nicht ausdrücklich diese Gabe an den Taufritus, und man soll nicht ohne weiteres Paulus im Lichte von Apg (zum Beispiel 2,38; 19,1–7) lesen. Aber es scheint am natürlichsten zu sein, den Text so zu verstehen, daß die Taufe als der Kernpunkt des ganzen Umkehr-, Berufungs- und Eintrittsgeschehens betrachtet wird. Zu diesem Geschehen gehört auch, daß der Neophyt mit dem Geist begabt wird. Etwas dergleichen scheint in 2 Kor 1,22 vorausgesetzt zu sein. Die Stelle handelt zwar nicht ausdrücklich von der Taufe, aber es gibt annehmbare Gründe dafür, daß dies so der Fall ist.[36] Dort wird die Taufe mit dem Vorgang verglichen, mit dem man auf etwas sein Siegel aufdrückt und es so zu seinem Eigentum macht: Gott „hat uns sein Siegel aufgedrückt und uns in unser Herz den Geist als ersten Anteil (am verheißenen Heil) gegeben". Also ist auch hier keine explizite direkte Verknüpfung zwischen Ritus und Gabe des Geistes, aber doch eine sehr nahe und selbstverständliche Verbindung.

---

[34] *Conzelmann*, 1 Kor 258; *Halter*, Taufe 170f.
[35] *Cuming*, 1 Cor 12,13; ebenso *Wolff*, 1 Kor 109. Vgl. *Rogers*, Again.
[36] S. *Barth*, a.a.O. 69f; *Dinkler*, Taufterminologie; *Haufe*, Taufe und heiliger Geist 562.

In 1 Kor 12,13 benutzt also Paulus das Element seiner Taufanschauung, daß die Taufe in die von Christus geschaffene, getragene und belebte Christusgemeinschaft führt. Daß dies so geschehen kann, beruht auf dem heiligen Geist, der in dieser Gemeinschaft wirksam ist. In der Streitsituation verwendet er als Argument die sonst selbstverständliche Tatsache, nämlich daß Gottes Geist einer ist.

6. Röm 6,1–14

Es bleibt uns nun übrig, den paulinischen Tauftext anzuschneiden, der mehr als andere zum Ausgangspunkt geworden ist für die Rekonstruktion der Tauflehre des Apostels, und zwar Röm 6,1–14. Aber vorher sollten wir uns an ein Phänomen erinnern, das uns sowohl in der urchristlichen Religion als auch anderswo in der Welt der Religionen begegnet. Der Mensch fragt sich nämlich, was die Werke seines Gottes oder seiner Götter in der Vergangenheit, einschließlich einer mythischen Urzeit, mit seiner aktuellen Gegenwart zu tun haben. Beispiele solcher Werke sind die Schöpfung, der Auszug aus Ägypten, der Tod und die Wiederfindung des Osiris, der Tod und die Auferstehung Jesu. Gewöhnlich wird die Frage nicht bewußt gestellt, aber man findet doch Mittel, den Abstand zwischen Damals und Jetzt zu überbrücken. Das Vergangene wird in Ritus oder Verkündigung vergegenwärtigt, und die Gegenwart wird im Lichte des Vergangenen oder des Mythus verstanden.[37] Wir sind schon auf etwas dergleichen in 1 Kor 1 gestoßen, wo Paulus die Kreuzigung Jesu mit der Taufe und mit der Verkündigung vom Kreuz verband. In beiden Fällen wurde der Tod Jesu in der Gegenwart vergegenwärtigt, nicht als etwas, woran man sich nur erinnerte, sondern als etwas im Jetzt Aktuelles und Rettendes. Im selben 1 Kor wird Paulus auch veranlaßt, das Herrenmahl zu behandeln, das offenbar für ihn auch eine derartige vergegenwärtigende Funktion hat.

In Röm 6,1–14 wird deutlich die Taufe mit dem Gedanken verbunden, daß die damalige Heilstat dort gegenwärtig und wirksam wird. Aber auch diesmal kommt Paulus auf die Taufe zu sprechen, weil er gewisse Aspekte davon für eine Auseinandersetzung mit etwas anderem braucht. Es ist jetzt nicht notwendig, Stellung zu der Frage zu nehmen, was der Zweck des Römerbriefes sei – ist der Brief beispielsweise das theologische Testament des Paulus,[38] oder soll er grundlegende Richtlinien bringen für das Zusam-

---

[37] S. *Eliade*, Myth of the Eternal Return, bes. Kap. 2; *ders.*, Birth and Rebirth, Kap. 10f; *van der Leeuw*, Phänomenologie, Teil 3 A.

[38] *Bornkamm*, Der Römerbrief als Testament.

menleben der römischen Judenchristen und Heidenchristen, alle aus demselben Grund gerechtfertigt?[39] Uns genügt es jetzt, feststellen zu können, daß es Paulus in diesem Teil des Römerbriefes daran gelegen ist, das Prinzip von der Rechtfertigung durch Glauben ohne Gesetzeswerke zu verteidigen.

Im fünften Kapitel fängt Paulus an, die neue, den Christen geltende Lage zu schildern. In 5,1–11 malt er den Gottesfrieden aus, der wegen der neuen, durch Christus errichteten Gerechtigkeit herrscht, und in 5,12–21 beschreibt er die neue Lage mit Hilfe der Vorstellung vom Urmensch, der in sich die nachkommenden Geschlechter verkörpert. Der zweite Adam, Christus, gibt der von ihm stammenden Menschheit Leben und Gerechtigkeit, nicht, wie der erste Adam seinem Nachkommen, Tod. So endet Paulus in 5,20f: „wo die Sünde (durch das Gesetz) mächtig wurde, da ist die Gnade übergroß geworden. Denn wie die Sünde herrschte und zum Tod führte, so soll auch die Gnade herrschen und durch Gerechtigkeit zu ewigem Leben führen, durch Jesus Christus, unseren Herrn."

Wenn Paulus so weit gekommen ist, muß er einem gedachten oder wirklichen Einwand seitens solcher Leute begegnen, die behaupten, daß diese Ansicht Unsittlichkeit fördert. Er formuliert selber ihre Frage: „Sollen wir in der Sünde bleiben, damit die Gnade mächtiger werde?"[40] Einer Widerlegung dieses Einwandes widmet Paulus das ganze sechste Kapitel. Der Text ist ungewöhnlich widerspenstig, und groß ist die Anzahl der vorgeschlagenen Lösungen der verschiedenen Probleme.[41] Wir werden jetzt versuchen, den Schritten dieser Auseinandersetzung zu folgen, um danach die darin vorgeführten Aspekte der Taufe näher anzusehen. In 6,1 bringt also Paulus zunächst den Einwand vor, den er widerlegen wird, „laßt uns in der Sünde bleiben". Es ist zu bemerken, daß er den Gegnern nicht einen Satz in den Mund legt wie „laßt uns sündigen". Stattdessen läßt er sie eigentlich sagen:

---

[39] *Stendahl*, Paul Among Jews and Christians, 29; s. auch die Beiträge von Donfried und Karris, in: *Donfried* (Hrsg.), The Romans Debate.

[40] Da Paulus auch in Röm 3,8 sich gegen eine Anklage wegen Unsittlichkeit wehrt, denkt er wahrscheinlich auch hier an einen solchen (wirklichen oder hypothetischen) Widerstand; s. u. a. *Käsemann*, Röm 157; *Michel*, Röm 204; *Schlier*, Röm 190f; *Wilckens*, Röm II 8f. Auch die Lage die den Röm schreibenden Paulus deutet in dieselbe Richtung: er ist auf dem Weg von Korinth nach Jerusalem (15,30–32); s. *Jervell*, Der Brief nach Jerusalem 67ff. Dies scheint ein wahrscheinlicherer Hintergrund zu sein, als anzunehmen, Paulus greife Libertinisten an, die sagen: „laßt uns sündigen, damit die Gnade desto reicher gegeben werden kann".

[41] Analysen der Argumentenreihe werden in den Kommentaren vorgeschlagen. S. auch *Frid*, Römer 6,4–5; *Lamarche*, Romains V–VIII. Ich habe manches von einem noch unveröffentlichten Aufsatz von *D. Hellholm* gelernt: Paulus als argumentierender Theologe. Eine argumentanalytische Interpretation von Römer 6.

„Laßt uns unter der Herrschaft der Sünde bleiben". Dadurch deutet Paulus indirekt an, daß Christ zu werden tatsächlich den Machtbereich der Sünde zu verlassen heißt. So folgt in 6,2 seine eigene Gegenthese. Er legt sie als eine Frage vor: „Wie könnten wir, die wir für die Sünde starben, noch in ihr leben?" In Thesenform umschrieben wird daraus: „nein, wir, die wir für die Sünde starben, können nicht mehr in ihr leben". Wenn er „nicht mehr" (ἔτι) schreibt, knüpft er an das „bleiben" der Gegnerthese an. Aber seine Gegenthese muß bewiesen werden, denn alle ihre Teile sind offensichtlich nicht ohne weiteres seinen Adressaten klar. Daß ein Toter nicht lebt, ist evident, aber Paulus muß zeigen, daß es wahr ist, daß die Christen für die Sünde gestorben sind. Um dorthin zu kommen, muß er erst zeigen, daß ein Tod eingetroffen ist, um danach dazu zu kommen, daß es auch ein Tod für die Sünde war. Letzteres findet erst in 6,6f und 6,10–15 statt.

Daß ein Tod stattgefunden hat, muß also bewiesen werden. Im ersten Schritt des Beweises fängt Paulus mit etwas an, in welchem er und die Gesprächspartner einig sind oder sein sollten: „oder wißt ihr nicht, daß wir alle, die wir auf Christus Jesus getauft wurden, auf seinen Tod getauft wurden?" (6,3). Aus Gal 3,27 kennen wir den Ausdruck „auf Christus (Jesus) getauft", der in der Taufformel „auf den Namen ..." seinen Ursprung hat.[42] Aber ein Feststellen des Ursprungs besagt an und für sich wenig oder nichts vom Sinn des Ausdrucks in diesem Kontext. Hier steht er, wie in Gal, für „in die Christusgemeinschaft getauft zu sein".[43] Hier ist die Bedeutungsnuance „die Gemeinschaft mit Christus" wichtiger als „die Gemeinschaft von christusbestimmten Menschen", denn im Vergleich mit dem in Gal 3 und 1 Kor 1 Gesagten legt Paulus hier den Schwerpunkt etwas anders, wenn er die Lebensgemeinschaft mit Christus aufnimmt und den Tod Jesu ins Auge faßt. Im 1 Kor war es natürlich, die geprägte formelartige Wendung ὑπὲρ ἡμῶν so zu übersetzen: „(Christus starb) unseretwegen." Hätte Paulus hier diese Wendung gebraucht, würde derselbe Ausdruck die Nuance haben „anstatt unser, so daß, als er starb, es gerechnet wird, als ob wir starben". Tatsächlich hat sich Paulus in dieser Weise in 2 Kor 5,14 geäußert; „einer starb für (ὑπέρ) alle, also starben sie alle". Der Gedanke von einer neuen Identität der Christusgläubigen, den wir in Gal 3 fanden, erhält also hier eine andere, mehr dramatische Anwendung, indem hier der Christ sozusagen mit Christus zum Tode verurteilt

---

[42] *Barrett*, Rom 122; *Cranfield*, Rom I 301; *Schnackenburg*, Todes- und Lebensgemeinschaft 374; *Wilckens*, a.a.O. II 11.
[43] Oder möglicherweise für „in den Leib Christi"; s. z. B. *Schnackenburg*, Heilsgeschehen 151f; *Schrage*, Abbild seines Todes 213f. Ferner *Halter*, Taufe 536f und seine eigene Diskussion 46ff. Der Assoziationskreis um die Wendung kann hier auch Gedanken an Christus als den zweiten Adam umfassen.

ist.[44] Der einleitende Satz „wißt ihr nicht" besagt, wie schon erwähnt wurde, daß Paulus offenbar annimmt, daß diese Art und Weise, die Verbindung zwischen Taufe und Christusgemeinschaft zu betrachten, den Adressaten bekannt[45] oder wenigstens annehmbar ist. Anders wäre sein Argument nicht stichhaltig.

In der ersten Hälfte von 6,4 nimmt Paulus das eben vom Tauftod Gesagte auf, aber mit einer Variation, die darin besteht, daß er statt von Tod von Begräbnis spricht: „wir wurden also mit ihm begraben durch die Taufe auf den Tod".[46] Paulus folgt hier einem von anderen übernommenen Gedankenmuster, das er in 1 Kor 15,3f zitiert: Christus starb, wurde begraben, wurde auferweckt. Dann geht Paulus in 6,4b noch einen Schritt weiter: die Schicksalsgemeinschaft mit Christus hörte nicht mit dem Tod auf, sondern führte weiter: „damit, wie Christus durch die Herrlichkeit des Vaters von den Toten auferweckt wurde, auch wir in einem neuen Leben wandeln sollten". Weil Christus auferweckt wurde, bedeutet also die in der Taufe errichtete Gemeinschaft mit ihm, daß der Täufling auch eines Lebens teilhaftig wurde. Zweifelsohne rechnet Paulus damit, daß dieses Leben etwas Wirkliches war – das, was wir vorher von der Christusgemeinschaft gelernt haben, beweist es, wenn er auch in den oben besprochenen Texten nicht von den Begriffen für Leben und Tod Gebrauch machte. Aber er schreibt nicht: „wie Christus auferweckt wurde, so wurden wir auferweckt", sondern er drückt sich vager aus.[47] Folglich deutet der Satz eher

---

[44] S. *Merklein*, Gericht und Heil 90f.

[45] Daß V. 3 Tradition enthält, meinen manche Forscher, aber die Meinungen unterscheiden sich bezüglich der Einzelheiten: wieviel ist Tradition und wie fest ist sie?

[46] Ich habe diese Übersetzung aus den folgenden Gründen vorgezogen: der Satz stellt sich als Schluß aus dem Vorhergehenden dar, und darum ist es natürlich, βάπτισμα εἰς τὸν θάνατον (Taufe auf den Tod) als eine Wiederholung von εἰς τὸν θάνατον (αὐτοῦ) ἐβαπτίσθημεν (wir wurden auf [seinen] Tod getauft) zu verstehen. Andere nehmen εἰς τὸν θάνατον (auf den Tod) als Adverbial zu συνετάφημεν (wir wurden begraben); so *Bornkamm*, Taufe und neues Leben 38; *Frid*, a.a.O. 191; *Kuss*, Röm 298.

[47] Man bekommt den Eindruck, daß Paulus sozusagen im letzten Augenblick abbiegt, und es ist vorgeschlagen worden, daß er tatsächlich eine Redeweise modifiziert, die eine nähere Parallele zwischen Christus und dem Täufling einräumte, so daß dieser in der Taufe auch mit Christus auferweckt wurde. So drückt sich der Verfasser des Kol (2,12) aus. Es wird ziemlich oft angenommen, daß Paulus eine in Korinth vertretene Vorstellung aufnimmt, nach der der Täufling in der Taufe mit Christus starb und auferweckt wurde, und diese Auferweckung wäre dann die endgültige Auferstehung. D. h., gewisse Leute hätten allzu optimistisch die Wirklichkeit des neuen Lebens betrachtet und hätten nicht damit gerechnet, daß man das Auferstehungsleben noch nicht in seiner Vollheit besaß, sondern die eschatologische Vollendung noch zu erwarten hatte. Im folgenden Kapitel, welches von vor- und nebenpaulinischen Anschauungen handelt, werden wir hierzu zurückkehren.

einen Zweck oder eine ethische Pflicht an als eine automatisch gegebene Folge. Denn „wandeln" bedeutet hier „einen neuen Lebenswandel führen". Dies hat mit dem Zweck der Auseinandersetzung zu tun, die ja gegen Leute gerichtet ist, die Paulus wegen Unsittlichkeit anklagen.

Wieder ist aber Paulus in seiner Argumentation einen so großen Schritt vorwärts gegangen, daß er neue Gründe für das Gesagte liefern muß. Warum hatte der Tauftod den Zweck, daß die Getauften in einem neuen Leben leben sollten? Also fährt er in 6,5 mit einer Erklärung fort, die sich bis 6,7 streckt und sich dann in 6,8–11 fast wiederholt,[48] allerdings mit Blick auf die Sünde (6,2). Warum also diese Pflicht, ein neues Leben zu führen? Der Anfang der Erklärung in Vers 5 gibt kaum eine deutliche Antwort, wenn er den Blick auf etwas richtet, was der Tauftod für die Zukunft impliziert, nämlich die Auferstehung: „denn, wenn wir mit dem Gegenstück seines Todes vereint worden sind, werden wir es auch mit dem seiner Auferstehung sein". Der Vers ist voll von Problemen, sowohl die Sprache wie auch den Inhalt betreffend, und wenn ich auch, wie aus meiner (ziemlich literalen) Übersetzung hervorgeht, der Meinung bin, daß er hinter das irdische Leben blickt, also zu der Auferstehung (oder der Verherrlichung) des Christen, ist auch eine solche Interpretation nicht ganz sicher.[49] Was

---

Das eben Gesagte ist aber nicht die einzige denkbare Erklärung des Eindrucks, Paulus komme in 6,4 davon ab, von einer Auferstehung mit Christus in der Taufe zu reden. Seine Art und Weise, an die Auferstehung der Toten zu denken, kann damit fest verbunden sein, daß, wenn jemand auferweckt wird, ein Leib Gegenstand der Auferweckung sein muß. Es wäre ihm dann schwer gefallen, sich nur eine symbolische Auferstehung (in der Taufe) vorzustellen; so *Wedderburn*, Hellenistic Christian Traditions 347ff; *ders.*, Baptism and Resurrection 184f. Diese Fragen nach Ursprung und Hintergrund sollen nicht die Tatsache verhüllen, daß das, was als ein Umbiegen erscheint, faktisch eine Funktion in dem argumentativen Kontext hat.

[48] *Bornkamm*, a.a.O. 38ff. Aber Bornkamm betont die Parallelität mehr als ich es hier tue.

[49] Das mit „vereint" übersetzte Wort bedeutet eigentlich „zusammengewachsen" (σύμφυτοι). Ist solch eine Übersetzung zu „frei"? Und soll „zusammengewachsen" mit „Gegenstück" (ὁμοιώματι) zusammengenommen werden oder mit einem gedachten „ihm", so daß das Resultat „mit ihm durch das Gegenstück zusammengewachsen (vereint)" wäre? Was bedeutet ferner das Wort hinter „Gegenstück" (ὁμοίωμα)?: „Abbild", „Gleichheit", „Form" … und wofür steht es hier? Für den Tod Christi, für die Taufe, für den Tauftod, für die Person Christi, für die Kirche (so *Schrage*, Abbild seines Todes)? Wie soll man die zweite Hälfte des Verses sprachlich verstehen?: „so werden wir der Auferstehung zugehören"? oder „so werden wir mit dem Gegenstück seiner Auferstehung vereint (zusammengewachsen) sein"? … Ist schließlich „wir werden sein" vielleicht ein logisches Futurum? Dann zielt es auf das Leben nach der Taufe, in dem man einen von Jesu Auferstehung inspirierten Wandel führen soll. Oder ist es klar temporal und eschatologisch? Siehe *Bornkamm*, a.a.O.; *Schnelle*, Gerechtigkeit 81f, 211. Zur

kann der Gedanke an die Auferstehung mit dem Zweck, ein neues Leben zu leben, zu tun haben? Möglicherweise, daß er an die Realität der Christusgemeinschaft (6,4) wiederanknüpft und ihr einen eschatologischen Rahmen gibt, in welchem das gegenwärtige Leben gelebt wird.

In 6,6 folgt aber eine Art Begründung der Pflicht eines neuen Lebens: „wir wissen ja, daß unser alter Mensch mitgekreuzigt wurde, damit der Sündenleib vernichtet werde, so daß wir nicht mehr Sklaven der Sünde bleiben". Hier beginnt Paulus die negativen Gründe der ethischen Pflicht anzuführen. „Unser alter Mensch" steht zum „neuen Leben" (6,4) im Gegensatz. Paulus knüpft an das in Kapitel 5 vom ersten Adam Gesagte an und zielt also hier auf die alten Lebensbedingungen, wo die Macht der Sünde und des Todes bestimmend war. Jetzt hat dieses Alte seine Macht verloren, und daß „der Sündenleib vernichtet" worden ist, bedeutet, daß der Mensch von der Macht der Sünde über den Leib befreit worden ist.[50] (Daß Paulus deshalb nicht der Meinung ist, der Christ könne nicht sündigen, geht schon aus den Paränesen seiner Briefe hervor. Aber hier gilt ein Prinzip: es gelten nun Machtstrukturen und Lebensbedingungen, die vorher nicht da waren.)

Aber jetzt muß Paulus zeigen, daß der Tauftod eine Befreiung der genannten Art war. Also kommt eine neue Erklärung: „denn wer gestorben ist, der ist von der Sünde gerechtfertigt" (6,7: oder, mit der Einheitsübersetzung: „ist frei geworden von der Sünde"). Paulus setzt hier eine Rechtsregel voraus, die auch im Talmud Gegenstücke hat.[51] Die angesprochene Befreiung ist nicht einzig und allein theoretisch gedacht und von einem für den Zusammenhang adaptierten Rechtsprinzip abhängig, sondern baut sicherlich darauf, daß der Schritt in die Christusgemeinschaft durch die Taufe „auf seinen Tod" diesen Tod zu einem Tod „für uns" und „für unsere Sünden" (Röm 5,8; 1 Kor 1,13; 15,3) machte. Die Taufe vergegenwärtigte diesen Tod und wurde das äußere (wir könnten sogar sagen, das sakramentale) Zeichen der Vergebung der Sünden.[52] Für die Auseinandersetzung bedeutet dies, daß die Sünde ihre frühere Macht verloren hat, von der die spottenden Gegner von 6,2 sagten, sie könnten ebensowohl unter ihr bleiben, damit die Gnade desto mächtiger werde.

Mit 6,8–11 geht Paulus zum positiven Beweis dafür über, daß die Christen

---

rätselhaften Ausdrucksweise des Apostels, „(Gegenstück) seiner Auferstehung" trug möglicherweise seine Naherwartung bei. So konnte er der Überzeugung sein, daß vielleicht nicht alle seine Adressaten vor der Parusie sterben würden und also nicht von den Toten auferstehen. Vgl. 1 Kor 15,51: „alle werden wir nicht entschlafen, aber alle werden wir verwandelt werden".

[50] *Wilckens*, Röm II 17.

[51] Vgl. bSchab. 151b: „Wenn ein Mensch gestorben ist, ist er frei geworden von den Gebotserfüllungen." S. ferner *Kuhn*, Rm 6,7.

[52] *Hahn*, Taufe 111; *Wilckens*, a.a.O. II 16.

ein neues, zu gestaltendes Leben bekommen haben. Wie in 6,5–7 verarbeitet er wieder das „mit"-Motiv. „Wenn wir mit Christus gestorben sind, glauben wir, daß wir auch mit ihm leben werden, da wir wissen, daß Christus, von den Toten auferweckt, nicht mehr stirbt; der Tod hat keine Macht mehr über ihn" (6,8f).[53] Der letzte Teil des Zitats gibt den Grund des im ersten Teil Gesagten an: das mit Christus Geschehene wurde für „uns" durch die Taufe ein Modell. Aber es verhält sich hier wie in der ersten der zwei parallelen Gedankenreihen (V. 5), indem der Blick zum endgültigen Heil und zum (Auferstehungs-)Leben mit Christus geht: hier heißt es: „wir werden mit ihm leben". Noch in Vers 10 bleibt Paulus bei dem christologischen Muster, indem er es so entwickelt: „denn den Tod, den er starb, starb er für die Sünde ein für allemal, und was er lebt, lebt er für Gott". Christus ist also von der Möglichkeit der Sünde, ihn zu beeinflussen, weggestorben. Für den Schluß wird es von entscheidender Bedeutung sein, daß Christus, „mit" welchem die Getauften so eng verbunden sind, für Gott lebt. Denn jetzt ist Paulus nahe am Ziel und kann daraus schließen: „so ist es auch mit euch: haltet euch dafür, daß ihr für die Sünde tot seid, für Gott aber lebt in Christus Jesus" (6,11). Die letzten Worte können leicht unbemerkt bleiben und den Eindruck einer Floskel erwecken, aber sie geben tatsächlich noch einmal den Grund für die Argumentation des Paulus an, nämlich, daß der Christ mit Christus in einer wirklichen, entscheidenden Weise zusammengehört. Beim Eintritt in diese Gemeinschaft spielte die Taufe eine obligatorische Rolle als ein gestaltendes, wirksames Zeichen.

Wenn Paulus so weit gekommen ist, hat er alle Glieder seines in 6,2 dargestellten Satzes bewiesen: wer für die Sünde gestorben ist, kann nicht mit Recht in ihr leben. In 6,12–14 zieht er die moralischen Folgen aus dem Beweis, und wir hören dort auch einigen Widerhall aus den abschließenden Sätzen des fünften Kapitels, ein Zeichen dafür, daß er an die Hauptlinie des Gedankengangs anknüpft: „Also soll die Sünde nicht in eurem sterblichen Leib herrschen, so daß ihr seinen Begierden gehorcht. Stellt nicht eure Glieder als Waffen der Ungerechtigkeit in den Dienst der Sünde, sondern stellt euch Gott zur Verfügung als Menschen, die leben, nachdem sie tot gewesen sind, und stellt eure Glieder als Waffen der Gerechtigkeit in den Dienst Gottes. Denn die Sünde soll nicht über euch herrschen, denn ihr steht nicht unter dem Gesetz, sondern unter der Gnade." 6,15–23 stellt so ein zweites Argument für dieselbe These dar, indem der Sklavenmarkt als Bild verwendet wird.

Nachdem wir nun Paulus in seiner Auseinandersetzung in Röm 6,1–14 gefolgt sind, richten wir unsere Aufmerksamkeit jetzt auf seine dort

---

[53] Auch V. 8 enthält von der Tradition übernommene Wendungen; s. *Hahn*, a.a.O. 109f.

sichtbar werdenden Anschauungen über die Taufe. Es ist also die Debatte der für Juden und für Heiden geltenden Rechtfertigung aus Glauben, die veranlaßt, daß die Taufe zur Sprache kommt. Sie hilft Paulus zu zeigen, daß das Glaubensprinzip nicht den Weg zu moralischem Bankrott eröffnet. Wir müssen mit in Betracht ziehen, daß dieses Thema auch dafür bestimmend sein kann, wie Paulus sich hier über die Taufe äußert. So begegnet die Leben-und-Tod-Thematik schon in Kapitel 5. Fiel es dann Paulus umso leichter, von der Tauftheologie Hilfe zu holen, weil die Leben-und-Tod-Assoziationen auch dort traditionell zu Hause waren, oder hat er die Taufvorstellungen ausgedehnt, so daß sie auch unter dieser Thematik ausgedrückt werden konnten?[54] Für die erste Möglichkeit könnten Röm 6,3 und 6 sprechen: Paulus leitet ja diese Aussagen so ein, als wäre deren Inhalt etwas schon Gekanntes: „Wißt ihr nicht" und „da wir ja wissen". Alternativ könnte man für diese beiden Stellen annehmen, daß Paulus es sozusagen auf ein gewisses Wagnis ankommen läßt, indem er nicht nur voraussetzt, daß die Briefempfänger seine Ansicht teilen, die Taufe bedeute den Eintritt in die Christusgemeinschaft, sondern auch hofft, daß sie eine Ausweitung auf das Mitsterben und Mitleben mitmachen können. Auch kann die Frage gestellt werden, ob Paulus seine Anschauung aus diesem Punkt entwickelt hat, so daß Röm 6 eine gewisse Änderung im Vergleich mit dem darstellt, was wir früher gesehen haben. Dann könnte Paulus hier auf die Taufe Gedanken anwenden, die die allgemeineren Bedingungen des Christen betreffen und die in 2 Kor 5,14 reflektiert werden („einer ist für alle gestorben, also sind alle gestorben") sowie in Gal 2,19f („ich bin durch das Gesetz dem Gesetz gestorben, damit ich für Gott lebe. Ich bin mit Christus gekreuzigt worden; nicht mehr ich lebe, sondern Christus lebt in mir").[55] Oder hat er die Sache immer in derselben Weise angesehen und legt nun den Römern etwas vor, das nur ein wenig umfänglicher ist als das, womit sie schon früher bekannt waren (aber nicht so umfangreich als daß sie die Ausdehnung nicht hätten vertragen können)? Solange wir, wie in diesem Kapitel, unsere Aufmerksamkeit nur Paulus widmen, brauchen die Fragen uns nicht allzu sehr zu stören, wenigstens nicht wenn wir auf den Versuch verzichten, eine Entwicklung des paulinischen Taufdenkens zu rekonstruieren.

Klar ist immerhin, daß wir in Röm 6 einem Denken über die Taufe begegnen, das sich nicht nur zum großen Teil mit dem deckt, was wir in den früher behandelten Paulustexten angetroffen haben. Wir sehen auch, wie es in den Zusammenhang eingesetzt worden ist, den das paulinische Denken von Sünde, Gesetz, Gnade, Rechtfertigung und Heiligung einräumt. „In

---

[54] In diese Richtung geht *Wedderburn*, Baptism 50.
[55] S. auch Gal 5,24; 6,14. Daß die Taufe nicht in Gal 2,19 hineingedeutet werden darf, betont *Betz*, Gal 187.

Christus hinein" versetzt werden – und das Hineinversetzen bekommt hier seinen Brennpunkt in der Taufe – heißt aus dem Machtbereich der Sünde und des Todes gerückt zu werden und so von den Ansprüchen des Gesetzes befreit zu sein. Mit dem Begriff „unser alter Mensch" (V. 6) wird die frühere Existenz der Christen als etwas Veraltetes dargestellt; sie lebten unter Lebensbedingungen, von denen Paulus nichts Gutes zu sagen hat. Seine heidenchristlichen Adressaten lebten in Finsternis und unter Gottes Zorn (1,18–32), und wenn auch die Juden den Bund und die Verheißungen Gottes hatten (3,1–3), wurden trotzdem das rechte Gottesverhältnis und die wahre Gerechtigkeit mit den neuen Lebensbedingungen gegeben, die Gott durch Christus und sein Werk errichtet hatte und in die Menschen durch den Glauben eintraten. In der Taufe wurde markiert, daß jenes Alte dem Vergangenen angehörte, denn es wurde aus dem Dasein des Christen weggeschafft so wie ein Verbrecher aus der Menschenwelt durch Kreuzigung weggeschafft wurde. Aber die Kreuzigung, durch die es geschah, war die Kreuzigung Jesu, die in diesem Ritus vergegenwärtigt wurde. Gegen dieses Alte stehen das neue Leben (6,4) und die neuen Bedingungen. In sie einzutreten hieß in eine Sphäre von göttlicher Gunst und eschatologischer Lebenskraft eingeführt zu werden. Sie ist der Machtbereich Gottes, wo er mit Recht beanspruchen kann, daß dieses neue Leben verwirklicht werden soll. Durch die Tod-und-Leben-Thematik wird der Gedanke an die Christusgemeinschaft des Christen und an seine christusbestimmte Identität radikaler, denn mit diesem Bild wird unterstrichen, daß die beim Eintritt in die neuen Lebensbedingungen geschehene Vergegenwärtigung und Anwendung des Werkes Christi das Leben durchgreifend verändern und verlangen, daß die Christen dies anerkennen und gemäß dieser Einsicht leben.

Die Sprechweise „mit Christus" spielt in Röm 6 eine wichtige Rolle. Sie gehört auch zu den eschatologischen Erwartungen des Paulus, insofern wir ihr schon in seinem ältesten Brief, im ersten Thessalonicherbrief, begegnen: „Wenn wir glauben, daß Jesus gestorben und auferstanden ist, so wird auch Gott die Entschlafenen durch Jesus mit ihm (zu sich) führen" (1 Thess 4,14). In 1 Thess ist der Glaube an Jesus Christus, den Toten und Auferstandenen, der Ausgangspunkt einer Rettung „mit Christus". In Röm 6 richtet Paulus seinen Blick auf die Taufe, in der ein „mit Christus" schon jetzt eine (verpflichtende) Teilnahme an seinem Leben bedeutet, aber auch einem eschatologischen „mit ihm" (6,5.8) entgegensieht. Wie es in den früher behandelten Paulustexten der Fall war, werden also auch hier im Römerbrief eschatologische Assoziationen mit der Taufe verbunden.

In Röm 6 hat also Paulus die vage Formel „auf den Namen ..." in der Weise benutzt, daß er eine Abkürzung davon, nämlich „auf Christus", gebraucht hat. Einerseits haben wir beobachten können, wie Paulus im

Zusammenhang den Sinn der Taufe an diesen Christus und an sein im Ritus vergegenwärtigtes Werk bindet. Er ist, um an unsere Wendungen oben anzuknüpfen, die grundlegende und sinngebende Referenz des Ritus. Andererseits hat dieser Ausdruck eine lokale Bedeutung:[56] „in Christus hinein getauft", „in die Christusgemeinschaft getauft".

Fragen wir uns schließlich, warum Paulus gerade aus der Tauftheologie Argumente für diesen Zusammenhang holte, könnte geantwortet werden: er will zeigen, daß die Macht der Sünde nicht mehr über den Christen herrschen soll, auch wenn das Gesetz ihn nicht am Zügel hält. Dann soll es für Paulus natürlich gewesen sein, zu den Taufvorstellungen zu greifen, indem gemäß allgemeiner frühchristlicher Meinung die Taufe zur Vergebung der Sünden geschah. Paulus kann den Gedanken so weiterführen, daß dem Täufling nicht nur die Sünden der Vergangenheit vergeben wurden, sondern daß er dabei auch von der Macht der Sünde befreit wurde.[57] Dies kann er dann zur These weiterführen, daß es falsch wäre, sich wieder unter jene Macht zu geben, statt in Gerechtigkeit für Gott mit Christus zu leben. Diese These wird dadurch verschärft, daß Paulus auf eine – in seinen anderen Tauftexten nicht so deutliche Weise – die Taufe als eine Teilhabe sowohl am Tod Jesu als auch an seiner Auferstehung darstellt, jedoch unter Beibehaltung eines eschatologischen Vorbehalts.

7. Die „Urmotive"

Nachdem wir nun die paulinischen Tauftexte angesprochen haben, kehren wir zu den Urmotiven zurück, die nach unseren oben genannten Vermutungen durch die Aufnahme und Christianisierung der Johannestaufe durch die ersten Christen vorlagen. Wir sind ihnen allen begegnet, der eschatologischen Perspektive, dem Gedanken, daß Jesus Christus die sinngebende und grundlegende Referenz der Taufe ist, dem Rahmen einer zu Umkehr und Glauben zielenden Verkündigung, der Sündenvergebung und der Gabe des Geistes, dies alles mit dem Gedanken vom Eintreten in eine das Heil erwartende Gemeinde verknüpft.

Ehe wir fortfahren, sollten wir indessen uns daran erinnern, daß die Kirche zu der Zeit der jetzt angesprochenen Texte einen Schritt in eine größere Welt getan hat, und zwar in vieler Hinsicht. Einerseits lebt sie in der jüdischen griechisch-sprechenden Diaspora, was mit sich gebracht hat, daß das Verhältnis zur jüdischen Mutterreligion andere Vorzeichen bekommen

---

[56] In der Forschung ist recht viel für und wider eine solche „lokale" oder „mystische" Deutung debattiert worden: s. *Barth*, Taufe 99; *Halter*, Taufe 46ff.

[57] *Käsemann*, Röm 154.

hat. Unter diesen Diasporajuden, sowohl unter denen, die Christen geworden sind, als auch unter denen, die diesen Schritt nicht getan haben, hat die jüdische Religion einen Klangboden für christliche Denk- und Redeweisen geliefert. Trotzdem denkt man unter anderen kulturellen und religiösen Voraussetzungen, denn hier ist das Judentum eine Minoritätsreligion. Andererseits hat sich auch die christliche Verkündigung – nicht zum geringen durch Paulus – an Heiden mit verschiedenartigem religiösen und kulturellen Hintergrund gewandt. Unter ihnen sind diejenigen gewesen, die Lukas die Gottesfürchtigen nennt, die, ohne Proselyten zu werden, doch mit Sympathie das Judentum betrachtet haben und gewissen jüdischen Regeln gehorcht haben.[58]

Der Schritt in eine größere Welt war auch eine Herausforderung, die die Begriffe, Gedankenformen und Ausdrücke betraf. Schon Ausdrücke wie Bekehrung und Sündenvergebung haben eine andersartige Referenz bekommen, wenn sie nicht selbstverständlich in die Rahmen eingesetzt sind, die von den Gedanken an den Bund Gottes mit seinem Volk vorgegeben sind, seien sie durch eine Überzeugung komplettiert, die Zeit des neuen Bundes sei eingetreten, oder nicht. Stattdessen haben für die Heidenchristen Bekehrung und Sündenvergebung bedeutet, daß sie sich einer neuen Religion zugewandt und dadurch ihre grundlegenden religiösen Werte geändert haben. (Aus diesem Blickwinkel gesehen, hat es keinen Religionswechsel bedeutet, als Juden sich zu Christus bekehrten!)

Der Schritt in die größere Welt hat auch bedeutet, daß das Blickfeld der Eschatologie, der Kirche und der Christologie erweitert wurde. Zur Zeit der gerade diskutierten Texte hat die Kirche ein paar Jahrzehnte intensiver theologischer Arbeit hinter sich, die bisweilen sicherlich harte Konfrontationen zwischen verschiedenen binnen- und außer-christlichen Sichtweisen bedeutet hat, um nicht zu erwähnen, daß schon die Grenzlinie zwischen binnen- und außerchristlich gar nicht selbstverständlich zu ziehen ist. Verschiedene Deutungsmuster sind aller Wahrscheinlichkeit nach geprüft worden, als man Fragen zu beantworten versucht hat, wie z.B. wer Jesus war, was er einmal bedeutete und was er in der Gegenwart bedeutet, ferner, wie man die vielfältigen eschatologischen Vorstellungen verstehen sollte oder konnte, oder was die christliche Gemeinde war, lokal und in einem weiteren Blickfeld gesehen.

Die eschatologische Perspektive der frühen Kirche bleibt bei Paulus bestehen, nicht als wäre sie ein Relikt sondern als etwas Wesentliches und

---

[58] Die von dieser Gruppe aufgestellten Probleme sind heftig debattiert worden. S. für eine ausgewogene Darstellung *Cohen*, Crossing the Boundary.

Selbstverständliches.[59] Sie prägt die Art und Weise, in der er die Lage nach Christus sieht, denn mit ihm ist die Zeit gekommen, in der die Verheißungen Gottes vom kommenden Heil erfüllt werden (Gal 3,24f; 4,4–7), und wenn Paulus sein Evangelium verkündet, tut er es im Hinblick auf die sich nähernde, endgültige und entscheidende Krise. Wer seine Verkündigung annimmt, wird in oder aus dieser Krise „gerettet".[60] Diejenigen aber, die das Evangelium abweisen, gehen verloren.[61] (Darum ist wohl für Paulus die Frage nach dem Geschick der Juden, Röm 9–11, so brennend.) Christ zu werden und getauft zu werden bedeuteten nicht nur, Hoffnung in dieser letzten Krise zu bekommen, sondern auch der Lebensqualität teilhaft zu werden, die in der Gemeinschaft mit dem die Endphase inaugurierenden Heiland gegeben wurde. Alles eilte aber der endgültigen Erneuerung entgegen, und dem einzelnen Getauften stellte Paulus ein Leben mit dem auferstandenen Herrn in Aussicht, sei es via Auferstehung des Christen oder durch seine Verherrlichung ohne einen dazwischenkommenden Tod.

Der *Christus*, „auf" dessen „Namen" die paulinischen Christen getauft werden, ist die grundlegende Referenz der Taufe. Jetzt ist nicht nur seine Auferstehung der Ausgangspunkt für die Verkündigung und für die Taufe, sondern sein Tod und seine Auferstehung sind Werke „für uns", die in der Taufe vergegenwärtigt werden (1 Kor 1,13). Ja, die neuen, schon eschatologischen Lebensbedingungen, in die der Täufling versetzt wird, sind so eng mit diesem Christus verbunden, daß die Taufe eine „in Christus hinein" (Röm 6,3; Gal 3,27) oder „in seinen Leib" (1 Kor 12,13) genannt wird. Hier ist also Christus als Referenz der Taufe nicht nur jemand, der sozusagen außerhalb steht und dessen vergangenes Werk vergegenwärtigt wird, sondern „Christus" steht auch für eine göttliche Sphäre oder einen göttlichen Kraftbereich, der durch diese Person und dieses Werk entstanden ist. Der vergegenwärtigende Aspekt der Taufhandlung bekommt für den Täufling weiteres christologisches Gewicht, wenn das Taufgeschehen direkt mit dem Christusgeschehen verbunden wird: der Täufling stirbt mit Christus und er folgt ihm auch insofern in seiner Auferstehung, daß er nach der Taufe schon ein neues Leben „mit Christus" hat, das jedoch noch einem endlichen „mit Christus" entgegenblickt. Dazu kommt, daß der gegenwärtige Status dieses Christus als für Gott lebend den Täufling dazu verpflichtet, sein Leben für denselben Gott zu leben (Röm 6,3–14; 1 Kor 6,11).

Die Christusverbundenheit hat auch eine *kirchliche Seite*. Die Menschen, die

---

[59] *Sanders*, Paul 434f hebt mit Recht hervor, daß kein theologisches Interesse die Bedeutung der Eschatologie für die paulinische Theologie, vor allem seine Christologie, verhüllen soll.

[60] Röm 1,16; 1 Kor 1,18.21; 1 Thess 2,16 usw.

[61] 1 Kor 1,18; 2 Kor 2,16; 4,3 usw.

zusammen die neuen Lebensbedingungen teilen, bilden „in Christus" eine Einheit, die fast organisch genannt werden kann. Denn Christus ist nicht geteilt (1 Kor 1,13). Aber derselbe Christus wird so radikal als der Ursprung einer neuen Menschheit verstanden, daß in dieser Gemeinschaft religiöse, soziale und andere Grenzen transzendiert werden: „hier gibt es nicht Jude und Grieche ..." (1 Kor 12,13; Gal 3,28).

Der Eintritt in diese neuen Bedingungen war klar mit einer Missionssituation verbunden, in der die *Verkündigung* des Evangeliums eine entscheidende Rolle spielte (1 Kor 1,17ff). Das Verlassen des früheren Lebens und der durch die Predigt erweckte *Glaube* waren selbstverständliche Voraussetzungen der Taufe (1 Kor 1,13; 6,11), in der die Rechtfertigung durch Glauben objektiv (oder sakramental, wenn man so will) geschah (Gal 3,26f). (Im Kontext der Taufe spricht Paulus niemals von einer Umkehr, wie er überhaupt nur in 1 Thess 1,9f in diesem Sinn von „sich bekehren" spricht.)

Die Gabe der *Sündenvergebung*, die schon mit der Johannestaufe zusammenhing, wird bei Paulus mit dem Tod Jesu „für uns" (1 Kor 1,13; 11,24) und „für unsere Sünden" (Röm 4,25; 1 Kor 15,3) verbunden. Dies wird in der Taufe zugeeignet (Röm 6,11f; 1 Kor 6,11), die „sakramental" das bewirkt, was derselbe Paulus auch zu den Wirkungen des Glaubens rechnet (Röm 4,5–8).

Schließlich haben wir gesehen, wie Paulus sich zu den Juden gesellt, die damit rechneten, daß in der Zeit des neuen Bundes *der Geist* Gottes in einer neuen Weise in seinem Volk wirken sollte (Ez 36,26; Jer 31,33). Denn in 1 Kor 12,13 setzt er voraus, daß der Eintritt in die Schar Christi, mit seinem rituellen Fokus in der Taufe, auch dieser göttlichen Gnadenwirkungen teilhaft macht. Einerseits soll dies mit der Überzeugung verknüpft werden, daß die Christusgemeinschaft lebenspendend ist und faktisch, mit Christus, neue Lebensbedingungen in Freiheit von der Macht der Sünde gibt. So bedeutet die Geistgabe Gottes kraftvolle gegenwärtige Wirkung. Andererseits soll sie auch in eschatologischer Perspektive gesehen werden, da sie als eine Erstlingsgabe der kommenden Erlösung empfangen wird (Röm 8,23; 2 Kor 1,22; 5,5).

Die Motive, die wir rings um das erste christliche Taufen zu rekonstruieren versuchten, sind also fast alle bei Paulus zu finden. Aber sie sind völlig in das paulinische theologische Denken eingeordnet.[62] Wir haben auch gesehen, wie Paulus mit vermutlich wesentlichen Punkten seines Taufdenkens in aufkommenden Fragen argumentiert hat.

---

[62] *Barth*, a.a.O. 92–106. Barth setzt über sein Pauluskapitel die treffende Überschrift „Die Integration der Taufe in Rechtfertigungsbotschaft und theologia crucis bei Paulus".

V. Vor- und nebenpaulinisches Material in den Paulusbriefen

Oben sind wir mehrmals Aussagen von der Taufe begegnet, die den Eindruck erwecken, daß wahrscheinlich die in ihnen vertretenen Ansichten von den Empfängern des Briefes geteilt wurden. Wenn Paulus, wie im Falle des Römerbriefes, keine nähere Verbindung mit den Adressaten gehabt hat, müssen wir damit rechnen, daß sie dieser Ansicht gewesen sind, ohne darin von Paulus beeinflußt gewesen zu sein. Natürlich kann diese Auffassung auch in die Taufsicht des Paulus eingehen, aber sie hat auch unabhängig von Paulus existiert. Wenn er, wie in Gal und 2 Kor, zwar an von ihm gegründete Gemeinden schreibt, aber sich an Leute wendet, die anderer Meinung sind als er selbst, ist er auch in den meisten Fällen selbst der Ansicht, die er ihnen zuschreibt. Sie haben sie von Paulus lernen können, aber haben sie mit anderen, von Paulus abweichenden Gedanken verbunden. Es gibt aber auch die Möglichkeit, daß ihre Meinung von der Taufe in größerem oder kleinerem Ausmaß nicht auf Paulus zurückzuführen ist.

In der Wahl zwischen diesen Möglichkeiten sind wir nicht hoffnungslos der Beliebigkeit ausgeliefert. Ganz im Gegenteil ist in der Forschung ein genaues Studium betrieben worden, das zu dem Resultat geführt hat, daß gewisse Formeln und Sätze „traditionell" sind, das heißt, Ausdrücke und feste Wendungen wiedergeben, die in den Gemeinden vorgekommen sind und nicht ihre Herkunft vom Briefverfasser herleiten.[1] Die traditionellen Sätze oder Wendungen sind in unseren Fällen natürlich älter als der vorliegende paulinische Brief, aber wenn man sie „vorpaulinisch" nennt, bedeutet das bisweilen, daß sie sogar älter sein können als die paulinische Mission. Die Kriterien für solche Datierungen sind aber oft unsicher. Die Taufformel „auf den Namen ..." ist jedoch ein Beispiel einer sicherlich vorpaulinischen Tradition.

Schließlich gibt es ein paar Beispiele dafür, daß Meinungen, die von der Taufe angeführt werden oder hinter dem Text zu spüren sind, mit großer Wahrscheinlichkeit nicht von Paulus geteilt worden sind. In diesen Fällen bekommen wir also nicht nur einen Einblick in ein anderes theologisches Denken als das nur paulinische, sondern auch in eine in dieser Hinsicht von ihm ganz verschiedene Gesinnung, die jedoch existiert hat und als christliche Theologie erschienen ist.

---

[1] „Vorpaulinische" Weisen, die Taufe zu betrachten, werden u. a. behandelt bei *Barth*, Taufe 80–99; *Bultmann*, Theologie 136–146 (bahnbrechend); *Braumann*, Vorpaulinische Taufverkündigung; *Hahn*, Taufe; *Kuss*, Zur vorpaulinischen Tauflehre; *ders.*, Zur Frage einer vorpaulinischen Todestaufe; *Schnelle*, Gerechtigkeit. Für Kriterien s. *Vielhauer*, Urchristliche Literatur 11f.

Aus guten Gründen wird nun angenommen, daß *1 Kor 6,11* auf eine außerpaulinische Weise von der Taufe und ihren Folgen zu denken und reden zurückgeht: „ihr wurdet gewaschen, ihr wurdet geheiligt, ihr wurdet gerechtfertigt (ἐδικαιώθητε) in (ἐν) dem Namen Jesu Christi, unseres Herrn, und in dem (oder: durch den – ἐν) Geist unseres Gottes".[2] Im vorigen Kapitel haben wir den Text im paulinischen Kontext zu verstehen versucht. Wenn wir ihn jetzt als nebenpaulinisches Gut betrachten, haben wir zwar keinen Textzusammenhang, der dem Verständnis weiterhilft und es bestimmt, aber trotzdem können wir etwas davon ahnen, wie andere Christen als Paulus den Übergang vom Heidentum zur Kirche gesehen haben. Das Bild vom Waschen setzt voraus, daß das vorchristliche Leben als etwas Schmutziges und Unreines vorgestellt wird. Es braucht sich dabei nicht nur um besudelnde, unmoralische Handlungen zu handeln, sondern die Tradition nimmt sicherlich auch Denkarten auf, gemäß denen das außerhalb der richtigen oder wahren Religion Stehende unrein ist. Diese Denkart findet sich beispielsweise in Esra 9,11, wo von der „Befleckung der Völker im Land" die Rede ist, sowie wenn 1 Makk in dieser Weise die Versuche von Antiochus Epiphanes beschreibt, andere religiöse Sitten unter den Juden einzuführen: die Juden sollten „ihre Seelen mit jeder denkbaren Unreinheit und Schande beflecken" (1,48). Wenn Apuleius seinen Held sich schrittweise seiner Initiation in die Isismysterien nahen läßt, wird dieser bei kritischen Stationen des Prozesses gereinigt, wobei das Unreine, von dem er gereinigt wird, sein früheres, niedriges und besudeltes Leben ist.[3] Die Tradition in 1 Kor 6,11 verwendet dasselbe Bild für das Leben, das die neu Bekehrten hinter sich gelassen haben.

Reinheit und Heiligkeit sind nahe verwandt. Der oder das Heilige ist einer Gottheit geweiht oder vorbehalten, und damit dieses Verhältnis bestehen kann, darf diese Gottheit nicht durch Unreinheit verletzt werden. Geheiligt zu sein, hier „unserem Gott", ist aber auch etwas Positives, nämlich daß man dem Machtbereich dieses Gottes zugehört, in seinem Dienst steht und seiner Gaben teilhaftig ist. Für die Christen hat die Taufe all dies zustande gebracht.

Die Rechtfertigung schließlich, dürfte wohl in 1 Kor 6,11 eine positive Seite des Waschens beschreiben, indem nämlich die besudelnden Sünden des Vergangenen in der Taufe abgewaschen wurden.

Der mit den drei Begriffen so beschriebene Übergang ist „im Namen Jesu Christi, des Herrn" geschehen. Wie oben hervorgehoben worden ist, können wir den Präpositionalausdruck als eine Variante der Formel „auf den Namen ..." ansehen. Nichts spricht dagegen, daß der so erwähnte

---

[2] Für eine Diskussion der Stelle s. *Schnelle*, a.a.O. 37–45.
[3] Apuleius, Metamorphosen 11,1,4: 11,23,2.

„Jesus Christus, der Herr" auch hier die grundlegende Referenz der Taufhandlung und des ganzen Übergangs ist. Dagegen ist es schwierig, sich ein Bild davon zu machen, in welcher Weise er es ist. Bedeutet dabei die „Herr"-Titulatur etwas? Und die Christus-Messias-Bezeichnung? Wird das Werk des irdischen Jesus, einschließlich seines Todes, hier so interpretiert, daß es als das Werk des von Gott verheißenen Retters und Herrschers, des Messias', verstanden wird? Und wird dazugefügt, daß er jetzt der Lebende und Erhobene ist, unter dessen Herrschaft die Getauften eingetreten sind und den sie als ihren Herrn bekennen? (Ich denke hier natürlich an die Bekenntnisformel „Jesus ist (der) Herr" – Röm 10,9; 1 Kor 12,3; Phil 2,11). Aber wenn Reinigung und Vergebung für den Bekehrten eine wesentliche Seite der Vergegenwärtigung des Werkes Christi ist, dann liegt es nicht so fern anzunehmen, daß diese Tradition auch die Deutung des Todes Jesu impliziert, er sei ein Tod „für uns" (1 Kor 1,13; 11,24) oder „für unsere Sünden" (1 Kor 15,3), Deutungen, die ja auch traditionell sind. Es muß jedoch eine relativ unsichere Annahme sein, daß die Tradition in 1 Kor 6,11 es implizieren sollte, daß Jesus die Referenz der Taufe gerade in dieser Weise gewesen sei.

Es ist fraglich, inwieweit „in dem / durch den Geist unseres Gottes" zu dem von Paulus in 1 Kor 6,11 Übernommenen gehört.[4] Was es dann außerhalb des Zusammenhangs des 1. Korintherbriefes hat bedeuten können, ist unsicher. Wir müssen uns vermutlich mit der Feststellung begnügen, daß, falls wir vor einer Tradition stehen, auch sie den Geist mit dem Eintritt in die Kirche verbindet, wenn man sich die Sache so gedacht hat, daß bei der Taufe der Geist am Werk ist, oder so, daß das Interesse auf die Geistgabe gerichtet ist. Daß mehrere Christen in Korinth vor allem an die Charismen gedacht haben können, ist sehr wahrscheinlich, denn sie haben sich offensichtlich derart mit Charismen begabt gesehen, daß Paulus drei Kapitel des Briefes einer Auseinandersetzung mit diesen Problemen widmen muß. Aber die Tradition ist kaum auf ihre Kreise zurückzuführen. Vielleicht ist man stattdessen der Auffassung gewesen, daß sich hier traditionelle Erwartungen erfüllten, die beispielsweise in Ezechiel zu lesen sind: „ich werde euch reinigen ... ich werde meinen Geist in eure Brust kommen lassen, und

---

[4] *Schnelle*, a.a.O. 37–44, scheint keinen Zweifel zu hegen. „Der Geist unseres Gottes" ist anderswo nicht als Ausdruck bei Paulus belegt, dagegen aber „der Geist Gottes" (Röm 8,9; 1 Kor 2,11f.14; 3,16 usw.). Es könnte sein, daß Paulus in Hinblick auf die hohe Schätzung der Geistesgaben seitens der Korinther die Wendung zu der verwendeten Tradition hinzugefügt hat. Dann würde die Erwähnung des Geistes im argumentativen Kontext gut passen: die Gegenwart und das Werk des Geistes unter den Korinthern sollte im Gegensatz zu ihrem un-geistlichen Benehmen stehen. Andererseits wird oft angenommen, daß es eine verbreitete Ansicht in der frühen Kirche war, daß der Geist mit der Taufe gegeben wurde.

es so stellen, daß ihr nach meinen Geboten wandelt" (Ez 36,25ff). Hat es sich also um Erwartungen vor der Heilszeit gehandelt, das heißt, wohl von seiten einer Gruppe von Judenchristen? Am klügsten ist wohl, bei den Fragezeichen zu bleiben.

Der Täufling als das Eigentum des Herrn. Im Abschnitt über die Taufformel wurde auf die herkömmliche Deutung der Formel hingewiesen, daß der Täufling in der Taufe das Eigentum des in der Formel genannten Herrn wurde. In demselben Abschnitt wurden auch Gründe dafür angegeben, daß diese Deutung der Namensformel nicht haltbar ist. Aber in Gal 3,29 („ihr seid Christi") und 1 Kor 1,12 („ich bin Apollos' ... ich bin Christi ...") sind wir auf Wendungen gestoßen, die uns zeigen, daß man das Verhältnis zum Herrn in Kategorien von Zugehörigkeit hat ausdrücken können. Auch Röm 6,15–23 kann hier angeführt werden, wo Paulus mit Hilfe vom Bild des Sklavenmarktes veranschaulicht, wie der Christ aus der Gewalt der Sünde befreit worden ist, um stattdessen Sklave der Gerechtigkeit zu sein. Ein Sklave war ja das Eigentum seines Herrn. Anläßlich Gal 3,29 blickten wir auf das größere religionsgeschichtliche Assoziationsfeld, wo die Anhänger eines Gottes oder einer Göttin die Sklaven oder Diener der entsprechenden Gottheit genannt wurden. Auch biblisches und jüdisches Material zeugte von dieser Sehensweise: „ihr werdet mein Eigentum sein" (Ex 19,5); vom Diener des Herrn in Jesaja: „du bist mein Diener (oder: Sklave, *ebed* Jes 41,9); von Israel in demselben Buch: „ich habe dich beim Namen genannt, du bist mein" (LXX ἐμὸς εἶ σύ 43,1). Wenn diese Ausdrucksweise in Tauftexten erscheint, stehen wir also nur vor einer anderen, verbreiteten und traditionellen Art, das Gottesverhältnis auszudrücken, die hier die tiefgehenden und das ganze Leben umfassenden Folgen des Christwerdens andeuten darf.

2 Kor 1,22 („Gott ... hat uns sein Siegel aufgedrückt") benutzt ein Bild, das demselben Gedankenzusammenhang angehört. Sein Siegel auf etwas drücken bedeutet, es als sein Eigentum zu kennzeichnen. Auch von diesem Text ist vorgeschlagen worden, er stelle eine von Paulus unabhängige Tradition dar,[5] und es gibt gute Gründe dafür, daß er auf die Taufe deutet.[6] So sprechen einige Indizien dafür, daß auch andere frühe christliche Theologen von der Taufe und dem Christwerden in einer solchen Weise gesprochen haben, daß sie einen Status mit sich brachten, der auch so beschrieben werden konnte, daß man das Eigentum Gottes oder Christi war.

Oben wurde die traditionelle Taufformel *„auf den Namen ..."* genannt.

---

[5] *Dinkler*, Taufterminologie.
[6] *Dinkler*, a.a.O. Am Ende des ersten Jahrhunderts kann „das Siegel" für die Taufe stehen (Hermas, Sim. IX 16,3–55; 2 Clem 7,6; 8,6). S. *Lampe*, Seal of the Spirit, bes. 103–106.

Die Anspielung auf sie in 1 Kor 1,13 wird nahe mit der ebenso traditionellen Formel „*für euch*" verbunden. Diese Verbindung deutet darauf hin, daß Paulus voraussetzt, daß seine Gegner seine Auffassung teilen, das Werk Christi, einschließlich sein Tod, seien in der Taufe vergegenwärtigt. (Wenn dagegen in demselben 1 Kor 1,13 Paulus darauf Gewicht legt, daß der Tod eine Kreuzigung war, ist wohl dieser Akzent Ausdruck eines besonderen paulinischen Denkens.)

Die mit einigen Variationen in Gal 3,28 und 1 Kor 12,13 angeführte Liste „*es gibt nicht Jude oder Grieche* . . ." dürfte traditionell sein.[7] Dafür sprechen der proklamierende Stil sowie die Tatsache, daß in beiden Fällen die Liste mehr sagt, als was Paulus im Zusammenhang eigentlich zu brauchen scheint. Der Kontext berührt sowohl in Gal wie in 1 Kor die Taufe und den Gedanken von der Einheit der Christusgemeinschaft (Gal 3,28 „alle seid ihr einer in Christus Jesus"; 1 Kor 12,13 „wir wurden alle auf einen einzigen Leib getauft"). Der Paulusschüler, der hinter dem Kolosserbrief steht, führt auch diese Proklamation an und assoziiert in derselben Weise mit der Einheit in Christus: „ihr habt den neuen Menschen angezogen" (Kol 3,10). Es ist nahezu unmöglich, mehr als Vermutungen darüber anzustellen, was eine solche Proklamation an dem Platz hat bedeuten können, wo sie hingehörte, ehe Paulus sie zitierte. Ja, wir können nicht einmal sicher sein, ob sie mit der Taufe verbunden war. Falls wir annehmen, daß es nicht die persönliche Idee des Paulus war, die Proklamation mit dem Gedanken der Einheit in Christus zu kombinieren, kann man meinen, daß sich dahinter eine Überzeugung verbergen könnte, daß die neuen, von Christus und seinem Heilswerk abhängigen Lebensbedingungen dem Täufling eine neue Identität geben, die wichtiger und substantieller als die früheren, sozialen und religiösen Bedingungen sind.[8] Wenn man sich auch Spekulationen enthält und die soziale Zusammensetzung der ersten christlichen Gemeinden realistisch zu beurteilen versucht,[9] kann doch angenommen werden, daß die Proklamation weitgehend die Auffassung stützt, daß die Christusgemeinschaft radikal traditionelle, auch von der Religion genehmigte Strukturen relativierte. Es dürfte auch klar sein, daß sie nicht nur eine idealisierende oder hoffnungsvolle Vision von der kommenden Heilszeit darstellte, sondern auch im Jetzt irgendwie zur Geltung gebracht werden sollte.[10]

Nach Gal 3,26 („ihr seid alle *Söhne Gottes* durch den Glauben in Christus Jesus") folgt unmittelbar 3,27, wo die Taufe als ein Anziehen von Christus

---

[7] *Becker*, Gal 45; *Betz*, Gal 181; *Schnelle*, a.a.O. 58–61.
[8] *Betz*, a.a.O. 189–200.
[9] Z. B. *Meeks*, First Urban Christians.
[10] *Schnelle*, Gerechtigkeit 60.

angesprochen wird. Beide Verse scheinen eine Tradition widerzuspiegeln, an die Paulus anknüpft.[11] Als wir oben die Gal-Stelle erörterten, wurde dargestellt, wie das Bild von der Gottessohnschaft die neue von der Christusgemeinschaft gegebene Identität ausdrückte. Dort wurde auch, wie auch im Kapitel von der Johannestaufe, daran erinnert, daß unter den jüdischen Erwartungen vor der Heilszeit und vor dem neuen Bunde auch die zu finden waren, daß das Volk den Geist Gottes bekommen und seine Kinder oder Söhne sein sollte. In Röm 9,26 wendet Paulus das Zitat aus Hos 2,1 („sie werden Söhne des lebendigen Gottes genannt werden") auf die aus den Juden und den Heiden Berufenen an. Er hält also die eschatologischen Erwartungen für erfüllt. Gal 3,26 ist ein Zeugnis dafür, daß andere, sicherlich judenchristliche Theologen,[12] die Lage in derselben Weise betrachtet haben, sowie dafür, daß sie diese Anschauung mit der Taufe verbunden haben. Der Sohn Gottes zu sein heißt, sein Leben von ihm zu haben, von ihm abhängig zu sein und dazu bestimmt zu sein, in seinem Dienst zu stehen und mit seinem Auftrag unter den Menschen betraut zu sein. Paulus meint, daß dieses nahe Gottesverhältnis vom Geist abhängt; und für die Erwägungen in diesem Kapitel ist es relevant, feststellen zu können, daß die Aussage über dieses Verhältnis in Gal 4,6 und Röm 8,14 über Paulus hinausgehend ist („die vom Geiste Gottes Getriebenen sind die Söhne Gottes").[13] Tatsächlich ist der Gedanke biblisch: dieses nahe Gottesverhältnis wird dadurch verwirklicht, daß Gott unsichtbar und kraftvoll eingreift, wenn er mit seiner Kraft die Menschen versieht, die ihm zugehören oder von ihm beauftragt worden sind.

Vor der Erörterung von Röm 6,1–14 wurde im vorigen Kapitel auf das in mehreren Religionen vorkommende Phänomen hingewiesen, daß eine Kulthandlung etwas vergegenwärtigt, das der Gott oder die Götter einmal bewirkt hat/haben und das für die Kultusteilnehmer von entscheidender Bedeutung ist. Diese *Vergegenwärtigung* könnte auch in der Weise ausgedrückt werden, daß die Kultusgemeinde das Geschick der Gottheit teilte. Aus verschiedenen Gründen ist nun angenommen worden, daß Röm 6,3–8 außerpaulinisch ist und von einer Auffassung zeugt, daß die Taufe ein Mit-Sterben und Mit-erweckt-Werden mit Jesus darstellt.[14] Im obigen Pauluskapitel habe ich keine Stellung dazu genommen, ob und inwieweit die Stelle außerpaulinisch ist: weist Paulus auf eine Kenntnis hin, die die Briefemp-

---

[11] *Becker*, Gal 45f; *Betz*, Gal 181.

[12] Für solch eine Annahme spricht die Anknüpfung an die jüdischen eschatologischen Erwartungen.

[13] Z. B. *Becker*, Gal 49; *Käsemann*, Röm 216.

[14] Ein Diskussionsbericht mit reichen Literaturhinweisen findet sich bei *Schnelle*, a.a.O. 204–214.

fänger nach seiner Meinung sicherlich haben, oder hofft er nur, daß sie ihm folgen werden, wenn er zu verstehen gibt, daß sie „wissen", daß sie in der Taufe mit Christus starben und begraben wurden? Ich neige jedoch zu der Ansicht, daß das Erste am wahrscheinlichsten ist. So viel steht für Paulus auf dem Spiel, daß ein Wagnis oder ein Überredungsargument als Basis der Auseinandersetzung allzu riskant wäre. Also ist Paulus aufrichtig und aus irgendeinem Grund davon überzeugt, daß die Ansicht auch in Rom vertreten wird und daß die Gegner sie teilen.

Vor allem in der sogenannten religionsgeschichtlichen Schule meinte man, daß hier ein Einfluß von den Mysterienreligionen der Umwelt vorlag, in denen der Initiand rituell des Geschicks des Gottes teilhaft wurde. Diese Auffassung findet immer noch ihre Vertreter.[15] Aber es mangelt nicht an Forschern mit anderer Meinung, und in mehreren Untersuchungen wurde versucht, Röm 6,3–8 mit Hilfe von paulinischen oder anderen innerchristlichen Vorstellungen zu erklären.[16] In der obigen Erörterung von Röm 6,1–14 wurde auch solches neutestamentliches Material genannt. Aber, wie es aus den ersten Kapiteln dieses Buches hervorgegangen ist, bedeutet schon die Sitte, „auf den Namen des Herrn Jesus" (oder etwas dergleichen) zu taufen, daß der Ritus in einer Art und Weise betrachtet worden ist, die nahe an dem steht, was wir so oft in der Welt der Religionen erfahren, nämlich daß ein Ritus göttliches Handeln vergegenwärtigt.[17] In der Tradition hinter Röm 6 stehen wir dann nur vor einem Sonderfall dieser allgemeineren Sichtweise. Aber hier geht man ein wenig weiter als an anderen Stellen, wo die Taufe als ein vergegenwärtigender Ritus gedeutet wird, indem nicht nur von „für uns" die Rede ist, sondern auch von „mit ihm". Jedoch sollten wir nicht darüber erstaunt sein, daß wir phänomenologische Ähnlichkeiten zwischen christlichen und außerchristlichen Anschauungen in diesem Punkt finden. Aber es wird schwieriger, die historische Frage zu beantworten, ob hier christliche Theologen von „außen" beeinflußt waren, vor allem weil wir nicht im Stande sind, das Herkunftsmilieu der Tradition rekonstruieren zu können. Allgemein von der hellenistischen Gemeinde

---

[15] Z. B. *Becker*, Auferstehung, Kap. 7; *Dinkler*, Römer 6,1–14, 87; *Gäumann*, Taufe und Ethik 64f; *Käsemann*, Röm 153; *Tannehill*, Dying and Rising 10.

[16] Besonders profiliert ist die Opposition von *Wagner* (Römer 6,1–11). S. übrigens z. B. *Larsson*, Christus als Vorbild 52–80; *Schnelle*, a.a.O. 76–88, 204–214 (Literaturhinweise); *Siber*, Mit Christus leben 213; *Wedderburn*, Hellenistic Christian Traditions 198; *ders.*, Baptism and Resurrection, bes. 37–69, 363–392; *Wilckens*, Röm II 59ff.

[17] In *Wedderburn*, Baptism and Resurrection vermisse ich gerade diese weitere religionsphänomenologische Perspektive.

oder der hellenistisch-synkretistischen Umwelt zu reden hilft wenig.[18] Daß aber Ähnlichkeiten in Gedankenmustern vorliegen, kann nicht verneint werden,[19] und wir haben keinen Grund, das frühe Christentum nicht als eine Religion unter anderen im Mittelmeergebiet der römischen Kaiserzeit zu betrachten.

In einer Fußnote zur Erörterung von Röm 6,4 im vorigen Kapitel wurde die Deutung der Situation der Gemeinde in Korinth erwähnt, es würde dort eine Anschauung geben, die mit der Überschrift *„überrealisierte Eschatologie"* versehen werden könnte.[20] Die Ansicht lief darauf hinaus, daß die Taufe schon das endgültige Leben mit Christus gäbe, so daß deswegen keine Auferstehung über die in der Taufe hinaus zu erwarten sei. In der Forschung wird hierzu oft auf 2 Tim 2,18 („sie sagen, die Auferstehung sei schon geschehen") hingewiesen, mit der Behauptung, daß dieser spätere Text von einer schon im paulinischen Korinth vertretenen Einstellung zeugt. Könnte dies dann erklären, warum Paulus in Röm 6,3 (in Korinth geschrieben) nicht den Parallelismus zwischen Christus und dem Täufling vervollständigt: der Täufling wird ja eigentlich nicht gemäß Röm 6 auferweckt. Dagegen wird angenommen, der Paulusschüler, der hinter Kol 3,11 steht, könnte sich auf eine ursprünglichere Tradition stützen, gemäß welcher der Täufling auch mit Christus auferweckt wurde.

Es ist schwierig, hier Sicherheit zu erlangen, aber jedenfalls würde eine Überzeugung, die Taufe hätte schon das zu erhoffende Leben gegeben, gut zu anderen korinthischen Erscheinungen passen, die Paulus zurechtzurücken versucht. So gibt es Leute, die eine zukünftige Auferstehung leugnen – wenigstens nach dem, was Paulus in 1 Kor 15,12 sagt.[21] Ferner kann die Hochschätzung von ekstatischer Zungenrede (12–14) hierher gehören. Betrachten die Geistbegabten sie als „Sprache der Engel" (13,25)?[22] Ein übertriebener Glaube an die Kraft der Taufe könnte auch möglicherweise die in 1 Kor 15,29 erwähnte Sitte erklären, von der wir anderswoher sehr wenig wissen, nämlich daß Christen sich für die Toten taufen lassen. Man wäre dann der Ansicht, daß die Taufe so konkret belebend wäre, daß sie den

---

[18] Davon abgesehen, daß die Bezeichnung „hellenistisch", solange ihr ein kultureller, und nicht einfach temporaler, Sinn gegeben wird, nicht mit Recht im Gegensatz zu „semitisch" oder „palästinensisch" o. dgl. verwendet werden soll.

[19] So ist *Schnelle*, a.a.O. 78, relativ vorsichtig in seinen Urteilen, und größtenteils kann dasselbe gesagt werden von *Wedderburn*, a.a.O. 90–163.

[20] S. die Forschungsberichte in *Wedderburn*, a.a.O. 6–22.

[21] S. näher *Schnelle*, Gerechtigkeit 80, 210 (dort weitere Literatur).

[22] Vgl. Test. Job 48,3 (von einer der Töchter Jobs): „sie bekam ein anderes Herz und sprach die Sprache der Engel".

Toten eine Art Leben verleihen könnte.[23] Die Vorstellung hat gewisse Parallelen. Einerseits rechnet 2 Makk 12,43f damit, daß man für Tote Sündopfer darbringen und beten konnte, andererseits erwähnt Plato die von den Nachfolgern des Orpheus vorgeschriebenen Reinigungsriten, die auch für die Toten vollzogen wurden.[24] Paulus nennt die Sitte, ohne den groben Sakramentalismus zu kritisieren, denn sie kann ihm als Argument in seiner Hauptangelegenheit dienen.

Ein ähnlich übertriebener Glaube an die objektive Wirkung des Ritus kann hinter den Zurechtweisungen in 1 Kor 10,1–13 stehen.[25] (Man beachte, daß es sich um einen übertriebenen Glauben handelt: daß die Taufe ein objektiv wirkendes Zeichen ist, ist paulinisch.) Paulus erörtert in 1 Kor 8–10, wie frei die Christen sich benehmen können gegenüber heidnischem Kultus und Festlichkeiten im Anschluß an solchen Kultus, einschließlich das Essen von nach solchen Opfern feilgebotenem Fleisch. Einige Leute scheinen jedoch allzu weit in ihrer Freiheit gegangen zu sein. Paulus scheint damit zu rechnen, daß hinter ihrem Benehmen eine Haltung steckt, nach der die Taufe (und die Eucharistie) ein göttliches Leben in souveräner Freiheit gegeben hätte, das von dem, was man mit dem Leib tut, nicht angefochten wird. Eine ähnliche Haltung hätte dann auch eine „Freiheit" bedeuten können, die Dienste der korinthischen Bordelle zu nutzen (6,9–20).

Für sein Ziel benützt Paulus einige Motive aus den Exoduserzählungen. Er liest sie als warnende Beispiele und mischt das Damals der Berichte mit dem Jetzt der Korinther. Das Speisen mit Manna (Ex 16) und das Wasser aus dem Felsen (Ex 17,6; Num 20,7–13) werden zu Bildern von der Eucharistie, und der Zug durch das Schilfmeer unter der Wolke (Ex 13–14) wird als ein Vorbild der Taufe genommen. So klingt auch die verkürzte Taufformel in 10,2: „sie wurden alle auf Moses getauft". Diese doppelexponierende Leseweise darf somit zeigen, daß, obgleich „die Väter" dieser „Sakramente" teilhaft wurden, sie nicht dem Zorn Gottes entgingen, als sie sündigten. Im Lichte vom Schicksal der Väter, die umkamen oder getötet wurden (vv. 5, 8ff), hält Paulus den vermeintlich Sicheren vor: „also: wer zu stehen meint, der gebe acht, daß er nicht fällt" (10,12).[26]

---

[23] S. hierzu *Rissi*, Die Taufe für die Toten. Auch *Barth*, Taufe 88–92; *Murphy-O'Connor*, Baptized for the Dead; *Wedderburn*, a.a.O. 288ff.

[24] Der Staat II 364E–365A.

[25] S. *Barth*, a.a.O. 81–84; *Conzelmann*, 1 Kor 202–208; *Wedderburn*, a.a.O. 241–248.

[26] Aus 1 Kor 10,1–13 hat man auch den Schluß ziehen wollen, daß die Gegner des Paulus meinen, sie hätten diese göttliche Lebensgabe mit dem in der Taufe verliehenen Geist bekommen. Dabei hat man auf 10,3f hingewiesen, wo von „geistlicher" Speise und „geistlichem" Trank die Rede ist. Aber davon abgesehen, wie man „geistlich" (πνευματικός) verstehen soll (vgl. *Wedderburn*, a.a.O.

Es ist jetzt an der Zeit, zu der Gruppe von Motiven zurückzukehren, die, wie wir vermuteten, mit der Taufpraxis der ersten Zeit verbunden waren. Wir dürfen selbstverständlich nicht annehmen, daß die vorpaulinischen, außerpaulinischen und unpaulinischen, aber in paulinischen Briefen begegnenden Weisen, die Taufe zu verstehen, eine einzige zusammengehörige Anschauung darstellen. Jedoch können wir unsere Urmotive – falls ich den Ausdruck verwenden darf – nacheinander daraufhin betrachten, wie sie in diesen Traditionen vertreten sind.

Daß auch hier die Taufe an der Grenze zwischen dem Alten, dem man den Rücken zuwendet (also von dem man *sich bekehrt* und zum *Glauben* kommt) und dem Neuen steht, wird in 1 Kor 6,11 ausgedrückt. Diese moralische Seite scheint unter den Sicheren der eschatologischen Enthusiasten schwach zu sein. An dieser Stelle schimmert auch hervor, daß dieser Schritt vom Alten zu etwas Neuem die *Vergebung der Sünden* mit sich brachte („ihr wurdet gewaschen … ihr wurdet gerechtfertigt"). Dieses Traditionsstück kann möglicherweise auch einen Glauben belegen, daß *der Geist* in der Taufe gegeben war oder in ihr am Werk war (wenn wir nämlich diesen Teil des Verses zur Tradition rechnen). Indirekt steht Gal 4,6 (wahrscheinlich auch traditionell) zusammen mit 3,26 für eine ähnliche Sicht, indem dort die Taufe als das Sakrament des Glaubens[27] den Christen eine Stellung als Gottessöhne gibt, beziehungsweise, die, die vom Geist getrieben sind, Söhne Gottes sind. Daß die korinthischen Enthusiasten ihre Geistesgabe gerade in der Taufe bekommen haben, wird nicht explizit gesagt, aber in Hinblick auf ihren „Sakramentalismus" liegt es nahe, solch ein Verstehen ihrerseits anzunehmen.

Als Übergangsritus führte die Taufe in etwas Neues, welches auch in einem Teil des außerpaulinischen Materials hervorgehoben wird. *Die neue Gemeinschaft*, in die die Neophyten eintraten, relativierte die Bedeutung, ja, stellte die Gültigkeit der sozialen, ökonomischen und religiösen Muster des gewöhnlichen Lebens in Frage (1 Kor 12,13; Gal 3,28). Ihre Mitglieder teilten eine überindividuelle Identität, die auch mit sich brachte, daß sie eine auch nach außen zu verwirklichende, geistige Einheit bildeten.

Die Christusbeziehung der Taufe ist in diesem Material offensichtlich. „In" seinem „Namen" hat man nach 1 Kor 6,11 das Alte verlassen und ist des Neuen teilhaftig geworden; die Sündenvergebung wurde auf Grund von ihm und seinem Werk gegeben. In Röm 6 wird mit großer Wahrscheinlichkeit auch eine solche, in Rom bekannte Deutung der Bedeutung Jesu

---

241–248), bestimmt im Text das Adjektiv nicht das mit der Taufe verknüpfte Bild. Ich möchte es also vorziehen, aus diesem Text keine Schlüsse bezüglich des Verhältnisses Taufe – Geist zu ziehen.

[27] Ob nicht Paulus διὰ πίστεως zu der Tradition gefügt hat; so *Betz*, Gal 181.

verwertet, gemäß welcher sein Tod und seine Auferstehung für diese Vergebung von entscheidender Bedeutung waren. Dort wird nämlich vorausgesetzt, daß die Wirkung der Taufe, deren grundlegende Referenz Jesus ist, nicht nur diejenige ist, daß da die gesegneten Früchte des Todes Jesu „für uns" (wie in 1 Kor 1,13) gegeben werden, sondern daß sie auch so beschrieben werden kann, daß der Täufling rituell mit Christus stirbt und danach mit ihm eines neuen Lebens teilhaftig ist. Dies war eine Art und Weise, den Sinn einer Taufe „auf den Namen des Herrn Jesus" (oder ähnlich) auszudrücken, die gegen den Hintergrund anderer religiöser Vorstellungen der damaligen Zeit verstanden werden konnte.

Röm 6 scheint auch einen Glauben vorauszusetzen, daß die Taufe dem Täufling an einem von Christus geprägten neuen Leben Anteil gab. Diese neuen Bedingungen werden in verschiedener Weise in den über Paulus hinausgehenden Fragmenten beschrieben: sie werden mit der Wendung „in Christus"[28] ausgedrückt, ferner damit, Söhne Gottes zu sein (Gal 3,26) und Christus oder Gott zuzugehören (1 Kor 1,13; 6,11; 2 Kor 1,22). Die verschiedenen Ausdrücke betonen verschiedene Seiten der neuen Bedingungen in der Christusgemeinschaft, aber sie bedeuten alle, daß die neuen Bedingungen von göttlicher Lebenskraft bestimmt sind und von göttlichem Schutz umgeben sind, alles von dem himmlischen *Kyrios* abhängig.

Hinter 1 Kor 10 und 15 haben wir eine andere Art und Weise wahrzunehmen geglaubt, die genannte Lebenskraft zu verstehen. Es sieht so aus, als ob gewisse Korinther gemeint haben, daß diese Kraft, vielleicht in der ekstatischen Zungenrede demonstriert, so konkret in Taufe und Eucharistie gegeben wurde, daß sie magisch disponibel war.

Was schließlich *die eschatologische Perspektive* betrifft, haben wir davon nicht viel in diesen Fragmenten gesehen. Selbstverständlich können wir daraus nicht schließen, daß sie nicht vorhanden war, wenn diese außerpaulinischen Kreise über die Taufe nachdachten. Aber wir haben ein paar Varianten erraten können, die vom Gewöhnlichen abzuweichen scheinen. Einerseits kann möglicherweise Röm 6,3–8 darauf deuten, daß mehr Theologen als nur Paulus meinten, daß der Täufling in der Taufe zusammen mit Christus starb, begraben und auferweckt wurde, oder wenigstens mit dem auferstandenen Herrn eine Art eschatologisches Leben bekam. Dies ist gewiß etwas anderes, als die Auferstehung Jesu als ein Zeichen dafür anzusehen, daß das Ende bevorsteht.

Andererseits scheinen die Pneumatiker in Korinth noch einen Schritt weitergegangen zu sein, insofern bei einigen unter ihnen die Hoffnung von einer kommenden eschatologischen Vollendung verblaßt und der Gedanke an ein kommendes Gericht mehr oder weniger verschwunden war. Statt-

---

[28] *Schnelle*, a.a.O. 109–122, behandelt den Ausdruck in vorpaulinischer Tradition.

dessen scheint diese Gruppe gemeint zu haben, sie hätte schon vollen Anteil am eschatologischen göttlichen Leben.

VI. Die Paulusschule

Schon zu seinen Lebzeiten hatte Paulus um sich einen Kreis von Schülern und Helfern, die nach seinem Tod sein Erbe weiterführten und auch eigene Schüler hatten.[1] Das Erbe des Paulus wurde in neuen Situationen angewandt, teilweise in Briefen, die im Namen von Paulus verfaßt wurden. Viele Exegeten sind heute der Ansicht, daß Eph, Kol, 2 Thess und die Pastoralbriefe zu diesen Briefen zählen.

1. Der Kolosserbrief

Fangen wir mit dem *Kolosserbrief* an. Sein Verfasser steht Paulus sehr nahe, ob er nun zu Lebzeiten des Apostels schreibt (vielleicht gerade in seinem Auftrag[2]) oder nach seinem Tode. Sein Verhältnis zu den Paulusbriefen ist ein wenig eigentümlich,[3] insofern er sie genau kennt und Wendungen aus ihnen in seinem Text oft auftauchen läßt.[4] Andererseits aber kann er die Entlehnungen so deuten, daß sie einen leicht veränderten Sinn bekommen.

Wie sein Meister kommt dieser Verfasser zum Thema Taufe, wenn er sich mit etwas anderem auseinandersetzt, und verwendet so das von der Taufe Gesagte als Argument in dieser Auseinandersetzung.[5] Das „andere" ist diesmal ein Hauptanliegen des Briefes, nämlich das Ziel, die Leser vor einer gewissen „Philosophie" zu warnen. Mit „Philosophie" bezieht er sich, wie oft im Sprachgebrauch dieser Zeit, auf eine Lebensanschauung oder Lebenshaltung. Sie versteht sich als christlich und behauptet unter anderem, daß gewisse sogenannte „Weltelemente" Respekt beanspruchen und asketische Lebensführung in mehreren Hinsichten verlangen (2,16.18.21.23). Die „Philosophen" haben sicher Christus verehrt, aber scheinen zudem größere oder wenigstens ebenso große Achtung vor anderen Größen gehabt und verlangt zu haben. Die Einzelheiten ihrer Anschauung werden in der Forschung heftig diskutiert, aber es besteht kein Anlaß, auf diese Fragen hier näher einzugehen.

---

[1] *Conzelmann*, Paulus und die Weisheit 233; *Schenke*, Das Weiterwirken des Paulus. Für die Tauftheologie der Schule s. *H.-F. Weiß*, Taufe und neues Leben.

[2] So *Schweizer*, Kol 26f.

[3] *Sanders*, Literary Dependence.

[4] S. z. B. Kol 1,24f (Röm 12,5; 1 Kor 12,37; 2 Kor 1,5f; 4,10); 2,8.20 (Gal 4,3.9); 2,11 (Phil 3,3); 2,12.20; 3,1 (Röm 6,2–11); 3,11 (1 Kor 7,19f; Gal 3,28; 5,6); 3,12 (Gal 5,22f).

[5] Seine Taufsicht ist ausführlich dargestellt von *Halter*, Taufe 190–204. Auch *Larsson*, Christus als Vorbild 188–223.

In 2,8 warnt der Verfasser explizit seine Leser vor dieser „Philosophie": „gebt acht, daß euch niemand durch seine Philosophie verführt". Mit 2,9 fängt er an, diese Warnung zu begründen, und zwar mit Hinweis auf die Bedeutung Christi. So hebt er seine göttliche Majestät hervor: in ihm allein wohnt wirklich „die Fülle der Gottheit". Ja, Christus ist „das Haupt aller Mächte und Gewalten" (2,10), das heißt, auch der von den Philosophen verehrten Autoritäten. Er ist, mit anderen Worten, ihnen übergeordnet. Sein Tod und seine Auferstehung haben ihn zu dieser erhöhten Stellung geführt und bedeuten einen Triumph über diese Mächte (2,15).[6] Dieser Triumph geht im höchsten Grade die Adressaten an, und er ist wichtig im Hinblick auf das Ziel der Auseinandersetzung. Deswegen kommt auch die Taufe zur Sprache. Sie wird erstens, in 2,11, unter der Metapher „die Christusbeschneidung"[7] erwähnt, und die Tatsache, daß bei der Beschneidung ein wenig Haut weggenommen wird, wird so gedeutet, daß man „den Fleischesleib abzog". Das heißt, die alte, allzumenschliche Weise, Mensch zu sein und sein Leben zu gestalten, mit dazu gehörender Neigung zu ethischer Schwachheit und Sünde, wurde abgelegt.[8] Dann wechselt der Verfasser zu einem anderen Bild, und zwar demselben wie in Röm 6,4: „Ihr wurdet mit ihm in der Taufe begraben, wo ihr auch mit ihm auferweckt wurdet durch den Glauben an die Kraft Gottes, der ihn von den Toten auferweckte." Das Bild des Begräbnisses wiederholt das, was auch teilweise das Bild der Beschneidung ausdrückt: die alten Bedingungen wurden eliminiert. In beiden Bildern wird ja etwas aus der Welt geschafft, eine Vorhaut, beziehungsweise eine Leiche. Beide Bilder haben auch eine positive Seite, wenn sie auch im zweiten Fall nicht so deutlich ist.

---

[6] Der Abschnitt ist voll sprachlicher und exegetischer Schwierigkeiten. In einer relativ wortgetreuen Übersetzung lautet er: „denn in ihm wohnt leiblich die ganze Fülle der Gottheit, und ihr seid in ihm erfüllt, der das Haupt jeder Gewalt und Macht ist, in welchem ihr auch beschnitten wurdet mit einer nicht mit Händen gemachten Beschneidung beim Abziehen des Leibes des Fleisches, in der Beschneidung Christi, mit ihm in der Taufe begraben, in der ihr auch mitauferweckt wurdet durch den Glauben an Gottes Macht, der ihn von den Toten auferweckte. Und euch, die ihr tot durch eure Übertretungen und die Vorhaut eures Fleisches wart, machte er lebendig mit ihm, als er uns die Übertretungen vergab, den Schuldschein (die sich auf Pflichten) gegenüber den Satzungen (bezog und der) gegen uns (war) tilgte. Ihn schaffte er aus der Welt, als er ihn an das Kreuz heftete. Nachdem er Fürsten und Gewalten entkleidet hatte, stellte er sie öffentlich zur Schau und triumphierte durch ihn über sie."

[7] Wörtlich: „die Beschneidung Christi", wo im Prinzip Christus das Objekt der Beschneidung sein könnte. Diese Deutung wird nunmehr nicht mehr vertreten, und die Kommentare weisen sie mit Recht zurück.

[8] Vermutlich bearbeitet hier der Verf. das, was Paulus in Röm 6,6 schrieb: „unser alter Mensch wurde mitgekreuzigt, damit der Sündenleib vernichtet werde, so daß wir nicht mehr der Sünde dienen."

Das Begräbnis- und Todesbild ist mit der Auferweckung verknüpft, während das Beschneidungsbild voraussetzt, daß die Beschneidung das Zeichen des Eintritts in das erwählte Volk Gottes ist. Der Verfasser benutzt auch beide Bilder, um eine Christusbeziehung auszudrücken: im ersten Fall ist die Taufe ein Begräbnis und eine Auferweckung „mit" ihm, und im anderen Fall wird von einer „Christusbeschneidung" gesprochen. Schließlich werden die beiden Bilder von einem weiteren gemeinsamen Element zusammengehalten, da in beiden betont wird, daß Gott hinter der Taufe wirksam ist. Für die Beschneidung wird dies nur angedeutet, indem die Christusbeschneidung als „nicht mit Händen gemacht" (ἀχειροποίητος) charakterisiert wird. Mit diesem negativen Ausdruck wird gesagt, daß göttliche Kräfte am Werk sind.[9] Daß Gott handelt, ist im zweiten Bild deutlicher: „ihr wurdet auferweckt", er „machte euch lebendig".

In 2,12 ist also der Verfasser in derselben Weise wie Paulus in Röm 6 vorgegangen. Er hat die Vergegenwärtigung des Werkes Christi in der Taufe so ausgedrückt, daß sie bedeutet, „mit" Christus durch die entscheidende Phase seines Heilswerkes, des Todes und der Auferstehung, zu gehen. Aber im Unterschied zu Röm 6 wird hier gesagt, daß der Täufling auch mit Christus auferweckt wird, nicht nur daß er „mit dem Gegenstück seiner Auferstehung" (Röm 6,5) vereint werden wird.

In 2,13–14 wird das eben Gesagte spezifiziert: die Briefempfänger wurden lebendig gemacht, das heißt, ihre heidnische Vergangenheit hatte bedeutet, daß sie außerhalb des Volkes Gottes standen. Das war, gemäß jüdischer und judenchristlicher Betrachtungsweise, gleichbedeutend damit, daß sie Sünder waren. Die Heiden kannten ja Gott und seinen Willen nicht und wanderten deshalb irrige Wege. Dieser Zustand wird hier Tod genannt,[10] welches so umschrieben werden kann, daß die Identität aufgelöst ist und keine Beziehungen zwischen dem Toten und seinem Gott oder seinen Mitmenschen möglich sind. Also fährt der Verfasser fort: „und euch, die ihr tot wart durch eure Übertretungen und durch die Vorhaut eures Fleisches, machte er lebendig mit ihm, als (oder indem) er uns alle Übertretungen vergab" (2,13). Die Beschneidungsmotive spielen also noch mit. In 2,14 entwickelt der Verfasser dieses Vergebungsmotiv, indem er die Forderungen für ungültig erklärt, die die Fürsten und Mächte via Philosophie auf die Adressaten stellten. Wir brauchen nicht näher an die ungewöhnlich komplizierte Bildkombination und die ebenso komplizierte Sprache von 2,14 einzugehen, sondern es genügt für uns, feststellen zu können, daß der Tod Jesu eine Hauptrolle spielt. In verschiedenen Weisen

---

[9] S. Mk 14,58; Dan 2,44f. Vgl. Ex 30,6.
[10] Der Verf. verwendet also hier das Todesbild in einer anderen Weise, als wenn er vom Tod mit Christus spricht.

entehrte dieser Tod die Autoritäten der Philosophie: ihre Ansprüche wurden gekreuzigt – die Kreuzigung war ja die denkbar schändlichste Strafe –, und im Rahmen eines angedeuteten Bildes eines Triumphzuges werden sie beschämend zur Schau gestellt; sie sind von Christus besiegt worden (2,15). In 2,16 schließt dann der Verfasser: „also soll euch niemand verurteilen wegen Speise und Trank ...", und diese Argumentation geht weiter bis 2,23 fort, indem die Schwächen der Philosophie ausgemalt werden.

Die Adressaten sollen also nicht auf die Propaganda der Philosophie horchen, weil sie als Getaufte der Überlegenheit Christi über die Autoritäten der Philosophie teilhaft sind: „wenn ihr den Elementen der Welt gestorben seid, warum laßt ihr euch Satzungen vorschreiben, als lebtet ihr noch in der Welt?" (2,20). Der Gedanke des Paulus von der Befreiung aus der Macht der Sünde ist hier weitergeführt, so daß er „den Elementen der Welt" gilt. Für die Adressaten gelten nicht mehr innerweltliche Prinzipien, weil sie nicht mehr in der Welt leben, sondern mit Christus auferstanden sind. Gleichwohl geht der Verfasser nicht so weit wie die in 2 Tim 2,18 angegriffenen Theologen, die sagen, „die Auferstehung ist geschehen". Er hat keine besonders hohen Vorstellungen von den Adressaten, als wären sie über gewöhnliche gröbere oder kleinere Laster und Sünden erhaben – das zeigen die Ermahnungen der folgenden Paränese. Das Leben, das sie mit Christus haben, ist ein wirkliches Leben, aber es ist „mit Christus verborgen in Gott" (3,3). Sie sind aber dazu verpflichtet, dieses Leben zu leben, behauptet der Verfasser ebenso dringend wie sein Meister Paulus. Tatsächlich nimmt der ganze ermahnende Abschnitt 3,1–4,6 seinen Ausgangspunkt darin, daß die Adressaten in der Taufe Lebensbedingungen geändert haben und jetzt in ein neues, tragendes und belebendes Muster ihrer Existenz eingesetzt worden sind. So klingen mehrmals die Taufmotive nach: „wenn ihr mit Christus auferweckt seid, suchet das, was oben ist ..." (3,1); „ihr seid gestorben ..." (3,3); „tötet die Glieder auf der Erde ..." (3,5); „ihr habt den alten Menschen abgelegt ... und den neuen angezogen ..., wo es nicht mehr Grieche und Jude ... gibt" (3,9–12), „ziehet also ... inniges Mitgefühl ... an" (3,12).

Wir haben also beobachtet, wie der Verfasser des Kolosserbriefes die Taufe als eine objektive Basis für seine Argumentation verwendet, wenn er fordert, seine Adressaten sollen sich nicht von der Philosophie überreden lassen, sondern gemäß dem Muster des neuen Menschen – Christus leben. Man hört im Text manches Echo von Paulus, und wenn wir an die Empfängerseite der Kommunikation denken, ist natürlich anzunehmen, daß dieses Echo von den Adressaten wiedererkannt worden ist und so die Polemik gegen die Philosophie verstärkt wurde. Denn das Echo ist nicht nur paulinisch, sondern auch außerpaulinisch, und wir erkennen mehrere

Einzelheiten, denen wir im vorigen Kapitel bei Taufvorstellungen vor und neben Paulus begegneten.

Wenn wir uns jetzt der Tauftheologie des Kolosserbriefes zuwenden, so wie sie in seinen Warnungen und Argumenten ersichtlich ist, werden wir gleichzeitig ein Auge auf unsere sogenannten Urmotive werfen. Bezüglich *der eschatologischen Perspektive* haben wir demnach einerseits beobachtet, wie der Verfasser die Taufe für eine Verwirklichung einer klassischen eschatologischen Erwartung schon im Jetzt hält, nämlich der Auferstehung. Es gibt gute Gründe anzunehmen, daß er auch in 1,13 an die Taufe denkt, wenn er schreibt, daß Gott „uns in das Reich seines geliebten Sohnes versetzt hat", welches denn auch eine Art von verwirklichter Eschatologie darstellen sollte. Andererseits haben wir gesehen, daß die in der Taufe begründete ethische Ermahnung eine gewisse in die Zukunft gerichtete Perspektive hat: weil die Adressaten „mit Christus auferweckt" sind, sollen sie „das, was oben ist, suchen" (3,1), welches eine sozusagen räumliche Eschatologie darstellt. Aber der Tauftod, der ein verborgenes Leben mit Christus in Gott gab, sieht auch dem entgegen, daß Christus „offenbart" wird und daß die Christen dann „mit ihm in Herrlichkeit offenbart" werden (3,4). Die „Mit-Christus"-Prägung durch die Taufe ist etwas, was man im Jetzt besitzt und was jetzt gelebt werden soll, aber sie geht auf ein in der Zukunft liegendes eschatologisches „Mit-Christus" hinaus. Die Idee, daß der Herr sich „offenbaren" will oder „offenbar" hervortreten soll, ist sowohl bei Paulus (1 Kor 1,7) als auch in der Paulusschule vertreten (2 Thess 1,7; 2,8; 1 Tim 6,14),[11] aber es lohnt sich nicht, darüber zu spekulieren, welches eschatologische Szenario der Verfasser sich denkt. Völlig traditionell ist er, wenn er zur negativen Seite der auch auf die Taufe gegründeten Ermahnungen kommt, indem er dort den Fehlenden mit dem Zorn Gottes droht (3,6).

Man bekommt nicht den Eindruck, daß die Umkehr und die Taufe in einer eschatologischen Krisensituation stattgefunden haben. Aber die neuen Lebensbedingungen, in die man getauft worden ist, haben einen eschatologischen Rahmen. Sie sind teils eine im Jetzt gelebte Eschatologie, aber teils auch in die Zukunft gerichtet auf eine Verwirklichung für die Beharrlichen.

Der Begriff *Umkehr* wurde eben erwähnt. In Kol wird die Taufe nicht ausdrücklich mit einer Umkehr verbunden und auch nicht als die Folge einer Umkehrpredigt dargestellt. Aber Vorstellungen solchen Inhalts finden sich in großer Nähe des von der Taufe tatsächlich Gesagten. Denn, ganz wie die Umkehr, steht die Taufe an einem Übergang, der Grenze zwischen dem Vergangenen und dem Neuen. Die Bedingungen des Vergangenen sind in düsteren Farben geschildert („ihr wart tot", 2,13): die Adressaten waren

---

[11] S. auch 1 Petr 1,7.13; 4,13.

Heiden (2,13 – die Vorhaut) und somit ungerecht (2,13; 3,5–9), sie waren vom Sündenleib beherrscht (2,11), und ihr Leben war vom alten Menschen und seinen Werken geprägt (3,9). All dies hatten sie jetzt abgelegt (2,11; 3,9). Auf der anderen Seite der Grenze leben sie das gegenwärtige und vorwärtsblickende Leben, indem sie von den Toten auferweckt (2,12; 3,1) und lebendig gemacht (2,13) sind, ihnen vergeben (2,13) ist und sie den neuen Menschen angezogen haben (3,10). Die in diesem Kontext prinzipielle Bedeutung vom Motiv des neuen Menschen soll nicht unterschätzt werden; man kann es mit Gnilka eine Art Christus-Programm nennen.[12] Gewissermaßen verbindet das eben Gesagte die Taufe mit dem *Glauben*. Denn das Hinübergehen vom Alten zum Neuen steht im Zusammenhang damit, daß der Mensch einen neuen festen Punkt seiner Existenz bekommt, Christus (2,5), Gott und seine Macht (2,12). In 2,12 werden Taufe und Glaube in einer Weise aufeinander bezogen, die an die Kombination in Gal 3,26f erinnert: „Ihr wurdet mit Christus in der Taufe begraben, in ihm wurdet ihr auch mit auferweckt durch den Glauben an die Kraft Gottes, der ihn von den Toten auferweckte." Selbstverständlich sollen wir uns nicht eine Aufteilung denken, als ob die Taufe das eine und der Glaube das andere bewirkte. Vielmehr betrachtet der Verfasser die Taufe sozusagen als die Außenseite des Glaubens, aber eine Außenseite, wo Gott wirksam ist. Zum Teil beruht das Argument des Verfassers darauf, daß die Leser akzeptieren, daß die Taufe einen Tod „mit Christus" von den Autoritäten der Welt weg (2,20) bedeutet. Aber andererseits gilt, daß der Glaube an den in der Taufe wirkenden Gott zur Folge hat, daß die Taufe Teilhabe am Christus-Leben schenkt.[13]

Die *Christusbeziehung* der Taufe ist in Kol offensichtlich und ist für den Verfasser die Achse im Gebrauch von Taufvorstellungen für seine Auseinandersetzung mit der Philosophie. Ihre Stichhaltigkeit ist davon abhängig, daß die Kolosser in ihrer Taufe mit Christus begraben und auferweckt wurden und deswegen, also wegen ihrer Verbindung mit ihm, von den weltlichen Mächten frei sind. Oder anders gesagt: daß sie befreit sind, beruht darauf, daß sie im Glauben und durch die Taufe tatsächlich der neuen Lebensbedingungen teilhaftig wurden, die denen zukommen, für die das Programm des „neuen Menschen" gilt. Es handelt sich um etwas mehr als einen Glauben an eine Verheißung von etwas Zukünftigem, denn der Sieg Christi ist ein wirklicher Sieg, an dem die Christen Anteil haben. Der Grund dafür ist, daß das vergangene, göttliche Handeln, das auch in 2,14f beschrieben wird, in der Taufe vergegenwärtigt wurde. Sie könnten die in der jüdischen Passahhaggada zitierten Worte transformieren: statt mit Ex

---

[12] *Gnilka*, Kol 187.
[13] *Gnilka*, a.a.O. 131.

13,8 zu sagen „dies machte der Herr für mich, als ich aus Ägypten auszog"
müßten ihre Worte so lauten: „dies machte Gott durch Christus für mich,
als ich begraben und auferweckt wurde."

Aber dieses Leben mit Christus soll jetzt in einer Weise gelebt werden, die
denen geziemt, die von den Konkurrenten Christi befreit sind (ihre Entsprechung bei Paulus ist die Macht der Sünde). Der alte Mensch, die alten,
nur menschlichen, nur innerweltlich bestimmten Bedingungen sind in der
Taufe zur Seite gelegt, und sich wieder unter diese Mächte zu begeben
bedeutet, sich selbst zu verneinen. Für ihren moralischen Wandel müssen
jedoch die Adressaten ermahnt werden: „tötet die Glieder der Erde" (3,5),
das heißt, widerstrebt Lebensweisen, die mit dem Alten, dem Abgelegten in
Einklang stehen, und arbeitet stattdessen, um das euch gegebene Leben zu
verwirklichen.

Schließlich sahen wir, daß das „mit Christus" der Taufe auch einem „mit
Christus" „in Herrlichkeit" (3,4) entgegensah.

Das Heilswerk, das in 2,13f in einer gedrängten Kombination von Assoziationen beschrieben ist, hat im Kreuzestod sein Zentrum. Vor allem wird
mit ihm die *Sündenvergebung* verknüpft, die eine wesentliche Phase des
Schrittes in das neue Leben darstellt. Der Schuldschein, der auch die
Pflichten den Elementarmächten gegenüber betraf, wurde aus der Welt
geschafft, und ebenso ließen die Kolosser die Ungerechtigkeit der heidnischen Zeit hinter sich (auch 1,14).

Die Kirche spielt in Kol eine gewisse Rolle (1,18.24; 2,19), aber ist nur
indirekt auf die Taufe bezogen. Der von den Adressaten angezogene neue
Mensch, in dem es nicht Grieche und Jude gibt (3,10f), steht für eine
Verfaßtheit, die eine Folge der Taufe darstellt. Der Verfasser zielt hier in
erster Linie auf die Ethik der Christen, aber es gehört auch zum Assoziationsfeld, daß die Gesamtheit von Christus getragen wird: er ist „alles und
in allen" (3,11b). Der Gedanke an sein Reich (1,13) liegt nahe, wie auch die
Vorstellung, daß er das Haupt des Leibes – der Kirche – ist (1,18).[14] Darum
schlägt man auch oft in der Forschung vor, daß 1,13 von der Taufe
handelt.[15] Klar ist also, daß die Taufanschauung des Verfassers auch einen
ekklesiologischen Aspekt hat. Aber der Gedanke hat hier kosmische
Dimensionen, die mit der hohen Christologie des Briefes verbunden sind.
So ist die gerettete Schar eher aus der Gewalt der Finsternis und aus den
Ansprüchen kosmischer Mächte gerettet, als vom kommenden Zorn.

Der Geist schließlich wird überhaupt nicht in Kol erwähnt. Somit ist er
auch keine Gabe, die mit dem Eintritt ins Neue gegeben wird. Daß unser

---

[14] *Pokorný*, Kol 144.
[15] Z.B. *Gnilka*, Kol 48f; *Halter*, Taufe 183–190, 598–604; *Käsemann*, Taufliturgie
44; *Lohse*, Kol 74; *Pokorný*, a.a.O. 45.

Verfasser stattdessen von einem Erfülltsein von Christus, von der Fülle der Gottheit, zu reden weiß (2,10), daß die Kolosser mit Christus lebendig gemacht worden sind (2,13) und mit ihm ein verborgenes Leben haben (3,3) und daß dies, theologisch gesehen, für solches steht, was andere frühchristliche Theologen mit dem Geist verbinden, ist etwas ganz anderes. Der Verfasser hat aber nicht die traditionelle Redeweise beibehalten, in der der Geist die Gabe der Heilszeit oder des neuen Bundes ist.

2. Der Epheserbrief

Für den Epheserbrief können wir erstens feststellen, daß jedenfalls auf der Textebene die Taufe keine größere Rolle zu spielen scheint. Sie wird nur einmal ausdrücklich erwähnt (4,5), aber mit größter Wahrscheinlichkeit bezieht sich der Verfasser darauf noch einmal (5,26). In beiden Fällen ist sie nicht ein selbständiges Thema, sondern geht zusammen mit anderen, auch nicht dominierenden Elementen in die laufende Darstellung ein. Andererseits scheint Eph in hohem Grad von Gedanken durchsetzt zu sein, die leicht mit der Taufe verbunden werden können. Deshalb wurde vorgeschlagen, daß der ganze Brief eine Taufpredigt ist oder Teile einer Taufliturgie enthält.[16] Ohne so weit zu gehen, können wir jedoch feststellen, daß der Brief im Auge behält, daß die Empfänger, ehemalige Heiden, jetzt Christen geworden sind. Ihnen hält der Verfasser vor, welche göttliche Gunst ihnen dadurch widerfahren ist und welche Verpflichtungen es mit sich bringt.

Nach der Taufe im Eph zu fragen, stellt uns aber vor ein methodisches Problem. Der Brief steht in derselben paulinischen Tradition wie Kol und benutzt auch viel Material aus diesem Brief. In einigen von diesen Fällen handelt es sich um Elemente, die in Kol eine klare Beziehung zur Taufe haben. Aber wenn sie in Eph auftauchen, wird nichts von der Taufe gesagt. Suchen wir nun nach der Tauftheologie des Verfassers, ist es nicht unwahrscheinlich, daß die aus Kol geliehenen und dort die Taufe berührenden Wendungen etwas von der Taufanschauung des Verfassers sagen könnten, obwohl er die Taufe nicht erwähnt. Aber er kann auch sozusagen mehr illoyal seinen Vorgängern gegenüber sein und bewußt die Taufe aus den übernommenen Wendungen ausschließen! Wie haben sich andererseits die Leser verhalten? War es den Lesern des Eph möglich oder verständlich, in diesen Stellen etwas über die Taufe herauszuhören? Das heißt, hatten sie Assoziationen zum Text, die durch Kol oder andere Gegebenheiten,

---

[16] *Schille*, Katechese und Taufliturgie. Vgl. *Barth*, Taufe 129f; *Schnackenburg*, Eph 18f.

beispielsweise den Taufunterricht oder einen unter ihnen bekannten Tauf-ritus ausgelöst wurden? In diesem Fall wird es am klügsten sein, das Hauptgewicht auf die Stellen zu legen, die deutlich oder ziemlich deutlich von der Taufe handeln. Die Kol-Anklänge, die im Eph nicht ausdrücklich etwas über die Taufe sagen, ziehen wir nur dann in Betracht, wenn die deutlichen Taufaussagen des Briefes dies unterstützen.

Der erste Tauftext ist Eph 4,3–6; „bemüht euch, die Einheit des Geistes durch das (in dem) Band des Friedens zu wahren, *ein* Leib und *ein* Geist, wie ihr auch berufen wurdet in *einer* Hoffnung (in) eurer Berufung (gegeben); *ein* Herr, *ein* Glaube, *eine* Taufe, *ein* Gott und Vater aller, der über allem und durch alles und in allem ist".

Die zitierten Zeilen stehen am Anfang des ermahnenden Teils des Briefes und geben einen grundlegenden Zug der Thematik der Ermahnung an: die Leser sollen ihrer „Berufung gemäß würdig leben", das heißt, würdig der Tatsache, daß sie, letztlich durch Gottes Initiative, Christen geworden sind. Dies bedeutet, in Demut, Geduld und Liebe zueinander zu leben (4,2). Mit einer gewissen stilistischen Eleganz folgen dann in 4,3–6 die sieben Einheitsfaktoren. Die Kommentatoren nehmen gerne an, daß dahin-ter Fragmente des Taufunterrichts und/oder von Taufbekenntnissen zu finden sind.[17]

Wie es sich auch immer mit dem Ursprung der Liste oder ihrer Elemente verhält, der Brief und seine Leser stehen in paulinischer Tradition, und dies ermöglicht uns, einen möglichen Gedankenzusammenhang zwischen den genannten sieben Einheitsfaktoren zu rekonstruieren. Übergeordnet ist die Ermahnung, die Einheit des Geistes zu wahren (4,3). Die in Frage stehende Einheit ist vom Geist des einen Gottes gegeben oder konstituiert. In 1 Kor 12–14 ist das Thema Gegenstand einer gründlichen Erörterung, und dort wird auch (in Kapitel 12) der Gedanke der Einheit mit Hilfe des Bildes vom Leib entwickelt. Unter anderem schreibt der Apostel: „wir wurden alle in einen einzigen Leib getauft ... und wurden alle mit einem einzigen Geist getränkt" (1 Kor 12,13). Es ist wohl richtig anzunehmen, daß eine solche Sicht der Sache den Lesern in Gemeinden paulinischer Tradition bekannt war. Ziehen wir ferner in Betracht, daß der Eph-Verfasser sich hier auf den Anfang ihres Christseins bezieht – er nennt ja mehrmals die „Berufung" –, können wir die sieben Glieder wie folgt zusammenbringen. Als die Adres-saten Christen wurden, „berief" sie der einzige Gott; ihre Antwort war der *Glaube*, in dem sie sich unter den einen *Herrn* Christus stellten. So werden sie auch in der Briefeinleitung als „die Gläubigen in Christus Jesus" (1,1)

---

[17] Z. B. *Schnackenburg*, a.a.O. 162. Selbst zögere ich ein wenig bei dem Vorschlag, da es gut möglich ist, daß die Siebenerreihe einfach ihren Ursprung in dem Wunsch nach rhetorischer Eleganz am Anfang eines neuen Abschnitts hat.

angeredet. Der Eintritt in diese Christusgemeinschaft hatte eine rituelle Seite, die *Taufe*. Der Kontext und der paulinische Hintergrund deuten an, daß diese Taufe als eine in den einen *Leib* Christi betrachtet wird, wo der eine *Geist* am Werk ist. Die Einheit der Taufe ist also davon abhängig, daß sie eine Taufe in den einen Christus ist. Die von diesen Einheitsfaktoren Vereinten teilen auch eine gemeinsame *Hoffnung*, das eschatologische Ziel der Berufung. Schließlich handelt im ganzen Prozeß der eine *Gott*, der durch alles und in allem und allen wirkt. So gründen alle Einheitsfaktoren in der Einheit Gottes[18] und werden in denselben großen theozentrischen Zusammenhang eingesetzt, der das Heil der Menschen gemäß 1,3–14, 2,4–10 und 3,14–21 umschließt.[19]

Eph 5,26f gehört zu dem Teil der sogenannten Haustafel, der Mann und Frau behandelt. Ihr Verhältnis zueinander wird mit dem zwischen Christus und der Kirche verglichen: „Christus liebte die Kirche und gab sich für sie hin, um sie zu heiligen, indem er sie rein machte (oder: nachdem er sie rein gemacht hatte) durch das Bad im Wasser durch ein (oder: das) Wort, damit er sie für sich erscheinen ließe (oder: hervorführe), herrlich, ohne Flecken, Falten oder etwas desgleichen, aber damit sie heilig und makellos sei." Mit Hilfe einer Hochzeitssymbolik[20] wird also der Tod Christi gerade als ein Tod für die Kirche dargestellt. Früher hat der Verfasser in 1,7 von diesem Tod gesagt, daß „wir" durch ihn erlöst sind und uns vergeben ist, ferner, daß Gott, der Christus auferweckte (1,20), „uns" rettete, als er „uns" mit Christus auferweckte und sogar „uns" mit ihm im Himmel inthronisierte (2,5f). Die Adressaten, ehemalige Heiden und deswegen von Gott „fern", sind jetzt durch das Blut Christi, das heißt, durch seinen Opfertod, Gott „nahe" gekommen. Mit diesem Gedankengut tritt also der Leser an unsere Stelle heran, gemäß der also der Tod Christi ein Tod in Liebe „für" die Kirche war – wir erkennen die alte „für" (ὑπέρ)-Formel. Wenn nun in 5,26f von der Taufe die Rede ist – und meines Erachtens gibt es für solch eine Annahme gute Gründe,[21] ist verwunderlich, warum der Verfasser überhaupt hier auf sie Bezug nimmt. Die Mahnung geht ja darauf hinaus, daß die Männer ihre Frauen so lieben sollen, wie Christus die Kirche geliebt hat und sich für sie hingegeben hat. Ohne daß wir die genaue Intention des Verfassers kennen, läßt sich dennoch sagen: Die Taufe ist der Anlaß, ein weiteres Motiv aus dem Bereich der Eheschließung zu benutzen,

---

[18] Für Parallelmaterial s. *Gnilka*, Eph 202f, und *Schnackenburg*, a.a.O. 169f.

[19] *Schnackenburg*, a.a.O. 169.

[20] Vgl. 2 Kor 11,2.

[21] Die Stelle ist offensichtlich von Kol 1,22 beeinflußt, die vom Christwerden handelt. Der Verf. des Eph behält dieses Blickfeld, aber verknüpft dies mit der Taufe, was umso leichter war, weil er an die Vermählungssitten anknüpfte, zu denen das Brautbad gehörte.

nämlich das des Brautbads. Noch wichtiger ist aber, daß so das Beispiel Christi nicht der Vergangenheit angehört, sondern etwas ist, dessen Früchte die Angeredeten selbst genossen haben und noch genießen.

In der Regel betrifft die Taufe den einzelnen. Hier bezieht sie sich aber in einer überraschenden Weise auf die Kirche. Gemeint ist wohl, daß, wenn einzelne Menschen fortlaufend in der Taufe „gereinigt" werden, sie Glieder des Leibes Christi, der Kirche (5,30), werden und die Folge davon eine Kirche von Gereinigten ist. Die Reinigung ist eine Anwendung des Heilswerks Christi, seiner Selbsthingabe. Assoziationen führen hier nicht nur zum Brautbad (siehe auch Ez 16,8–14), sondern auch zu kultischen Reinigungsriten.[22] Die Kirche sollte nämlich „heilig und makellos" werden (man vergleiche 1,4; Kol 1,22). So bedeutete das in der Taufe vergegenwärtigte Heilswerk, daß die Sünden des Vergangenen vergeben wurden (2,5). Aber die Heiligung meint in diesem Zusammenhang auch eine ethische Pflicht zu einem Leben gemäß der Tatsache, daß man „heilig" ist, Gott oder dem Herrn geweiht, und zu seiner Verfügung steht (auch 1 Kor 6,11). Der einzelne Christ ist so berufen, gemäß der Heiligkeit des Christusleibes zu leben.

Der Ausdruck „durch ein (oder: das) Wort" (ἐν ῥήματι) ist rätselhaft.[23] Es gibt mehrere Vorschläge: nimmt er auf eine Taufformel Bezug,[24] oder hat es etwas mit einer Proklamation oder Verkündigung bei der Taufe zu tun?[25] Jedenfalls ist im Zusammenhang Christus der Aktive: er gab sich hin, er führt hervor, er reinigt. „Durch ein (oder: das) Wort" ist eine Bestimmung dieser Wirksamkeit. Folglich richtet der Verfasser die Aufmerksamkeit nicht allein auf den Wasserritus, sondern läßt etwas Gesagtes, also ein „Wort", eine andere Seite der Weise sein, in der Christus durch das Wasserbad reinigt. In der Wahl zwischen den angeführten Deutungsalternativen neige ich zur späteren, und falls das richtig ist, soll sich das „Wort" auf den Ritus, in dem Christus handelt, beziehen.

Wir wenden uns so den sogenannten Urmotiven zu. Die *Christusbezogenheit* der Taufe ist in Eph offenbar. Christus reinigt die in die Kirche Getauften, so daß die Kirche ihm eine heilige Braut wird. Der Grund dieser Reinigung ist aber seine Selbsthingabe für sie bis zum Tod (auch 5,1). Sein Tod und die Reinigung in der Taufe sind beide eine Darstellung der Liebe Christi. Das Hochzeitsbild deutet auch an, daß die Täuflinge unter den Schutz und unter die Herrschaft Christi gestellt werden, wie auch in 4,4ff der eine Glaube und die eine Taufe auf den einen Herrn bezogen werden.

---

[22] *Sampley*, One Flesh 48f.
[23] S. näher *Sampley*, a.a.O. 134–139.
[24] So *Gnilka*, Eph 282; *Mussner*, Eph 158; *Schlier*, Eph 257f.
[25] So *Barth*, Taufe 110; *von Campenhausen*, Taufen 4; *Dibelius*, Kol-Eph-Phil 94f.

Das Heilswerk wird also in der Taufe vergegenwärtigt. In 2,1–6 gebraucht der Verfasser Wendungen aus dem Kol, die dort mit der Taufe zusammenhängen und dasselbe Heilswerk beschreiben: die Adressaten wurden mit Christus lebendig gemacht, was dann in 2,5 so kommentiert ist: „aus Gnade seid ihr gerettet". Die verwendete Verbform (Perfectum passivum) gibt an, daß die Angeredeten dieses Heil schon besitzen, was sich von Paulus unterscheidet, für den das Heil ein eschatologischer Begriff ist, der auf etwas noch Ausstehendes zielt. Ja, in Eph sind, wie wir sahen, die Christen schon mit Christus im Himmel inthronisiert worden (2,6), was wohl so zu verstehen ist, daß sie in seine alles umfassende Herrschaft eingeschlossen sind, in eine in einer kosmischen Perspektive gesehene Kirche.

Die Reinigung in der Taufe zielte gemäß 5,26 darauf hin, daß die Kirche heilig und makellos sei. Hier ist wohl auch der Gedanke mit eingeschlossen, daß dann die *Sünden vergeben* wurden. Die Wendung „gab sich für sie hin" (5,25) stützt eine solche Deutung, und in 2,5 schimmert ein ähnlicher Gedanke durch: das Vergangene war ein Zustand des Todes „wegen der Übertretungen", aber Gottes rettende Gnade gab „mit Christus" Leben, was sicherlich bedeutet, daß die Sünden vergeben wurden. Trotzdem liegt wohl in 5,26 der Ton darauf, daß die Christen in ihrem Leben die erworbene Heiligkeit verwirklichen sollen.

Die Christusbeziehung hat mit dem Gedanken an die *Kirche* zu tun. 4,4f und 5,30 erwähnen den Leib Christi, und zum Assoziationsfeld gehört, daß man in diesen Leib getauft wird. Aber diese Kirche ist nicht eine Gruppe von Menschen, die in der Endzeit die Rettung mit Christus erwarten, sondern vielmehr eine machtvolle Lebenssphäre mit kosmischen Dimensionen,[26] die Fülle von ihm, der alles in allem füllt (1,23). Aber sie ist auch eine Lebenssphäre, die den Adressaten wirklich angeht: als sie getauft wurden, wurde die Liebe Christi auf sie angewandt, und in der Kirche sind sie auch Gegenstand seiner liebevollen Fürsorge (5,29f).

Der Geist und *der Glaube* werden unter den sieben Einheitsfaktoren in 4,4ff genannt, aber sind nicht ausdrücklich mit der Taufe verbunden. In 1,13 sind sie jedoch mit dem Eintritt in die Christusgemeinschaft verknüpft: die Adressaten hörten das Evangelium des Heils, glaubten daran und bekamen das Siegel des heiligen Geistes der Verheißung, der der erste Anteil des Erbes ist (vgl. 4,30).[27] Aber obschon hier wirklich die *Umkehr* und andere Stationen auf dem Weg in die Kirche genannt werden, wird

---

[26] *Merklein*, Rezeption 48–62.
[27] U. a. *Schnackenburg*, Eph 64, meint hier Echos des Taufunterrichts zu hören. Möglich ist auch, daß das Bild des Siegels auf die Taufe anspielt. *Schnackenburg*, a.a.O., weist dies zurück. Für den Inhalt des Bildes vom Siegel s. oben zu 2 Kor 1,22 in Kap. V.

nichts von der Taufe gesagt. Da andererseits 4,4ff und 5,25ff so selbstverständlich mit der Taufe zu rechnen scheinen, fällt es schwer anzunehmen,
daß der Verfasser sie hier bewußt auslassen würde. Der Geist, der gemäß
der Bitte des Verfassers den Adressaten teilhaft wird, ist der Geist der
Weisheit und der Offenbarung, der sie wissen läßt, welche Hoffnung ihr
Christwerden (ihre „Berufung") ihnen brachte (1,17f). Dies bedeutet, daß
die Gabe des Geistes *eschatologische* Assoziationen mit sich bringt. Man
erinnere sich an die klassischen Erwartungen vor dem neuen Bund (Ez
36,26f). Hier ist somit auch von der Hoffnung und vom Eingang der
Heiden ins Gottesvolk die Rede (2,14–21; beispielsweise auch Jes 60).
Spuren der traditionellen eschatologischen Erwartungen sind zum einen
das Motiv, daß das Siegel des Geistes den Christen mit Hinblick auf den
„Tag der Erlösung" (4,30) aufgedrückt ist, zum anderen der Hinweis in der
Haustafel, daß alle, Sklaven und Freie, einmal vor dem Herrn ihrer Werke
wegen zur Rede gestellt werden (6,8f). Aber gewiß ist die Eschatologie
mehr räumlich als zeitlich gedacht; die eschatologische Perspektive verleiht
dem Leben der Kirche eher eine transzendente Dimension, als daß sie
beunruhigt oder Hoffnung und Trost angesichts des bevorstehenden Zu-
sammenbruchs verleiht. So ist auch die Verbindung der Taufe mit der
traditionellen Eschatologie schwächer geworden: der Zweck des Brautbads
– der Taufe –, eine heilige Braut „hervorzubringen", zielt nicht auf eine
erhoffte himmlische Hochzeit (wie zum Beispiel im Buch der Offenbarung), sondern auf das Christwerden der Adressaten.

3. Die Pastoralbriefe

Die Pastoralbriefe sollen zusammen behandelt werden. Der Stil, die Thematik und die darin vorausgesetzte kirchliche Situation sprechen dafür.
Obwohl die Taufe nur einmal ausdrücklich in diesen Briefen erwähnt wird
(Tit 3,4–7), können also alle drei Briefe zur Interpretation des Tit-Textes
herangezogen werden. In diesem Abschnitt ermahnt der Verfasser zu
einem fügsamen und ruhigen Leben (3,1f), im Gegensatz zu dem, was
„wir" vorher waren, „Sklaven aller möglichen Begierden und Leidenschaf-
ten, und lebten in Bosheit und Neid" (3,3). In 3,4 kehrt er zur Gegenwart
zurück oder eher zu dem gegenwärtigen Sachverhalt, der der Grund dafür
ist, daß „die zum Glauben an Gott Gekommenen" durch gute Werke sich
auszeichnen sollen (3,8):

> „Als aber die Güte und Menschenliebe Gottes, unseres Retters, erschien, rettete er
> uns – nicht weil wir Werke in Gerechtigkeit vollbracht hatten, sondern aufgrund
> seines Erbarmens – durch ein Bad der Wiedergeburt und Erneuerung durch den
> Heiligen Geist, den er in reichem Maß über uns ausgoß durch Jesus Christus,

unseren Retter, damit wir, durch seine Gnade gerechtfertigt, Erben des ewigen Lebens gemäß unserer Hoffnung werden."

Zur Zeit ihrer Taufe ist also den Briefempfängern Heil zuteil geworden. Im Gegensatz zu Eph hat der Verfasser hier eine traditionellere Ausrichtung. Die Rettung kam von Gott, der auch sonst in den Pastoralbriefen der Retter aller ist (1 Tim 4,10) oder die Rettung aller will (1 Tim 2,3f). Die Rettung in der Taufe wird hier nicht besonders an das geknüpft, was Jesus getan oder bedeutet hat, sondern an das Erbarmen Gottes. Dieses Erbarmen wirkt statt Werken der Gerechtigkeit, die das Heil hätten verdienen können. In dieser Hinsicht folgt der Verfasser selbstverständlich Paulus. Für Paulus war jedoch vor allem das Problem, ob die Heidenchristen dem Gesetz – der Tora folgen mußten, um als Mitglieder des Gottesvolkes aufgenommen zu werden. Dem Verfasser geht es hier nicht um diese Auseinandersetzung, sondern er nähert sich dem späteren christlichen Verständnis, in dem „das Gesetz" fast mit „Gottes Willen" gleichbedeutend wird. Aber es ist nur „ein Nähern", insoweit hier nämlich mehr von Gesetzes-Werken die Rede ist (also den von der Tora geforderten Handlungen, beispielsweise bezüglich des Essens; Röm 3,20). Stattdessen nennt der Verfasser Werke der Gerechtigkeit, das heißt, gute und gerechte Handlungen, die mit dem Willen Gottes übereinstimmen.[28] Andererseits ist festzuhalten, daß diese (gedachten) Werke im Gegensatz zu dem stehen, was „wir" vorher taten. Man kann den Zusammenhang so umschreiben: „wir gingen in die Irre und waren Sklaven aller möglichen Begierden, ... so Gott rettete uns fürwahr nicht wegen gerechter Werke, die wir getan hatten, sondern ..."

So wurde die Taufe eine Station an der Grenze zwischen dem Alten und dem Neuen, wo Wiedergeburt und Erneuerung vermittelt wurden. Dem Ausdruck Wiedergeburt sind wir vorher nicht in diesem Zusammenhang begegnet.[29] Das Bild ist suggestiv und wird in mehreren religiösen Zusammenhängen der Zeit gebraucht.[30] Sein Sinn ist, daß hier eine völlig neue menschliche Existenz beginnt.

Aber der Verfasser präzisiert, wie Gott durch dieses Bad in eine neue Existenz rettete, nämlich durch den Heiligen Geist: nicht allein das Bad und nicht allein etwas von Gott durch den Geist Gewirktes, sondern göttliches Wirken durch das äußere Zeichen. Wenn der Verfasser vom Geist sagt, er wurde „ausgegossen", benutzt er traditionelle Ausdrucks-

---

[28] *Hasler*, Tim-Tit 96.

[29] Vgl. 1 Petr 1,3.23; Joh 3,3.7.

[30] So konnten Juden einen Proselyten mit einem Neugeborenen vergleichen (Belege, s. *Jeremias*, Kindertaufe 39f). Die Stoiker sprachen von der Neugeburt der ganzen Welt nach der von ihnen erwarteten großen Endkatastrophe (Material bei *Büchsel*, ThWNT I 686f). Andere Philosophen konnten bisweilen von der Wiedergeburt einzelner Menschen oder der Seele sprechen, so auch Philo (Material s. ebd.).

weise (Röm 5,5; Apg 2,17f – Joël 2,28). Trotzdem scheint er nicht mit dem Begriff der Geistausgießung auf einige allgemeine charismatische Phänomene bei den Briefempfängern zu zielen. Vielmehr verhält es sich wohl so, daß, wenn er daran denkt, wie Gott in der Gegenwart in der Kirche wirkt, es ihm natürlich gefällt, vom Geist zu sprechen.[31]

Wenn weiter gesagt wird, daß die so beschriebene Rettung „durch Jesus Christus unseren Retter" stattfand, bekommt sie noch eine Dimension, nämlich daß sie von Jesus Christus abhängig ist. Hier findet sich also der Bezug zu Jesus, den wir am Anfang nicht fanden. Auch er wird, wie Gott, „Retter" genannt.[32] In Tit 2,13f entwickelt der Verfasser die Bedeutung des Werkes Christi: „unser großer Gott und Retter Christus Jesus, der sich für uns hingab, um uns von aller Schuld zu erlösen und sich ein Eigentumsvolk zu reinigen, das voll Eifer danach strebt, gute Werke zu tun". Wir erkennen die alte „für uns"-Formel. Aber in welchem Maße ist dieses Heilswerk Christi auf die Taufe bezogen, wo Gott rettet? Die Rettung Gottes und das Heilswerk Jesu werden an anderen Stellen in den Pastoralbriefen nebeneinander gestellt. So redet 1 Tim 2,3–7 von Gott „unserem Retter" und von dem einzigen Mittler zwischen Gott und den Menschen, der sich als Lösegeld für alle hingab, was jetzt verkündigt wird. In dieselbe Richtung geht 2 Tim 1,9–11: „die Kraft Gottes … rettete uns … nicht aufgrund unserer Werke, sondern aus … seiner Gnade, die uns vor ewigen Zeiten in Christus Jesus geschenkt wurde; jetzt aber ist sie durch die Offenbarung unseres Retters Jesus Christus offenbar geworden, der die Macht des Todes vernichtete und Leben und Unvergänglichkeit ans Licht brachte durch das Evangelium, als dessen Botschafter ich eingesetzt bin."[33] Im damaligen Werk Christi gründet also die Rettung durch Gott in der Gegenwart, und dies durch die Verkündigung. Meint der Verfasser etwas Ähnliches, bezogen auf die Taufe? Ein Grund für eine positive Antwort ist das ein wenig unscharfe „durch Jesus Christus, unseren Retter" in Tit 3,6. Aber wenn es auch in diesem Fall berechtigt wäre, die Taufe eine Jesustaufe zu

---

[31] Der Verfasser betrachtet sich als die Stimme des Paulus und läßt in 1 Tim 4,1 seinen verstorbenen Meister sagen, daß der Geist den Abfall in den letzten Zeiten voraussagt. Er schreibt also Paulus prophetischen Geist zu (*Roloff*, 1 Tim 219f). Oder spricht der Geist, wenn das mit dem Geist ausgerüstete Amt (2 Tim 1,6–8.14) das apostolische Erbe (2 Thess 2; Mt 24,6ff) weiterführt?

[32] Gott ist der Retter gemäß 1 Tim 1,1; 2,3; 4,10; Tit 1,3; 2,10; 3,4; Christus ist der Retter gemäß 2 Tim 1,10; Tit 1,4; 2,13; 3,6. Gott rettet in 1 Tim 2,4; 2 Tim 1,9; Tit 3,5; von Rettung „in Christus" ist in 2 Tim 2,10 die Rede.

[33] Einige Ausleger wollen hier Reste einer Taufliturgie finden; so *Beasley-Murray*, Baptism 207; *Schille*, Frühchristliche Hymnen 60ff. Vgl. *Barth*, Taufe 130; *Brox*, Past 230. Ähnliche Vorschläge sind für das eben Angerissene Tit 2,13 vorgeführt; so *Schille*, a.a.O. ebd. Mit Recht ist *Barth*, a.a.O. ebd. zweifelnd.

nennen, ist das Motiv der Vergegenwärtigung seines Todes und seiner Auferstehung als entscheidende Heilsfakten relativ schwach.

In diesem Zusammenhang können wir auch feststellen, daß der Verfasser eine Stufe der frühen christlichen Theologie auf dem Weg zu einer vertieften Reflexion über die Probleme, die später in den Lehren vom dreieinigen Gott resultierten, repräsentiert. Um die Sprache späterer Zeiten zu sprechen: Gott, der Vater, ist das erste Prinzip; in der Zeit hat Jesus Christus das Heilswerk Gottes durchgeführt, das durch den Geist wirksam und effektiv unter den Menschen ist. Aber das Ganze wirkt Gott.

Ehe der Verfasser in Tit 3,7 den Blick auf das eschatologische Ziel richtet, faßt er das in 3,4–7 Gesagte zusammen: „wir wurden durch seine Gnade gerechtfertigt" (δικαιωθέντες). Der Ausdruck ist selbstverständlich der klassisch paulinische,[34] aber hier ist sowohl der literarische als auch der kirchliche Kontext ein anderer. Die Wendung steht hier für die Rettung aus Gnade aus dem alten sündvollen Leben in eine neue Existenz, in der die Kraft Gottes die Gläubigen trägt. Darum ist es nach unserem Verfasser gebührend, daß die Adressaten eifrig sind, das Gute zu tun (3,8). (Vergessen wir nicht, daß unser Tauftext in einen Kontext von Ermahnungen gehört.)

Fragt man sich, warum der Verfasser gerade diese Zeilen über die Taufe in seine Darstellung eingefügt hat, muß die Antwort wohl sein: weil der Sinn der Taufe ist, daß gerade darin Gott „uns" aus dem Sündenleben rettete, das „wir" vorher lebten, damit „wir" jetzt eifrig die neue, verliehene Existenz im Leben verwirklichen. Trotz der im Vergleich zu Paulus eher oberflächlichen Denkweise des Verfassers ist hier eine Nähe zu dem von Paulus in Röm 6 entwickelten Gedanken zu erkennen.

Das Ziel der Rettung wurde eben erwähnt. Am Ende des Textes kommt es zur Sprache: die Adressaten werden das erhoffte ewige Leben erben. Der Verfasser verwertet alttestamentlich-jüdische Traditionen, die aber paulinisiert wurden. Ganz wie er also von den Christen als einem Eigentumsvolk reden kann (Tit 2,14), kann er ihnen hier auch diese Hoffnung zuschreiben, weil sie „Erben" ewigen Lebens sind.[35]

Wenn wir nun wieder die sogenannten Urmotive berühren, können wir uns relativ kurz fassen. Wir haben gesehen, daß die Taufe für den Verfasser ein Ritus von entscheidender Bedeutung ist, in der Gott aus Gnade als Retter durch den Geist am Werk ist. Auch in den Pastoralbriefen ist die Taufe *christusbezogen*, aber es ist nicht völlig klar, worin genau diese Bezogenheit liegt. Es ist gut möglich, daß von der Taufe dasselbe gesagt werden könnte, was von der Verkündigung gilt: Gott rettet in der Gegenwart, wenn die

---

[34] Vgl. z. B. Röm 3,24; 5,1.9.
[35] Vgl. Gal 3,18; Kol 1,12; Eph 1,11.

Verkündigung das vergegenwärtigt, was Jesus einmal tat, als er sich hingab und das Leben ans Licht brachte (2 Tim 1,9–11).

In 2 Tim 2,11 verwendet der Verfasser indessen Wendungen, die wir aus Röm 6,8 wiedererkennen: „wenn wir mit (Christus) gestorben sind, werden wir auch mit (ihm) leben". Nichts im Text deutet an, daß er hier auf einen Tauftod mit Christus[36] zielt, und im Zusammenhang geht es um eine Märtyrerideologie:[37] (der fiktive) Paulus hat in seinem Dienst für das Evangelium gelitten, welches ein Tod mit Christus genannt wird. Was in Röm 6 eine existentiell notwendige Vergegenwärtigung in der Taufe war, scheint hier vielmehr als eine Schicksalsgemeinschaft unter Märtyrern gedacht zu sein.

Der Gedankengang in Tit 3,1–6 deutet an – aber nicht mehr –, daß auch hier die Taufe mit *Umkehr* und *Sündenvergebung* verbunden ist. Oder, um es ein wenig vorsichtiger auszudrücken: der Verfasser benutzt ein bei Paulus und seinen Schülern übliches Schema, in welchem das heidnische Leben mit stark negativen Zügen, mit Lasterhaftigkeit und Elend geschildert wird, während das christliche Leben nach der Umkehr und der Taufe als ein Leben in Vergebung und Reinheit dargestellt wird.[38] Da Tit 3,8 an 3,1–7 anschließt, wo eine Ethik in der Taufe zur Erneuerung gegründet wird, stehen möglicherweise „die zum Glauben an Gott gekommen sind" (3,8) für diejenigen, die in der Taufe gemäß 3,4–7 zu Gerechtigkeit und Hoffnung gerettet sind (man vergleiche 1 Tim 1,16; 4,10). Dann würde auch dieser Verfasser den *Glauben* mit der Taufe assoziieren.[39]

Die einzige klare Taufstelle, Tit 3,4–7, bezieht die Taufe nicht auf die *Kirche*. Aber es wäre eigentümlich, wenn der Verfasser nicht damit rechnete, daß die nach Tit 3,4–8 von den alten Lastern Geretteten, die jetzt gute Werke tun sollen, nicht dieselben sind, die in 2,14 von aller Ungerechtigkeit

---

[36] Es ist nicht einmal selbstverständlich, daß es sich um ein Mitsterben gerade mit Christus handelt. *Hasler*, Tim-Tit 64f, liest stattdessen: „wenn wir schon miteinander in den Tod gegangen sind . . ." Aber schon der Kontext scheint mir für die „mit Christus"-Übersetzung zu sprechen, um nicht das Gewicht des Paulus-Erbes aus dem Röm zu erwähnen. Polykarpus, Phil 5,2 deutet in dieselbe Richtung. – *Holtz*, Past 167 nimmt, wie auch z. B. *Dibelius-Conzelmann*, Past 81, an, daß 2 Tim 2,11–13 ein liturgisches Lied ist. Er legt die Verse von dem Ausgangspunkt aus, daß ihr ursprünglicher Sitz im Leben Taufe und Abendmahl sind. Selbst wenn dies eine richtige Annahme wäre, wäre daraus wohl kaum mehr für unsere Aufgabe zu folgern, als daß der paulinische Satz ein fester Bestandteil des theologischen Vokabulars geworden wäre. Dessen besonderer Inhalt – ob z. B. das paulinische Taufdenken verändert worden ist – wäre kaum auszumachen.

[37] Z. B. *Hasler*, a.a.O. 65f; *Jeremias*, Tim-Tit 44.

[38] Vgl. Röm 6,17–22; 1 Kor 6,9–11; Kol 3,7f; Eph 2,2–10; 4,17–24.

[39] Davon abgesehen, wie er den Begriff versteht. Vgl. *Roloff*, 1 Tim 67,70,104.

gerettet und zu einem Eigentumsvolk gereinigt worden sind.[40] Aber wir finden keine ausdrückliche Verbindung.

Daß auch dieser Verfasser meint, der *Geist* sei in der Taufe wirksam, haben wir gesehen. Die Gabe des Geistes bringt hier keine charismatischen Erlebnisse, sondern ist eher die göttliche Kraft, die der Verfasser eigentlich meint in der Aussage, daß Gott in der Taufe rettet und eine neue Existenz schenkt. Ohne den Geist als einen ersten Anteil des ewigen Lebens zu sehen (2 Kor 1,22; 5,5), meint er jedoch auch, daß das Werk des Geistes in der Taufe bewirkt, daß die Getauften auf das Erbe des ewigen Lebens hoffen können.[41] Klar ist also die Taufe in einer *eschatologischen Perspektive* gesehen. Aber sie ist nicht von Krisenstimmung[42] oder intensiver Sehnsucht geprägt, sondern stellt eher ein Ziel dar. Gleichzeitig stellt diese eschatologische Hoffnung den Rahmen der Mahnungen, sowohl im Kontext des Tauftextes als auch in den Pastoralbriefen (2 Tim 4,1–8; Tit 2,12f) dar.

---

[40] Vgl. Ex 19,5; Dtn 14,2. Vgl. auch Fußnote 32 oben.
[41] Vgl. Röm 8,16f; Gal 3,29; 4,7; Eph 1,14.
[42] Vgl. *Towner*, Present Age; *Trummer*, Die Paulustradition 227ff.

VII. Der erste Petrusbrief

„Legt also alle Bosheit ab, alle Falschheit ... und verlangt, gleichsam als neugeborene Kinder, nach der unverfälschten, geistigen Milch" (1 Petr 2,1f). Diese Sätze aus dem ersten Petrusbrief gehören zu dem Material des Briefes, das in der Forschung zur Annahme führte, vieles im Brief handle direkt oder indirekt von der Taufe oder spiele auf die Vorstellungen des Verfassers und der Leser über die Taufe an.[1] Wie im Falle des Eph ist auch für 1 Petr vorgeschlagen worden, daß der Brief größere oder kleinere Teile einer Taufliturgie enthält beziehungsweise eine Taufhomilie ist, die in der Form eines Briefes veröffentlicht worden ist.[2] Die Hypothesenfreudigkeit in dieser Hinsicht ist jetzt ein wenig gemäßigt worden, aber als sicher kann gelten, daß der Verfasser Gedanken und Motive verwertet, die wahrscheinlich mit der Taufe zu verknüpfen sind. Er gebraucht sie für sein Ziel der Einschärfung, was eine christliche Lebenshaltung bedeutet, und nicht weniger um zu unterstreichen, daß diese Haltung Leiden mit sich bringen kann (1,6f; 4,12–16; 5,10).

Ausdrücklich wird aber die Taufe in 1 Petr nur einmal erwähnt, und zwar in 3,20ff. In einer ein wenig rauhen Übersetzung lautet die Stelle:

> „... in den Tagen, als Noach die Arche baute, in die (nur) wenige, nämlich acht Seelen durch Wasser gerettet wurden, (21) gleichwie auch jetzt die Taufe auf eine entsprechende Weise euch rettet; sie ist nicht ein Ablegen vom Schmutz des Fleisches, sondern die Verpflichtung eines guten Gewissens zu Gott; (sie rettet euch) durch die Auferstehung Jesu Christi, (22) der in den Himmel gegangen ist und zur Rechten Gottes ist, nachdem Engel und Gewalten und Mächte ihm unterworfen worden sind."

Das Griechisch von 3,21a ist etwas widerspenstig, aber relativ deutlich. Die Worte vom guten Gewissen in 3,21b sind aber mehrdeutig. Sie können auch so wiedergegeben werden: „eine Bitte an Gott um ein gutes Gewissen",[3] oder „die Bitte eines guten Gewissens an Gott".[4] Ohne allzu sicher zu sein, ziehe ich jedoch die Lesart vor, die sich in der obigen Übersetzung findet. Sie paßt auch zu der Auffassung, daß das Christwerden eine Berufung zu einem Leben in Gehorsam und Heiligkeit bedeutet, die sich an anderen Stellen des Briefes finden (1,2.14ff.22; 3,9).

Der Stil des Verfassers ist eigenartig. Hier, wie übrigens im ganzen Brief,

---

[1] Z. B. *Brox*, 1 Petr 22; *Goppelt*, 1 Petr 86, 117f usw.
[2] S. die Berichte in *Brox*, a.a.O. 19ff; *Goppelt*, a.a.O. 38ff.
[3] So die Einheitsübersetzung.
[4] „Bitte" ist anders nicht belegt als Bedeutung von ἐπερώτημα. Aber das Zeitwort ἐπερωτάω, das von demselben Stamm gebildet ist, bedeutet „bitten", „begehren" usw. (s. Mt 16,1).

bildet er keine Gedankenketten, die aus Behauptungen und Argumenten bestehen. So ist es auch bei weitem nicht immer klar, wie man das Verhältnis zwischen den verschiedenen Gedankenelementen verstehen soll. Der Zusammenhang, zu dem 3,20ff gehört, enthält Mahnungen bezogen auf Leiden, die die Adressaten treffen oder treffen können (3,13 u. w.). In 3,18 wird das Blickfeld erweitert mit dem Hinweis, daß auch Christus unschuldig gelitten hat. Dieses und die gesegneten Folgen seines Leidens, werden im folgenden Vers entwickelt. Der Stil wird feierlich und rhythmisch, und die Wendungen nehmen vermutlich traditionelles Gut auf.[5] Das Textstück endet mit der Aussage, daß das Leiden Christi auch bedeutete, daß er „dem Geist nach lebendig gemacht", „zu den Geistern im Gefängnis predigte" (3,19). Im nächsten Vers wird erklärt, daß die erwähnten Geister es waren, die zur Zeit der Sintflut bestraft wurden. Die Motive des Sintflutberichts, einschließlich das Geschick der gefallenen Engel, wurden im damaligen Judentum weit ausgeschmückt, wovon mehrere Texte aus der zwischentestamentlichen jüdischen Literatur zeugen, und der Verfasser scheint eine gewisse Kenntnis davon vorauszusetzen. Die zweite Hälfte von Vers 20 scheint so lockere Assoziationen hinzufügen: bei der Sintflut wurde Noach durch Wasser gerettet, welches der Verfasser als eine Art Vorbild von der Rettung der Adressaten deutet. Nach dieser Abweichung kehrt er in 4,1 zur Hauptlinie seines Gedankengangs zurück, indem er auf andere Mahnungen eingeht.

In unserem kurzen Tauftext benutzt der Verfasser klar ein paar Züge aus der Noacherzählung. (Nebenbei verwertet er vermutlich auch noch einige, aber darauf kommen wir später zurück.) So wurden nur „wenige" von der Sintflut gerettet: auch die Christen sind eine kleine Gruppe. Wichtiger für unsere Fragestellung sind aber zwei andere Einzelheiten, einerseits daß gerade das Wasser das Mittel der Rettung war, andererseits, und selbstverständlich von zentraler Bedeutung, daß es sich gerade um eine Rettung handelte.

Man kann sich fragen, in welche Zeit der Verfasser die in Vers 21 genannte Rettung durch die Taufe legt. Er schreibt „rettet euch jetzt". Handelt es sich um einen Prozeß, der „jetzt" die Adressaten betrifft? Die Antwort kann „ja und nein" sein. „Jetzt" ist die Zeit, wo das geschieht, wofür die Rettung Noachs ein vorwärtsweisendes Beispiel war. Gemäß 1,10f versuchten die alten Propheten herauszufinden, wann diese Zeit und diese Rettung eintreffen sollten, also die Zeit, in der Christus (Messias) gemäß der Weissagung des in ihnen wirkenden Geistes leiden und verherrlicht werden sollte. Die Rettung ist also einerseits etwas Gegenwärtiges. Andererseits wird aber noch stärker betont, daß die Christen der Rettung

---

[5] *Bultmann*, Bekenntnis- und Liedfragmente.

entgegensehen. Sie erwarten das Ziel ihres Glaubens, das Heil ihrer Seelen (1,9). Durch die Auferstehung Jesu hat Gott sie „neu geboren" zu einer Hoffnung, das himmlische Erbe zu empfangen (1,3f). Gott bewahrt sie durch den Glauben, „damit ihr das Heil erlangt, das am Ende der Zeit offenbart werden soll" (1,5). Bis dahin ist die Zeit kurz, denn „das Ende aller Dinge ist nahe" (4,7; auch 4,13; 5,1). Sicherlich findet sich diese Zeitperspektive auch in 3,20f, dem Tauftext. Die „jetzt" gegebene Rettung in der Taufe sieht ihrer Vollendung entgegen.

Die Frage verdient gestellt zu werden, was unser Verfasser mit dem Begriff „Heil" oder „Rettung" meinen mag. Gemäß dem eben angesprochenen 1,10ff hatte also die Rettung eine Vorgeschichte, die Vorhersage des Leidens und der Verherrlichung Jesu durch die Propheten. Dieses Geschick Jesu wird also irgendwie auf die Rettung bezogen, aber wie? Ein Aspekt dieses Bezugs scheint das Schema von Leiden und darauf folgender Erhöhung zu sein, das auch ein Schema wird, das den Christen, also den Geretteten, gilt, die so denselben Weg gehen. Dieses Schema ist auch in 4,13 deutlich: „freut euch, daß ihr Anteil an den Leiden Christi habt, denn so könnt ihr auch bei der Offenbarung seiner Herrlichkeit voll Freude jubeln".

In 1,18ff gebraucht der Verfasser ein anderes Wort für retten, das jedoch zu demselben Wortfeld gehört, nämlich „befreien" (λυτροῦν). Auch diese Befreiung ist vorhergesagt (1,20); ferner ist sie eine Rettung „aus der sinnlosen, von den Vätern ererbten Lebensweise" (1,18). Sie ist „nicht durch Silber oder Gold", sondern durch „das kostbare Blut Christi, des Lammes ohne Fehl und Makel" zustande gekommen (1,19). Hier ist also der Opfertod Jesu das Mittel, wodurch er die Seinigen aus den alten, von Sünde geprägten und beherrschten Lebensbedingungen rettete. Auch in diesem Text spielt aber die Auferstehung Jesu eine wichtige Rolle, indem die Erweckung und Verherrlichung Jesu der Grund dafür ist, daß die Adressaten an Gott glauben und auf ihn hoffen können (1,21). Wir stoßen also wieder auf diese Verknüpfung von Leiden und Verherrlichung, die in der Briefsituation so wichtig zu sein scheint.

Nach 1,3 und 1,23 bedeutet die Rettung vom Alten zum Neuen eine Neugeburt (auch 2,2). Das Bild steht für neue menschliche Existenzbedingungen, und nach 1,23 („nicht aus vergänglichem Samen") ist Gott selbst die Quelle dieser neuen Existenzbedingungen. Die Adressaten sind mit diesem Neuen durch das Evangelium, das Wort Gottes, in Kontakt gekommen (1,23–25).

Auch 1,3–5 thematisiert, wie das Geschick Jesu mit der Rettung zusammenhängt. Dort bringt die Neugeburt den Christen Hoffnung, und sie werden Erben eines himmlischen Erbes, all dies weil Christus vor ihnen den Weg vom Tod durch die Auferstehung gegangen ist (1,3–5). So ist die

Rettung eine Befreiung *aus* „mancherlei Prüfungen" der jetzigen drückenden Verhältnisse *zu* Ehre und Herrlichkeit (1,7). Sie bedeutet auch, daß man von dem Gericht gerettet wird, das diejenigen trifft, die dem Evangelium nicht gehorchen (4,17; auch 1,17).

Im Kontext unseres kurzen Tauftextes kehrt das Christusthema noch einmal wieder: „auch(!)" er hat gelitten und ist zum Leben geführt worden. Nach 1,18–22 bedeuteten Jesu Opfertod und Auferweckung eine Befreiung aus dem sinnlosen, von den Vätern ererbten Leben, und hier begegnen wir wieder dieser Topik. Das Leiden[6] wird als ein stellvertretendes Leiden „für die Sünden" (3,18; so auch 2,25) dargestellt, dessen Folge es ist, daß er „euch zu Gott hinführt" (3,18). Wiederum eine Rettung aus etwas zu etwas.

Wenn der Verfasser in 3,21 von der Rettung durch die Taufe spricht, können also zum inhaltlichen Verständnis des Wortes andere Stellen des Briefes über Rettung und Befreiung herangezogen werden. Zuerst zur Frage, woraus man gerettet wird. Das Gottesgericht im Noachbeispiel und die ungerechte und unbußfertige Umwelt, die im Sintflutbericht Noach gegenübersteht, entsprechen dem, wovon die christlichen Adressaten des 1 Petr gerettet werden: von der alten heidnischen, sinnlosen Lebensweise, dem die Ungehorsamen erwartenden Gottesgericht, dem Sündenmuster, den Leiden. Wie die Familie Noachs aus Tod zu Leben gerettet wurde, so werden die Christen zu einer Hoffnung, zu einem Erbe, zu einer Heilung (2,24) und zu Leben und Herrlichkeit gerettet. Zum Teil sind sie gerettet, aber die endgültige Verwirklichung der Rettung steht noch aus. Wie so oft in diesem Brief,[7] ist die Auferstehung Jesu der Grund der Rettung; sie ist das, was den Tod zu etwas mehr als einem bloßen Tod macht und auf ein Ziel dahinter deutet.

In 3,21b nennt der Verfasser die Wirkung der Taufe. Der Satz ist aber schwer zu deuten. Handelt es sich um die Verpflichtung eines guten Gewissens zu Gott, um die Bitte eines guten Gewissens oder um eine Bitte um ein gutes Gewissen? Wie gesagt, wird hier die erste Möglichkeit vorgezogen. Wir sollen dann nicht zu schnell dem Ausdruck „ein gutes Gewissen" den Sinn „keiner Schuld bewußt zu sein" geben. Eher ist „von aufrichtigem Herzen" oder etwas ähnliches vorzuziehen. Der Sinn ist dann, daß die Taufe mit einer aufrichtigen Zuwendung zu Gott hin, weg von dem Alten, verbunden ist. Sie bringt mit sich, daß man sich zu einem Leben in Gehorsam, Gerechtigkeit und Heiligkeit verpflichtet (1,2.14f.22; 2,24; 3,9).

Wir können uns jetzt wieder unseren sogenannten Urmotiven zuwenden. Deutlich wird hier die Taufe in einer *eschatologischen Perspektive* gesehen.

---

[6] Gewisse gute Handschriften stützen eine Lesart „er starb" statt „er litt". Die Entscheidung ist schwierig, trägt aber nicht viel zur Lösung unserer Fragestellung bei.

[7] 1,3.21; 3,18; 4,13; 5,1.10.

„Jetzt" ist die Zeit, in der die Weissagungen von der kommenden Heilszeit erfüllt werden und Rettung in der Taufe gegeben wird (3,21). Diese eschatologische Rettung ist schon vorhanden, aber nachdrücklich wird betont, daß sie vorausschaut auf ihre Vollendung in Herrlichkeit bei der „Offenbarung" Jesu (1,4–9.13; 4,13; 5,10).

Die Taufe ist ein Kernpunkt bei der Zueignung der Rettung, aber auch andere Elemente sind hervorgetreten. Der rätselhafte Vers 3,21b kann, so wie wir ihn verstanden haben, von der *Umkehr* etwas andeuten; sie kann eine aufrichtige Wende zu Gott, weg von der alten Lebensweise bedeuten. An anderer Stelle schreibt der Verfasser von der Umkehr von der alten Verirrung (2,25) und von der früheren Lebensführung unter heidnischen Lebensbedingungen (1,14.18; 4,3). Ferner gehört zur Aneignung des Heils die *Verkündigung* des Evangeliums und *ihre Annahme* (1,12.25; 4,17), in 2,9 als die Berufung aus der Finsternis gekennzeichnet. Der Verfasser weiß die Christen Gläubige zu nennen (1,21; 2,7), aber die Akzeptanz der Verkündigung stellt er als einen Akt von Gehorsam dar, der den Wechsel von Lebensgrund und Lebensnorm bedeutet (1,2.14.22; man vergleiche 2,8; 3,1; 4,17). (Er spricht also in diesem Zusammenhang nicht von einem Zum-Glauben-Kommen. Wenn er das Wort Glauben gebraucht, liegt stattdessen der Ton gern auf dem Aspekt der Treue, wie in 1,5.9.)

Wenn nun auch die erwähnten Elemente des Übergangs vom Alten zum Neuen nicht alle ausdrücklich mit der Taufe verbunden werden, rechnet jedoch der Verfasser aller Wahrscheinlichkeit nach damit, daß die Taufe mit ihnen zusammen zu diesem Prozeß gehört. Es dürfte somit ein berechtigter Schluß sein, daß gemäß unserem Verfasser die Taufe das äußere, wirksame Zeichen ist, in dem andere Aspekte des Christwerdens fokussiert werden.

Da die christliche Gemeinschaft mit den acht in die Arche Geretteten verglichen wird, macht unser kurzer Tauftext deutlich, daß die Taufe den Eintritt in die kleine gerettete Schar meint, die in Erwartung der endgültigen Rettung gesammelt wird. In 2,9f werden ausdrücklich biblische Bezeichnungen dieses *Gottesvolkes* verwendet, in das die Gläubigen berufen sind. Sie sind „ein auserwähltes Geschlecht, eine königliche Priesterschaft, ein heiliger Stamm, ein Eigentumsvolk …"

In 3,20f wird die Taufe auf *Christus* bezogen, indem die Taufe „durch" seine Auferstehung rettet. Im Brief als Ganzem werden verschiedene Aspekte dieser Rettung genannt. Es wäre vereinfacht anzunehmen, daß jedesmal, wenn im Brief die Rettung erwähnt wird, sie ohne weiteres mit der Taufe assoziiert werden kann. Aber weil die Taufe ein Resonanzboden vieler Aussagen des Briefes ist, ist es sicherlich berechtigt, die Rettung und die verschiedenen Aspekte des Christwerdens als einen zusammengehörenden Komplex anzusehen. Als eine rituelle und sammelnde Handlung gehört die Taufe zu diesem Komplex. Demnach können wir damit rechnen, daß dieselbe Rettung gemeint ist, wenn die Auferstehung Christi nach 1,3ff Hoffnung verleiht, daß mit Christus die Gläubigen des Erbes der kommenden Herrlichkeit teilhaft werden können. Sein Tod und seine Auferstehung sind auch das Schema von Leiden und Verherrlichung, das auch für Christen gilt. Aber wenn sie die Rettung bewirkten (1,11f), waren sie auch eine stellvertretende Handlung, die Befreiung von dem alten sinnlosen Leben (1,18–22) und von den *Sünden* brachte (2,24; 3,18).

Wenn auch nicht alle diese „Urmotive" ausdrücklich mit der Taufe verbunden sind,[8] sind sie jedoch relativ deutlich auf die Rettung bezogen. Diese Rettung, einschließlich der Hoffnung, die damit verbunden ist, ist aber in der Taufe der Adressaten grundgelegt.

---

[8] Wenn 1,2 auf die Taufe anspielt, wird dort der Geist mit ihr verbunden: der Brief wird gerichtet an die, „die von Gott ... von jeher ausersehen und durch den Geist geheiligt [sind], um Jesus Christus gehorsam zu sein und mit seinem Blut besprengt zu werden". Wie die Adressaten „ausersehen" sind, wird in den folgenden Adverbialen beschrieben. Hier findet sich auch, wie in einigen vorher erörterten Texten, eine frühe Form von Dreieinigkeitsglauben: der Plan des Vaters wird im Werk des Sohnes verwirklicht, und nun werden die Adressaten aufgrund dieses Werkes durch den Geist „geheiligt", d. h. Gott geweiht. Wenn in der Anrede von Gehorsam und Besprengung mit Jesu Christi Blut die Rede ist, spielt der Verfasser auf die Riten an, mit denen nach Ex 24,3–8 der Bund zwischen Gott und Israel geschlossen wurde. (Die Besprengung stellt also hier nicht eine Bildermischung wie in Offb 7,14 dar, wo die Bilder von Waschen und blutigem Opfer kombiniert werden.) Derselbe Geist ist in der kirchlichen Verkündigung von der Rettung am Werk (1,12), und der Geist „ruht" auch auf den Christen (4,14). M. E. sollte das Wort „Besprengung" (ῥαντισμός) das stärkste Argument im Text dafür sein, daß er in Bezug auf die Taufe zu lesen wäre. Aber weil die Besprengung diesmal nicht eine Reinigung darstellt, sondern ein Opferritus ist, finde ich keinen zureichenden Grund für eine solche Annahme. Folglich wird der Geist in 1 Petr nicht deutlich mit der Taufe verbunden.

VIII. Der Hebräerbrief

Hebr ist eine rhetorisch geschickte Schrift,[1] deren Verfasser seine Leser dazu bewegen will, getreu zu dem Herrn zu halten, zu dem sie sich bekannt haben. Die massive theologische Argumentation dient diesem ermahnenden Ziel.[2] In den Kapiteln 3–10 zeigt somit der Verfasser, wie Christus der Hohepriester des neuen Bundes ist, der das Opfer dargebracht hat, durch das Sühne ein für allemal gewirkt ist. Der Beweis wird durch ein großes Aufgebot von bibelauslegenden Argumenten gestützt. Ehe der Verfasser im elften Kapitel zu den abschließenden Mahnungen übergeht, rundet er in 10,19–39 die Darstellung von Jesus dem Hohenpriester dadurch ab, daß er ermahnende Schlüsse für das Leben der Adressaten zieht. Der abrundende Effekt wird dadurch verstärkt, daß die Zeilen manches Echo von der vorhergehenden Auseinandersetzung enthalten. Da wahrscheinlich der Verfasser sich in 10,22 auf die Taufe bezieht, müssen wir die Stelle näher betrachten.

> „(19) Da wir also die Zuversicht, Brüder, durch das Blut Jesu in das Heiligtum einzugehen,[3] (20) – er hat uns den neuen und lebendigen Weg erschlossen durch den Vorhang hindurch,[4] das heißt durch sein Fleisch – (21) und einen Hohenpriester über dem Haus Gottes haben,[5] (22) laßt uns mit aufrichtigem Herzen und in voller Gewißheit des Glaubens (vor Gott) hintreten,[6] das Herz durch Besprengung[7] gereinigt vom schlechten Gewissen[8] und den Leib gewaschen mit reinem Wasser. (23) Laßt uns an dem unwandelbaren Bekenntnis[9] der Hoffnung festhalten,[10] denn er, der die Verheißung[11] gegeben hat, ist treu. (24) Laßt uns aufeinander achten und uns zu Liebe und zu guten Taten anspornen, (25) indem wir nicht unseren Zusammenkünften fernbleiben, wie es einigen zur Gewohnheit geworden ist, sondern einander ermuntern, und das um so mehr, als ihr seht, daß der Tag naht.“[12]

Wie angedeutet, wird öfters in der Forschung angenommen, daß Vers 22 auf die Taufe anspielt.[13] Die Besprengung, die nach den alttestamentlichen

---

[1] S. *Nissilä*, Das Hohepriestermotiv; *Übelacker*, Der Hebräerbrief als Appell.
[2] Dies betont besonders *Übelacker*, a.a.O.
[3] Vgl. 3,6; 4,16.
[4] Vgl. 9,7f.
[5] Vgl. 3,6; 4,14.
[6] Vgl. 4,16; 7,25.
[7] Vgl. 9,13.
[8] Vgl. 9,14.
[9] Vgl. 4,14.
[10] Vgl. 3,6.
[11] Vgl. 4,1; 6,12; 9,15.
[12] Vgl. 3,13.
[13] So z.B. *Attridge*, Hebr 289; *Braun*, Hebr 310; *Michel*, Hebr 346f.

Kultregeln als eine Art Weihe der Priester diente (Ex 29,4; Lev 8,30), wird hier auf die Situation der Christen angewandt. Wahrscheinlich meint der Verfasser dasselbe wie in 9,13f. Dort kombiniert er das Bild von derselben Besprengung mit dem Reinigungsritus, in dem Wasser und Asche verwendet wurde (Num 19,9.17), und folgert: „Wieviel mehr wird das Blut Christi ... unser Gewissen von toten Werken reinigen, damit wir dem lebendigen Gott dienen."

Der Verfasser spricht also vom Opfertod Christi als einer vorliegenden objektiven Tatsache. In diesem Text sagt er nichts davon, wie er zugeeignet wird, also wie er gerade „unser" Gewissen reinigt. Im Brief als Ganzem wird jedoch die Zueignung dieser objektiven Sühne in mehreren Arten angesprochen. So werden die „Berufenen" das Erbe empfangen (9,15), ferner ist von einer Umkehr „von toten Werken" die Rede, das heißt von der früheren todbringenden Lebensweise (6,1; auch 9,14, oben angeführt), wie von einer Annahme der Botschaft in „Glauben" (4,2f; auch 2,2f) und von einem „Bekenntnis" zum Hohenpriester der Christen (3,1; 4,14; 10,23).

In 10,22 wird aber gerade in der Taufe das Opfer Christi für die Christen vergegenwärtigt. Sie bringt eine Reinigung von den Sünden, was so ausgedrückt wird, daß das Herz, die Mitte der Person, vom schlechten Gewissen gereinigt wird. Im Lichte von 9,14 bedeutet dies, daß die vorige Lebensweise vergeben wurde, deren Folge, religiös gesehen, der Tod war.[14]

Wenn es in 10,23 heißt, daß man an dem eine Hoffnung gebenden Bekenntnis festhalten muß, ist dieses Bekenntnis möglicherweise ein Teil des Taufritus, beispielsweise ein ausdrückliches Bekenntnis, daß man an Christus glaubte. Dies muß aber eine Vermutung bleiben. In 10,24 richtet sich die Aufmerksamkeit auf die christliche Gemeinschaft, in der man einander zu Liebe und guten Taten anspornen soll. Früher ist diese Gemeinschaft als das neue Bundesvolk dargestellt worden (9,15), das in dem durch Christi Opfer errichteten Bunde lebt. So sollen auch die Adressaten nicht die Zugehörigkeit zu diesem Volk vergessen (10,25); an seinen Zusammenkünften teilzunehmen ist eine Art, seine Treue zum Herrn zu zeigen und am Bekenntnis festzuhalten. Diese Treue ist umso wichtiger, weil die letzte Krise, „der Tag", nahe ist (10,25; auch 10,37).

Die durch Christi Opfer errichtete Gottesbeziehung, in der das neue Bundesvolk steht, kann gebrochen werden. Vor diese Möglichkeit gestellt, benutzt unser Verfasser in der unmittelbaren Fortsetzung unserer Stelle scharfe und drohende Wendungen: „Wenn wir vorsätzlich sündigen, nachdem wir die Erkenntnis der Wahrheit empfangen haben, gibt es für diese Sünden kein Opfer mehr" (10,26). Das Opfer ist das in der Taufe

---

[14] S. auch z. B. 10,17: die Vergebung im neuen Bund.

vergegenwärtigte. Ebenso wird in 6,4–6 behauptet, daß, nachdem man „einmal erleuchtet worden ist und von der himmlischen Gabe genossen hat … und abfällt, dann ist es unmöglich, erneut zur Umkehr gebracht zu werden". „Erleuchtung" wurde später als Bezeichnung für die Taufe verwendet,[15] und die Schritte, die in 6,4ff erwähnt werden, gehören alle zum Christwerden: Teilhaftigkeit des Geistes, das Hören vom Wort Gottes und die Erfahrung von den himmlischen Kräften. Es wird auch deutlich, daß dies die Folge einer Bekehrung ist. Vieles spricht dafür, daß die Leser meinten, diese Gaben in der Taufe empfangen zu haben, gerade weil sie zu den Segnungen gerechnet werden konnten, die von der Errichtung des neuen Bundes erwartet wurden. Denn unser Verfasser ist fest davon überzeugt, daß dieser neue Bund zustande gekommen ist.

Oben sind wir der Mehrzahl unserer sogenannten Urmotive begegnet. Die *Christusbeziehung* der Taufe ist offensichtlich und ist hier selbstverständlich von der Hohepriesterchristologie, einschließlich der Deutung des Opfertodes, gefärbt. Die *Sündenvergebung*, die auch in dieser Perspektive gesehen werden muß, ist klar mit der Taufe verbunden, die die Sühne vergegenwärtigt. Eng an das Hohepriestertum wird auch der Gedanke an das *Bundesvolk* geknüpft. Die *Verkündigung* des Evangeliums, die *Umkehr* und der *Glaube* werden als selbstverständliche Dinge erwähnt, wenn es um den Eintritt der Adressaten in dieses Volk geht.

Die *eschatologische Perspektive*, gerade weil sie in Bezug zur Taufe steht, gibt den Aussagen einen drohenden Hintergrund, indem die schrecklichen Folgen eines möglichen Abfalls dargelegt werden. Andererseits zeigt sie eine Hoffnung für die, die feststehen. Dies wird verschiedentlich im Brief ausgedrückt: sie erwarten die Sabbatruhe (4,1–11) und das Erbe (6,12–17; 9,15), sie haben eine Hoffnung (6,18f) und ein Ziel „hinter dem Vorhang" (6,19f), im Allerheiligsten (10,19). Sie erwarten ferner die Rettung (9,28), das Verheißene (10,36; 11,40 und öfter), sowie die kommende Stadt (13,14).

Zur eschatologischen Perspektive gehört streng genommen auch die Gabe des *Geistes*. Sie wird ausdrücklich in 6,4 erwähnt; dort gehört sie zu den Erfahrungen beim Eintritt in die Kirche. Gemäß 6,5 haben dann auch die Adressaten „die Kräfte der zukünftigen Welt geschmeckt". In 2,4 weist der Verfasser darauf hin, daß, als die Adressaten die christliche Botschaft annahmen, Gott selbst die *Verkündigung* bekräftigte „mit Zeichen und Wundern, mit machtvollen Taten aller Art und Gaben des Heiligen Geistes, nach seinem Willen".

Die Taufe ist also in Hebr mit der ganzen Reihe der Urmotive verbunden, obschon eine enge Verbindung nur für wenige vorliegt, für die Christusbe-

---

[15] Justin, Apol. 61,12f; 65,1.

zogenheit und die Sündenvergebung. Die anderen sind jedoch alle mit dem Prozeß des Eintritts in das Volk des neuen Bundes zusammen zu sehen.

IX. Die Apostelgeschichte

1. Einleitung

In der Apostelgeschichte verfolgt Lukas bestimmte Zwecke,[1] und in dieser Hinsicht unterscheidet er sich nicht von anderen Geschichtsschreibern der Zeit.[2] Bei der Frage, für welchen Zweck er denn geschrieben hat, sollen wir es ernst nehmen, daß Apg der zweite Band eines Doppelwerks ist. In seiner Einleitung in den ersten Versen des Lukasevangeliums gibt Lukas an, daß er dem Leser einen geordneten Bericht des „unter uns" Geschehenen geben will, damit der Leser sehen kann, wie zuverlässig die Lehre ist, in der er unterwiesen worden ist. In Apg zieht dieses Geschehen, das Zeugnis von Christus, von Jerusalem aus immer weitere Kreise. Auf lange Sicht wird es bis „an das Ende der Erde" (1,8) reichen. Lukas und seine Leser stehen mitten in dieser Entwicklung und wissen also, daß für diese Geschichte noch weitere Ziele gesteckt worden sind. Hierzu kommen Nebenakzente: Lukas will sicher seine heidenchristlichen Leser an den edlen Zusammenhang erinnern, in dem sie stehen, und die Berichte davon, wie die ersten Christen zusammenhielten, füreinander sorgten und an der apostolischen Botschaft festhielten, sollen sicherlich den Christen in der lukanischen Zeit nachzuahmende Beispiele aufzeigen.

Wenn wir die Apg lesen, sollen wir uns also dessen bewußt sein, daß Lukas als Geschichtsschreiber geltenden Konventionen folgt. Um seinen Zweck zu erreichen, wählt er sein Material aus und färbt es. Zu den Verfasserkonventionen gehörte auch, daß man Personen und Ereignisse in solcher Weise darstellte, daß sie und ihre Handlungen das glaubwürdige, richtige oder erwartete Profil erhielten.[3] Das Gesagte bedeutet, daß wir schon mit unserer begrenzten Fragestellung vor einer Anzahl Unsicherheitsfaktoren stehen, insofern wir nach der Geschichte der frühen Kirche fragen: Was geschah eigentlich? Dann haben wir die Fragen noch nicht gestreift, inwieweit Lukas Quellen benutzt und welcher Art diese sind.

Um ein Beispiel anzuführen: Am Anfang dieses Buches wurden die verschiedenen Taufformeln genannt, die in der Apg vorkommen, „auf den Namen des Herrn Jesus", „in dem Namen Jesu Christi", beziehungsweise „wegen des Namens Jesu Christi". Es scheint, als ob Lukas bewußt die Judenchristen die letztgenannten, mehr biblisch klingenden Ausdrücke

---

[1] Z. B. *Pesch*, Apg I 29–34.

[2] *Hengel*, Geschichtsschreibung 11–61.

[3] *Plümacher*, Lukas als hellenistischer Schriftsteller 39; *van Unnik*, Luke's Second Book 59.

verwenden läßt (2,38; 10,48), während andererseits es für ihn selbstverständlich ist, die „auf"-Formel zu verwenden.[4] Ist denn „in dem Namen" judenchristliche Tradition oder ein Beispiel des lukanischen Verfasseringeniums? Die obigen Erwägungen über 1 Kor 6,11 haben die Möglichkeit plausibel gemacht, daß beides zutrifft.[5]

Im folgenden werde ich die angedeuteten traditionsgeschichtlichen Fragen größtenteils beiseite lassen, um stattdessen herauszufinden, was der lukanische Text seinen damaligen Lesern sagte. Wir lassen beispielsweise Petrus und andere Judenchristen gerade die Menschen sein, die Lukas seinen Lesern vorstellt. Dies bedeutet, daß in der von Lukas aufgebauten Textwelt die beiden Taufformeln verschiedene Akzente davon ausdrücken, wie verschiedene Kreise den Jesus darstellen, der der Taufe ihre Bedeutung gibt. Dabei kümmern wir uns jedoch nicht darum, wie sich diese Textwelt zur Welt der Geschichte verhält.

Die Taufe wird als ein selbstverständliches Element erwähnt, wenn Lukas davon berichtet, wie Menschen der Kirche einverleibt werden, nachdem sie das Zeugnis aufgenommen haben. Theologischen Reflexionen über das Thema widmet er sich sehr wenig, wenn überhaupt. Folglich sollten wir vorsichtig sein, wenn wir die Taufe hervorheben, um sie als ein für sich stehendes Motiv zu betrachten. Im folgenden wird angenommen, daß Lukas eine zusammenhängende Auffassung von der Taufe hat und nicht der Ansicht ist, daß seine Hauptpersonen in dieser Angelegenheit anderer Meinung sind. Jedoch scheint das Material gewisse Spannungen zu enthalten. Das Verhältnis des Geistes zur Taufe wird somit verschieden dargestellt, und es kommen wie gesagt drei Taufformeln vor. Es ist gerade angedeutet worden, wie man mit der letztgenannten Spannung umgehen kann, und bald werden wir die Texte betrachten, in denen der Geist eine überraschende Rolle zu spielen scheint.

Weil die Taufnotizen in der Apg eben nur Notizen in der laufenden Erzählung sind, ist es überflüssig, alle einzelnen Belegstellen für sich zu behandeln. Stattdessen werden wir einige der Texte anschneiden, in denen die Taufe einen etwas breiteren Raum einnimmt oder problematisch ist. Danach werden noch weitere Texte angeführt, wenn wir wieder die abschließende Frage von den in Kapitel III angenommenen „Urmotiven" stellen.

---

[4] S. *Hartman*, La formule baptismale.
[5] S. oben, Kap. V.

2. Die Taufe am Pfingsttag

Der erste zu erörternde Text ist 2,37–42, der vom Erfolg der Pfingstpredigt des Petrus erzählt:[6]

„(37) Als sie das hörten, traf es sie mitten ins Herz, und sie sagten zu Petrus und den übrigen Aposteln: Brüder, was sollen wir tun? (38) Petrus sagte zu ihnen: Kehrt um, und jeder von euch sei auf den Namen Jesu Christi getauft zur Vergebung seiner Sünden; dann werdet ihr die Gabe des Heiligen Geistes empfangen. (39) Denn euch und euren Kindern gilt die Verheißung und all denen in der Ferne, die der Herr, unser Gott, ruft. (40) Und mit noch vielen Worten beschwor und ermahnte er sie: Laßt euch retten aus diesem Geschlecht der Verkehrtheit. (41) Die nun, die sein Wort annahmen, wurden getauft. An diesem Tag wurden etwa dreitausend Seelen hinzugefügt. (42) Und sie hielten an der Lehre der Apostel fest und an der Gemeinschaft, am Brotbrechen und an den Gebeten."

Das Zentrum des Berichts ist der Schritt der dreitausend. Vorher werden Hintergrund und Bedeutung dieses Schrittes beschrieben und danach das, wozu der Schritt führte. Die Voraussetzungen für das Erzählte sind die Rede des Petrus und die vorhergehende Ausgießung des Geistes auf die Apostel. Die Rede beginnt (2,16–21) mit einer Deutung der Geistausgießung: hier ist die Erfüllung der göttlichen Verheißung beim Propheten Joel (Joel 2,28–32a) gemeint, und Lukas führt eine eigene Charakterisierung der Zeit der Erfüllung an: sie geschieht „in den letzten Tagen" – im Grundtext steht nur „danach". Einerseits befindet sich Lukas hier in der frühkirchlichen Tradition, die ihrerseits die alttestamentlich-jüdische Überzeugung übernommen hatte, daß in der Heilszeit der Geist Gottes gegeben werden sollte. Andererseits hat Lukas auch seine eigene Sicht der Dinge. Die Endzeit hat nämlich schon mit Jesu Werk begonnen, und in dieser selben Endzeit rettet Gott jetzt Menschen durch die Mission, deren eigentlich treibende Kraft der Geist ist. Trotzdem steht das Ende nicht bevor, und es ist nicht die Sache der Menschen, sich Gedanken darüber zu machen, wann es kommt (1,7). In dieser Perspektive wird so zum ersten Mal das Zeugnis von Jesus in Apg 2 abgelegt. Gegen Ende der Rede werden die Juden der Kreuzigung Jesu angeklagt, obschon dieser jetzt auferstanden ist und zum Herrn und Messias gemacht worden ist (2,36). Diese Anklage macht den Zuhörern Gewissensbisse, und sie zeigen sich zur Umkehr bereit.
In der Antwort des Petrus ist viel von der in der Apg vertretenen Sichtweise

---

[6] Diese Predigt, wie andere von den Hauptpersonen gehaltene Reden der Apg, sind ein Niederschlag der genannten Konventionen der Geschichtsschreibung. Eine solche Annahme bedeutet jedoch selbstverständlich keine Leugnung einer Missionsverkündigung, auch nicht dessen, daß diese Reden gewissermaßen Themata solcher Missionsverkündigung wiedergeben können. S. z. B. *Wilckens*, Missionsreden.

der Taufe gesammelt. Der Ausgangspunkt ist die apostolische Verkündigung und deren Annahme. Dort beginnen die Schritte in die Kirche: Leute kehren um, in diesem Fall von „diesem Geschlecht der Verkehrtheit" (2,40),[7] das seinen Messias verworfen hat und so gegen Gott gesündigt hat.[8] Die Verkündigung in dieser Weise „anzunehmen" (2,41), kann an anderen Stellen „zum Glauben zu kommen" genannt werden (beispielsweise 8,12; 16,31; 18,8). Dieses Annehmen wird durch die Taufe ausgedrückt. Die passive Ausdrucksweise hat zwei Dimensionen: Teils, daß man den Schritt geht und dies mit sich geschehen läßt. Man kann sagen, daß sie eine Außenseite von der Annahme der Botschaft und von dem ist, was diese Botschaft für den Täufling bedeutet; teils ist gerade die Passivform als Passiv von Bedeutung.[9] Das äußere Zeichen ist etwas von einem anderen am Täufling Ausgeführtes, etwas wird einem gegeben. So wird die Taufe ein Zeichen, das die Vergebung Gottes vermittelt, in unserem Text in erster Linie der Sünden, derer die Zuhörer eben angeklagt worden sind, nämlich daß sie den Gesandten Gottes abgewiesen haben.[10] Aber im Leserkreis des Lukas bekommen selbstverständlich die Worte von der Sündenvergebung eine andere Tragweite. Wenn die Vergebung der Sünde der Abkehr von Gott gilt, bezieht sie sich auf heidnische Sünden (beispielsweise Apg 26,18), oder, wie im Fall der Juden, ist die zu vergebende Sünde die Tatsache, daß sie sich nicht denen angeschlossen haben, die sich an Jesus, den Messias, halten, durch den allein Gott Sünden vergibt (5,31; 13,38).

Diese Taufe ist also eine Taufe „im Namen Jesu Christi". Man wird wohl Lukas am besten gerecht, wenn man annimmt, daß der Ausdruck für ihn und seine Leser einen Sinn ergab. Im Joëlzitat am Anfang der Petrusrede wird auch angeführt: „jeder, der den Namen des Herrn anruft, wird gerettet" (Joël 2,32a; Apg 2,21). „Der Herr" ist der Herr Jesus, und ihn soll man also anrufen. Am Anfang der in der Apg beschriebenen Entwicklung stehend, hat dieses Zitat eine programmatische Funktion, und die angeführten Zeilen aus Joël werden zu einer Weissagung dessen, was die Menschen dem Text nach tun, wenn sie umkehren und getauft werden: Sie rufen den Herrn an und werden gerettet.

Dieselbe Thematik wird in Lk 24,44–49 behandelt, wo Jesus übergreifend von dem reden darf, was in der Zeit der Kirche geschehen soll. Die Elf und einige andere bekommen die Anweisung, daß sie im Namen Jesu Umkehr zur Vergebung der Sünden allen Völkern verkündigen sollen (24,47). Der Hintergrund dafür ist, daß der Messias gemäß den Schriften leiden mußte,

---

[7] Vgl. Dtn 32,5.
[8] Vgl. 3,19.
[9] S. hierzu *Barth*, Taufe 38ff.
[10] Vgl. 22,16.

um danach aufzuerstehen (24,46). Ja, Lukas drückt sich so aus, daß nicht nur das Leiden und die Auferstehung in den Schriften vorausgesagt sind, sondern auch die Verkündigung von Umkehr und Vergebung; sie gehören also auch zum göttlichen Plan für das Heil der Welt.[11] So werden auch die Leser, die die Missionsverkündigung erreicht hat, in den Heilsplan einbezogen.

In Lk 24 ist also von einer Verkündigung von Umkehr zur Vergebung im Namen Jesu die Rede, und in Apg 2 begegnet eine Taufe im Namen Jesu Christi zur Vergebung der Sünden, die auf eine zur Umkehr führende Verkündigung folgt. Offenbar beabsichtigen die beiden Texte ein Geschehen derselben Art.[12] Aber welche Rolle hat Jesus Christus? Erstens in Bezug auf die Sündenvergebung: in Apg 2 sagt Lukas nicht, daß sie wegen Jesu Leiden und Tod für Sünder gegeben wird, und auch sonst findet sich eine solche Aussage nicht.[13] Der Tod Jesu ist stattdessen der notwendige Weg des Messias zu seiner Herrlichkeit. Die Umkehr und die Vergebung bedeuten dann eher, daß man sich an diesen erhöhten und gnädigen Herrn (15,11) wendet, der schon während seines irdischen Lebens Sünder gnädig aufgenommen hatte.[14] In den Worten des programmatischen Joëlzitats: man „ruft den Namen des Herrn an".

Vor allem ist aber die Taufe auf den Erhöhten bezogen. Wenn auch der Ausdruck „im (auf den) Namen ..." vage ist, scheint Lukas zu meinen, daß die Taufe bezogen auf den Jesus, an den Lukas und seine Leser glauben, sinnvoll ist. Dieser Jesus ist dann der im Lukasevangelium Beschriebene, der in seine Herrlichkeit durch Leiden gehen sollte (Lk 24,26), der von den Juden verworfene Messias, der jetzt in der Verkündigung der Kirche Bezeugte, der jetzt gnädig Vergebende, derjenige, der jetzt die rettet, die ihn anrufen.

Dieser Jesus sendet auch gemäß der Verheißung des Vaters die Gabe des Geistes. So heißt es im Programm für die Zeit der Kirche in Lk 24,49. Gemäß Apg 2,38f wird die Gabe in Zusammenhang mit dem Eintritt in die

---

[11] Z. B. *Goppelt*, Theologie 607ff.

[12] S. auch die folgenden Texte: Lk 1,77 (Kenntnis des Heils in Vergebung der Sünden); Apg 5,31 (Jesus ist erhoben, damit Umkehr und Vergebung Israel zuteil werden); 10,43 (die Propheten bezeugen, daß dem Glaubenden durch seinen Namen vergeben wird); 13,38 (durch ihn wird Vergebung verkündigt); 26,18 (die Heiden werden sich bekehren, und durch den Glauben an Jesus wird ihnen vergeben werden).

[13] Auch Deutungen vom Tode Jesu, die dem Angesprochenen ähneln, fehlen so gut wie völlig in Lk-Apg (s. *Roloff*, Apg 306). Ausnahmen sind Lk 22,19, wo Lukas liturgische Tradition anführt, und Apg 20,28, das auch traditionell ist (Gottes Ekklesia, die er mit seinem Blut erworben hat; s. z. B. *Roloff*, Apg 306). Ich möchte meinen, daß Lukas hier versucht, Paulus paulinisch klingen zu lassen!

[14] *Schweizer*, Lk 225.

christliche Gemeinde gegeben, in dem Umkehr, Glaube, Taufe und Sündenvergebung zusammenhängen. Der Grund für die Verheißung des Petrus wird in 2,39 so angegeben: die Verheißung von Geist und Heil im angeführten Joëltext gilt denjenigen Zuhörern, die den Namen des Herrn anrufen. Vermutlich wird 2,39 nicht überinterpretiert, wenn man heraushört, daß die Verheißung „euch" aus zwei Gründen gilt: teils, weil jetzt die Zeit der Erfüllung der Verheißung gekommen ist (siehe auch 2,16f), teils, weil die Angeredeten „den Namen des Herrn anrufen". So „anzurufen" gilt auch für die anderen, denen die Verheißung gemäß Petrus gegeben ist, nämlich „all denen in der Ferne, die der Herr, unser Gott herbeiruft". Hier klingt die Fortsetzung der Joëlweissagung nach (Joël 2,32), und ihr Sinn wird dadurch erhellt, daß die Annahme der Verkündigung und Umkehr ihre Herbeiführung durch den Herrn bedeutet.[15]

In der Welt des Textes wird die Gabe des Geistes mit Ausdrücken stark charismatischer Natur beschrieben; sie ist „Kraft aus der Höhe" (Lk 24,49). Aber sie ist auch die Kraft hinter der Mission der Kirche. Für den Leserkreis des Lukas werden die ekstatischen Phänomene eine Erinnerung an das, was die Tradition von der ersten Zeit der Kirche erzählte. Man mag aber bezweifeln, daß Lukas meint, die Leser sollen das gleiche anstreben. Wahrscheinlich sollen sie sich eher das Wirken des Geistes in ihrem Kreis minder dramatisch vorstellen. Die ersten Christen werden ihnen vermutlich erst im Abschluß des Textes zum Vorbild, wo die dreitausend nicht in Ekstase fallen, sondern sich treu an der Lehre der Apostel, an der kirchlichen Gemeinschaft und am Gottesdienst festhalten.[16] Dies waren Züge, die für das Gottesvolk, in das Menschen durch die Taufe aufgenommen waren und in dem die Verheißungen für die letzte Zeit sich erfüllten, kennzeichnend sein sollten.

3. Die Korneliusgeschichte

Der nächste zu erörternde Tauftext gehört zu den für problematisch gehaltenen. Er besteht aus dem Schluß des Berichtes von Kornelius, in dem Petrus eine Rede an die in seinem Haus Versammelten hält. Der Beginn der Rede ist, daß Gott nicht auf die Person sieht – Kornelius ist ja Heide, auch wenn er ein sogenannter Gottesfürchtiger ist[17] –, sondern „ihm in jedem Volk willkommen ist, wer ihn fürchtet und tut, was recht ist" (10,35). Danach folgt „das Zeugnis", also die apostolische Verkündigung

---

[15] *Roloff*, a.a.O. 63.
[16] *Weiser*, Apg 85f.
[17] Für den Begriff und die Debatte darüber s. *Cohen*, Crossing the Boundary.

von Jesus, dem Getöteten und Auferweckten und zum Richter Bestimmten (10,37–42), und davon, daß die Propheten bezeugt haben, daß „jeder, der an ihn glaubt, durch seinen Namen die Vergebung der Sünden empfängt" (10,43).

An diesem Punkt in der Erzählung fällt der Geist auf die Zuhörer der Rede, was die anwesenden Judenchristen erstaunt. Aber Petrus zieht den Schluß: „kann jemand denen das Wasser zur Taufe verweigern, die ebenso wie wir den heiligen Geist empfangen haben?" (10,47). Darauf befiehlt er, daß man „sie im Namen Jesu Christi taufen" soll (10,48).

Als Petrus danach wegen seines Handelns zur Rede gestellt wird, liefert er unter anderem einen erläuternden Bericht von der Vision des Kornelius am Anfang der Erzählung. Demgemäß sollte Petrus „dir (Kornelius) Worte sagen, durch die du mit deinem ganzen Haus gerettet werden wirst" (11,14). Die vorherige Antwort des Petrus bezüglich der Verweigerung der Wassertaufe lautet diesmal so: „wer bin ich, daß ich Gott hindern könnte?" (11,17). Zum Schluß deuten die Judenchristen, die kritische Fragen gestellt hatten, das Ganze: „Gott hat also auch den Heiden die Umkehr zum Leben geschenkt" (11,18).

Dieses etwas weitläufige Referat kann uns helfen, die lukanische Darstellung der Taufe tiefer zu verstehen. Die Taufe gehört zu einem Ganzen, das auf verschiedene Weise charakterisiert wird: „Umkehr zum Leben" (11,18), „gerettet zu werden" (11,14), „von Gott empfangen zu werden" (10,35). Es umfaßt verschiedene Elemente: Verkündigung des Zeugnisses (10,37–43), Annahme des Wortes Gottes (11,1), Glauben an Jesus, der Sünden vergibt (10,43), Geistesgabe von Gott (10,46), Taufe im Namen Jesu Christi (10,48). Die meisten Handlungen der Erzählung werden von Menschen ausgeführt, aber sie sind dabei von Gott oder dem Geist getrieben: das gilt für die Einladung des Petrus, für sein Kommen, sowie für seine Rede („vom Herrn befohlen", 10,33). Gott allein aber steht für die Gabe des Geistes. Aber was ist mit der Taufe? Gemäß 10,47 konnte nichts verhindern, daß Menschen Kornelius und sein Haus tauften. Aber gemäß 11,17 sollte Petrus Gott nicht hindern! An was hindern? Etwa an der Gabe des Geistes, die er schon gegeben hatte? Vielmehr doch daran, durch die Taufe Menschen aufzunehmen (10,35) und ihnen das Leben zu geben (11,18), dadurch daß Menschen sich weigerten, die Taufe zu spenden.[18]

Wir sollten auch kurz die Tatsache ansprechen, daß hier von einem „Haus", also einer ganzen Familie, vielleicht auch mit Sklaven, erzählt wird, daß sie zum Glauben kommen, den Geist bekommen und getauft werden (derartiges findet sich auch in 16,4f und 18,8). Das Phänomen ist bei Paulus belegt, der nach 1 Kor 1,16 „das Haus von Stephanas" getauft hat. Dahinter steht

---

[18] Z. B. *Roloff*, a.a.O. 176.

die Tatsache, daß die Religion nicht, wie im modernen Westen, eine Sache des einzelnen war. Die Familie war der Kern der Gesellschaft, sozial und ökonomisch gesehen, und sie fungierte auch in der Religion als eine Einheit. Dieser Kollektivismus ging von der Person aus, die dem Haus vorstand, in der Regel vom Hausvater. Aber in Apg 16,14 nimmt eine Geschäftsfrau beim Eintritt in die neue Religion ihr „Haus" mit. Daß aber Mitglieder eines Hauses Christen geworden sind, ohne daß alle im Haus diesen Schritt getan haben, ist auch in neutestamentlicher Zeit belegt: 1 Kor 7,12f; 1 Petr 3,1; 1 Tim 6,1f.[19] In späteren Märtyrerlegenden ist es ein übliches Motiv.

4. Taufe und Geist in der Samarienmission

Apg 8,14–17 ist eine weitere problematische Stelle. Im Kontext hat Philippus das Evangelium in Samarien verkündigt und die zum Glauben Gekommenen getauft (8,12.16). Aber sie haben nicht den Geist empfangen, „weil sie nur auf den Namen Jesu, des Herrn, getauft waren" (8,16). Später kommen Petrus und Johannes, legen ihnen die Hände auf und beten für sie, so daß sie den Geist empfangen.

In einem Fall wie diesem ist es wichtig, daß die Fragen nach der Traditionsgeschichte des Textes von denen nach dem Sinn der Komposition in ihrer gegenwärtigen Gestalt unterschieden werden. Es ist demnach recht wahrscheinlich, daß die Aussagen in 8,14–17 direkt aus der Feder des Lukas stammen, während das Vorhergehende und das Nachfolgende auf Traditionen von Philippus, beziehungsweise Petrus zurückzuführen sind.[20] Der Sinn des vorliegenden Textes kann andererseits etwa wie folgt umschrieben werden: Lukas will die wachsende Kirche an den Ausgangspunkt des Zeugnisses, Jerusalem, binden, gerade deshalb, weil der Schritt nach Samarien der zweite auf dem in 1,8 angegebenen Weg ist: „Wenn der Heilige Geist über euch kommt, werdet ihr Kraft empfangen, und ihr werdet meine Zeugen sein, in Jerusalem und in ganz Judäa und Samarien ..."[21] So hebt der Text hervor, daß, wenn auch die Samarienmission nicht von den von

---

[19] Die Stellen, nach denen Häuser getauft worden sind, sind als Argument in Debatten um die Kindertaufe verwendet worden. Aber ihr Argumentationswert ist zweifelhaft, nicht weil in diesen Fällen (kleine) Kinder vielleicht nicht zum Hause gerechnet werden würden, sondern weil die Sicht von der Familie als einer religiösen Einheit kaum in dem Umfeld vorliegt, in dem man heutzutage diese Debatten führt.

[20] *Weiser*, a.a.O. 200.

[21] Es ist somit nicht ratsam, hier Spuren verschiedener Riten anzunehmen, und zwar einer Wassertaufe und einer den Geist verleihenden Handauflegung (*Quesnel*,

Christus Gesandten angefangen wurde, sie doch auf diese Weise in die vom Geist des Zeugnisses getriebene Mission einbezogen worden ist, für die die Apostel verantwortlich waren.[22]

5. Einzelheiten des Taufritus?

Die Erzählung des Lukas von der ersten Zeit des Christentums läßt annehmen, daß sich hier vermutlich einige Einzelheiten des Taufritus widerspiegeln. 8,15–17 und 19,6 können andeuten, daß Gebet und Handauflegung dazu gehörten. O. Cullmann hat vorgeschlagen, daß 8,36; 10,47 und 11,17 bezeugen, daß in dem Ritus die Frage gestellt wurde, ob etwas an der Taufe des Täuflings „hindere".[23] Es kann sein, daß hier ein ritueller Zug aus der kirchlichen Umgebung des Lukas durchschimmert,[24] aber für eventuell dahinterstehende Traditionen lassen sich keine Schlüsse ziehen.

In gewissen Handschriften gibt es ferner für 8,37 einen längeren Text, gemäß dem Philippus dem äthiopischen Hofbeamten antworten darf: „Wenn du aus ganzem Herzen glaubst, ist es möglich. Er antwortete, ich glaube, daß Jesus Christus der Sohn Gottes ist". Der Text ist nicht ursprünglich, aber geht sicherlich auf ein Element in dem Taufritual der altkirchlichen Umgebung zurück, in der die Variante in den Text eingeführt worden ist.

Noch eine mögliche taufgottesdienstliche Einzelheit kann sich in 22,16 widerspiegeln: „steh auf, laß dich taufen und deine Sünden abwaschen, indem du seinen Namen anrufst" (siehe auch 2,21). Es ist also gut möglich, daß bei der Taufe der Name Jesu genannt oder er selbst angerufen wurde in der Weise, die deutlich macht, daß die Taufe „auf" seinen „Namen" gespendet wurde.[25]

Es ist außerdem wahrscheinlich, daß durch die Taufe die Täuflinge irgendwie bekannten, daß sie „glaubten". Dies könnte die Erklärung dafür sein,

---

Baptisés dans l'Esprit 177, 194). Dem widerspricht nicht, daß Lukas indirekt hier ausdrückt, daß Handauflegung und Gebet bei der Taufe vorkamen (s. auch 19,6.17).

[22] Z. B. *Roloff*, a.a.O. 135; *Weiser*, a.a.O. 204.

[23] *Cullmann*, Tauflehre 65ff. Die Frage taucht in *Ps.Clem.*, Hom. 13,5.1 und 11.2 auf. Auch Mt 19,14 par wird im Zusammenhang angeführt; nichts sollte daran „hindern" daß Kinder zu Jesus kämen, d. h. getauft würden! Mit Recht weisen u. a. *Gnilka* (Mk II 81) und *Pesch* (Mk II 132) diese Deutung zurück.

[24] *Weiser*, a.a.O. 211.

[25] Jak 2,7 ist von dem „über" die Adressaten genannten Namen die Rede; in Fußnote 48 von Kap. III oben habe ich Stellung zum Vorschlag genommen, die Wendung gehe auf ein Element des Taufgottesdienstes zurück.

daß in verschiedenen urchristlichen Kreisen „glaubend" oder „gläubig" durchgehend Bezeichnungen der Christen sind.

Noch eine Frage zur liturgischen Praxis: in allen Berichten der Apg von Taufe und Bekehrung folgen die Schritte sehr schnell aufeinander: am deutlichsten ist das Beispiel des Gefängniswärters in Philippi, wo das Ganze als ein Geschehen in einigen nächtlichen Stunden dargestellt wird. Dann ist auch „das Haus" mit eingeschlossen (16,30–34). Hat Lukas sich vorgestellt, daß die Umkehr der dreitausend am ersten Pfingstfest eine Geschichte von einigen Stunden war? Unsere Frage ist nicht, was tatsächlich in der jeweiligen Situation passierte – bzw. ob überhaupt etwas geschah –, sondern zum einen: hat Lukas eine Tradition gekannt, nach der am Anfang sehr schnell getauft wurde?; zum anderen: war es in seinem eigenen kirchlichen Umfeld so? Mit 1 Kor 1,12–17 läßt sich die Annahme begründen, daß in Korinth eine Zeit des Unterrichts der Taufe vorausging. Die Frage ist aber nicht leicht zu beantworten. Wir können damit rechnen, daß Lukas sich erlaubt, die Perspektive sozusagen zu verkürzen, und daß er als Verfasser stilisiert und vereinfacht. Ferner kann angenommen werden, daß die Beschreibung der schnellen Erfolge des Zeugnisses unterstreichen soll, wie mächtig die „Kraft aus der Höhe" (1,8) hervorgebrochen ist und wie gewaltig die Überzeugungskraft der Botschaft war. Das heißt, hier findet sich dieselbe Tendenz wie bei den Angaben von den großen Mengen Bekehrter in 2,41; 2,47; 4,4; 5,14; 11,21; 14,1.

So weit könnte es sich also in den Berichten über die schnelle Abfolge der Schritte von der Annahme der Botschaft bis zur Taufe mehr um Ideologie als um historische Wirklichkeit handeln. Aber ein Faktor veranlaßt mich, mit der Möglichkeit eines historischen Hintergrundes zu rechnen. Dieser Faktor ist das Erbe von Johannes dem Täufer und dem Judentum. Johannes, wie die ersten christlichen Verkündiger, wandten sich Mitjuden zu, und Prediger und Zuhörer hatten eine vorliegende gemeinsame Basis, auf die die Umkehrverkündigung baute. Die Zuhörer wußten, zu welchem Gott sie umkehren sollten, beziehungsweise sie hatten zureichende Kenntnis von jüdischen eschatologischen Erwartungen, um eine Botschaft von einem Messias, und sogar von einem gekreuzigten und auferstandenen Messias, begreifen zu können.[26] Im Falle Johannes' des Täufers gibt es keinen Grund anzunehmen, daß eine Art Katechumenat der Taufe vorausging und wohl auch nicht unter den zum Christentum bekehrten Juden der ersten Zeit. Hier hatte die christliche Gemeinschaft in der Folgezeit mehr Kenntnis von dem Jesus, auf dessen Namen sie getauft worden waren. Als dagegen die Mission weiter in nicht-jüdische Kreise vordrang, wurde es natürlich und notwendig, daß Formen einer Einführung in den christlichen

---

[26] *Jeremias*, Kindertaufe 36.

Glauben und die christliche Ethik herausgebildet wurden. Anfangs waren sie wohl relativ informell, später mehr etabliert. Schon der Bericht vom Gefängniswärter in Philippi deutet eine ultrakurze Einführung in den christlichen Glauben an, indem auf die Frage des Wärters, was er tun soll, um gerettet zu werden, Paulus und Silas antworten: „Glaube an den Herrn Jesus, und du wirst gerettet werden, du und dein Haus." Danach erzählt Lukas: „und sie sprachen zu ihm und zu allen in seinem Haus das Wort des Herrn" (16,31f).

Trotzdem tappen wir in Bezug auf die erste Zeit im Dunkeln. Die Andeutungen in 1 Kor 1, daß Korinther sich um solche sammelten, die sie getauft (und unterrichtet) hatten, sind ein Indiz. Hebr 6,1f nennt Dinge, die zu einem solchen Elementarunterricht gehört haben können. Ferner sind Bibelwissenschaftler der form- und traditionsgeschichtlichen Richtung nicht ohne Grund der Meinung, auf Fragmente oder größere Teile von Taufbekenntnissen, Taufmahnungen oder Taufliturgien in den neutestamentlichen Briefen hinweisen zu können.[27] Ihre Resultate deuten auch in die Richtung, daß zu der Zeit, in der Lukas schreibt, ja bereits früher, die Täuflinge während einer Zeit vor der Taufe Kontakt mit dem christlichen Glauben und Leben hatten. Wenn wir zur Didache am Anfang des 2. Jahrhunderts kommen, finden wir dort die ethischen Weisungen der „Zwei Wege" (Did 1–6), und die Anordnung des Abschnitts unmittelbar vor die Anweisungen für die Taufe zeigt, daß es sich gerade um einen Taufunterricht handelt. Dort wird auch vorgeschrieben, daß der Täufling wie der Täufer einen oder ein paar Tage vor der Taufe fasten sollen (7,4). Einige Jahrzehnte später begegnen wir der Bereitung der Taufkandidaten ausdrücklich bei Justin dem Märtyrer (Apol I.61) und danach bei Hippolytos (Apost. Trad. 20) und Tertullian (De baptismo).

6. Die „Urmotive"

Wenden wir uns so noch einmal der Frage zu, welche Rolle die „Urmotive" spielten, von denen wir annahmen, daß sie bedeutungsvolle Faktoren im frühen Taufdenken waren. Wir haben gesehen, wie die Taufe nach Apg 2 zur Rettung der letzten Tage gehört, das heißt, sie wird in einen *eschatologisch* gedachten Kontext eingefügt, während jedoch die Eschatologie in einer besonderen lukanischen Weise verstanden wird. Die zu Umkehr und Glauben führende Verkündigung erwähnt bisweilen (wenn an Heiden gerichtet) das kommende Gericht durch Christus (10,42; 17,31). Aber nicht die Drohung einer bevorstehenden Krise prägt Umkehrverkündigung und

---

[27] S. *Vielhauer*, Geschichte der urchristlichen Literatur 39f.

Taufe, sondern die Vorstellung, daß jetzt die eschatologischen Gaben gegeben werden, die vom Werk Jesu und seiner Erhöhung abhängen und dadurch frei geworden sind.

Zu den erwähnten Gaben gehört der *Geist* (2,38; 8,14–17; 10,44ff; 19,1–6). Er ist mit der Taufe eng verknüpft. Es kann aber sein, daß Verschiedenheiten zwischen Kirchen eines mehr katholischen Typs (einschließlich Lutheraner und Anglikaner) und solchen einer mehr non-konformistischen Richtung dazu geführt haben, daß man allzu viel Präzision von Lukas begehrt hat. Die Frage ist zum Beispiel gestellt worden: gibt die Taufe als ausgeführter Ritus (ex opere operato) den Geist, oder bringen Umkehr und Glaube Gott dazu, ihn zu geben?[28] Aber Lukas hält das Ganze in einer für ihn selbstverständlichen Weise zusammen, wobei ein Aspekt grundlegend ist, und zwar, daß der Geist im ganzen Prozeß von Mission, Verkündigung und Eintritt in die gerettete Gemeinde durch die Annahme der Botschaft und Taufe wirksam ist. Zudem ist der Geist auch am Werk in dieser Gemeinde. In der Zeit des Lukas scheint sich dieses Werk des Geistes in und mit dem einzelnen weniger in Außergewöhnlichem zu äußern als im „Festhalten" an der apostolischen Lehre, an der Kirchengemeinschaft und am Gottesdienst (2,42).

Wenn in der Neuzeit Christen Wassertaufe und Geistestaufe gegenübergestellt haben,[29] ist Apg 1,5 in einer Weise verwendet worden, die Lukas kaum gerecht wird.[30] Nach Lukas sagt dort der Auferstandene: „Johannes taufte mit Wasser, aber ihr werdet in wenigen Tagen mit Heiligem Geist getauft werden." Der Unterschied zwischen den beiden Taufen ist nicht in einer christlichen Wassertaufe und einer christlichen Geistestaufe zu suchen. Statt dessen wird die Gabe des Geistes an die Kirche der bloßen Wassertaufe von Johannes gegenübergestellt (siehe auch 11,16 und 19,2ff). Wie wir gesehen haben, wird in der Apg diese Gabe mit dem Eintritt in die Kirche durch Umkehr, Glauben und Taufe verbunden. Auf die Frage, ob die Apostel zuerst mit einer Wassertaufe getauft waren, um danach mit einer Geistestaufe getauft zu werden, gibt Lukas einfach keine Antwort. Auch in diesem Fall sollten wir zwischen einer historischen Frage und einer nach dem Sinn des Textes unterscheiden. Die zweite ist eben beantwortet worden. Auf die erste kann mit einiger Wahrscheinlichkeit folgende Antwort gegeben werden: Nein, die Apostel waren nicht mit einer christlichen Wassertaufe getauft, einige von ihnen dagegen mit der

---

[28] S. z. B. *Beasley-Murray*, Baptism 266–279.

[29] *M. Barth*, Die Taufe – ein Sakrament? und *K. Barth*, Das christliche Leben 3–44, unterscheiden die beiden scharf. Ferner *Dunn*, Baptism 58–102; *Pesch*, Apg I 281–285.

[30] *G. Barth*, Taufe 62ff.

Taufe des Johannes. Der lukanische Text hilft uns kaum bei der Beantwortung der Frage, warum die Apostel nicht getauft wurden. Mögliche Antworten müssen hypothetisch bleiben, beispielsweise daß sie sich schon zu Jesus bekehrt hatten, als sie von ihm berufen wurden; ferner hatten sie mit ihm bis zu seiner „Aufnahme" (1,21f) gelebt und nahmen so eine Sonderstellung ein.[31]

Daß die Taufe in der Apg mit *Missionsverkündigung, Umkehr*[32] und *Glauben*[33] verknüpft ist, ist ja deutlich genug. Die Verkündigung ist dann mit lukanischen Augen betrachtet das „Zeugnis" vom Auferstandenen. Für die Heiden ist die Umkehr eine solche von der Finsternis des Heidentums (11,38; 13,48f), für die Samarier eine von ihrer Art von Judentum, von den Zaubereien des Simon vertreten (8,10–13), und für die Juden eine Umkehr von ihrer Feindschaft gegen Jesus, den Messias.

Die Umgekehrten traten in die *Kirche* ein, die gerettete Schar der Endzeit,[34] die nach 2,42 „an der Lehre der Apostel festhielt" und so weiter. Zum Geschehen beim Eintritt gehörte auch die *Vergebung der Sünden*. Sie ist eine Folge des Empfangens der Verkündigung[35] oder des Glaubens (10,43; 26,18). Einige Male wird sie mit der Taufe verbunden. So ist es in 2,38 der Fall, wie auch in 22,16, wo der ehemalige Verfolger Paulus den Befehl bekommt: „laß dich taufen und deine Sünden abwaschen". Auch diesmal wird man Lukas nicht gerecht, wenn man die verschiedenen Elemente des Christwerdens voneinander trennt. Sie bilden eine Einheit, und die Taufe ist das sammelnde, sichtbare und wirksame Zeichen, um das die anderen gruppiert werden können. Die angeführte Stelle 22,16 gibt ihr eine direkt „sakramentale" Funktion, aber eine, die nicht von den anderen Elementen isoliert werden kann.

Schließlich ist die Taufe auf *Christus* bezogen. Unsere Diskussion von 2,38 und seinem Kontext stellte uns einen Christus vor, der der im Lukasevangelium geschilderte Jesus ist, aber der nun sowohl der Messias als auch der erhöhte Herr ist. Er ist die grundlegende Referenz des ganzen Prozesses, in den die Taufe eingeht: in seinem Namen wird Rettung gegeben (4,12), die Predigt von ihm führt zum Glauben oder wird angenommen,[36] in seinem Namen wird allen Völkern Umkehr zur Vergebung der Sünden gepredigt (Lk 24,47).

So können wir feststellen, daß in der Apg alle sogenannten Urmotive wohl

---

[31] In diese Richtung geht *Beasley-Murray*, a.a.O. 97.

[32] Z. B. 2,38; 3,19; 8,22; 17,39; 26,20.

[33] Z. B. 8,12f; 9,42; 10,43; 14,23; 16,31.

[34] 2,40ff; 11,18; 13,48.

[35] 3,19; 5,31; 13,38.

[36] 4,4; 8,12ff; 9,42; 11,1; 13,48; 14,1; 17,11.

vertreten sind, aber in einer Form, die genau mit der lukanischen Sicht davon übereinstimmt, wie das, was „sich bei uns ereignet hat" (Lk 1,1), in der Zeit der Erfüllung immer mehr Menschen bekannt wird und von immer mehr Menschen bis an das Ende der Erde (1,8) angenommen wird. Noch ist das Ziel nicht erreicht, aber Lukas sieht ihm entgegen. Jedoch scheint er nicht in Bedrängung zu sein, weder durch die Möglichkeit, daß es nahe ist, noch dadurch, daß es vielleicht fern ist.

X. Das Matthäusevangelium

Im Kapitel über Johannes den Täufer sahen wir, wie in der matthäischen Redaktion der Bericht über die Taufe Jesu (Mt 3,13–17) nicht nur etwas von der Hauptperson des Evangeliums und seinem Wesen sagt, sondern auch den Lesern Jesus als ein Vorbild darstellt, insofern schon der Herr der Christen einmal mit Wasser getauft wurde. Am Ende des Evangeliums (28,18b–20) wird die Taufe den Christen direkt vom Auferstandenen geboten:

> „Mir ist alle Macht gegeben im Himmel und auf der Erde. Darum geht, und macht alle Völker zu meinen Jüngern, indem ihr sie tauft auf den Namen des Vaters und des Sohnes und des Heiligen Geistes und sie lehrt, alles zu befolgen, was ich euch geboten habe. Und siehe, ich bin bei euch alle Tage bis zum Ende der Zeit."

Was hier über die Taufe steht, gibt keine Worte des historischen Jesus wieder – das wurde schon im Kapitel über den Ursprung der Taufe erwähnt. Vielmehr kann der Befehl, historisch gesehen, für einen Ausdruck der Überzeugung des Evangelisten und seiner Kirche gehalten werden, daß die Taufe der Kirche in Einklang mit dem Willen des Auferstandenen stand.[1] So ist es auch wahrscheinlich, daß im Text ein Echo der in der kirchlichen Umwelt des Mt gebrauchten Taufformel zu hören ist; eigentlich wäre es ja sonderbar, wenn man dort vom Wortlaut dessen abweichen würde, was als Befehl Jesu dargestellt war.

Traditionsgeschichtlich gesehen ist der Text in seiner gegenwärtigen Form spät, aber es ist nicht haltbar, ihn als einen nachträglichen Einschub zu betrachten.[2] Die Feder des Evangelisten hat deutliche Spuren hinterlassen, aber besonders die Taufformel ist, wie angedeutet, Tradition.[3]

Die Autorität Jesu prägt die ganze Szene. Das wird schon dadurch ersichtlich, daß die Jünger Jesus gegenüber eine Ehrfurcht zeigen, die Gestalten göttlicher Würde oder hohen menschlichen Potentaten zukommt. Auf diese Autorität wird dann ausdrücklich in den ersten Worten Jesu hingewiesen: „alle Macht im Himmel und auf der Erde". Schon früher in Mt ist Jesus mit Vollmacht aufgetreten (7,29; 9,6ff; 21,23–27), wobei es sich um die Autorität seiner Lehre, um die Vollmacht, Sünden zu vergeben, und um die Macht hinter seinen Werken gehandelt hat. Er ist so als Gottes Bevollmächtigter in seinen Werken und Worten dargestellt worden. Ja, schon im Leibe seiner Mutter ist er vom Geist Gottes (1,18).

---

[1] Z. B. *Barth*, Taufe 16f; *Roloff*, Apg 62; *Schweizer*, ThWNT VI 399.
[2] *Nepper-Christensen*, Die Taufe im Matthäusevangelium 203 (dort auch mehr Literaturhinweise).
[3] Z. B. *Gnilka*, Mt II 504.

Aber in 28,18ff ist die Macht Jesu umfassender dargestellt als vorher in Mt.[4] Die Worte „mir ist alle Macht im Himmel und auf der Erde gegeben" stehen dem Inhalt des hymnischen Abschnitts Phil 2,5–11 nahe: „darum hat Gott ihn über alle erhöht und ihm den Namen verliehen, der über alle Namen ist" (2,9). „Der Name über alle Namen" ist der Name Gottes. Es handelt sich hier selbstverständlich nicht um einen einfachen Namenswechsel, sondern darum, daß der Name davon Zeugnis gibt, was jemand ist. In Mt umschreibt das Passivum „mir ist … gegeben" „Gott hat mir gegeben", und „alle Macht im Himmel und auf der Erde" gehört eigentlich zu Gott. In beiden Texten begegnen wir also dem Gedanken, daß Jesus nach durchgeführtem Werk auf Erden mit Gottes Macht bekleidet worden ist. Im Laufe der Zeit hat dieser Gedanke zu vielen theologischen Anstrengungen und Auseinandersetzungen Anlaß gegeben. Das Problem, um das es geht, ist, wie man an dem grundliegenden Monotheismus festhält und zugleich die göttliche Natur Christi bekennt. In der matthäischen Umwelt hat sicherlich Ps 110 (der in Mt 22,44 angeführt wird) dazu beigetragen, die Vorstellungswelt zu formen: „Der Herr sprach zu meinem Herrn: Setze dich mir zur Rechten."[5] Doch ist in 28,18f nicht von einem Inthronisationsbild die Rede.[6] Dieser Sachverhalt ändert sich auch dadurch nicht, daß im Text Züge aus dem Bild von Dan 7,13 durchschimmern, das eine solche Szene darstellt. Dort wird der Menschensohn zum Hochbetagten hingeführt und ihm „Herrschaft, Würde und Königtum" verliehen, indem ihm „alle Völker, Nationen und Sprachen" dienen müssen.[7]

Der Auferstandene hat ungefähr die Position von Gottes Vizeregent mit kosmischer Vollmacht. Man mag diskutieren, ob Matthäus meinte, diese Macht wäre geringer, wenn Jesus nach 9,2 Sünden vergab; unbestreitbar ist jedenfalls, daß der ihm hier zuerkannte Machtbereich unermeßlich größer ist als in der Epoche, in der er sich nur zu den verlorenen Schafen des Hauses Israels gesandt sah (15,24). Jedoch waren sicherlich der Evangelist – wie seine Kirche – überzeugt, als sie bekannten: „Höre, Israel, der Herr,

---

[4] *Lange*, Erscheinen des Auferstandenen 25–95, erörtert den Machtbegriff des Textes.

[5] Das Zitat spielt auch eine Rolle in Apg 2,34ff (von Auferstehung und Erhöhung), Röm 8,34 (Christus, der Auferweckte, bittet jetzt für die Menschen), 1 Kor 15,25 (der Auferstandene und Erhöhte herrscht nun in Erwartung davon, daß alles ihm untergeordnet wird, um danach sich selbst dem Vater unterzuordnen), Eph 1,20–23 (der Auferweckte ist allem übergeordnet, einschließlich allen Mächten), Kol 3,2 (der auferweckte Christus zur Rechten Gottes), Hebr 12,2 (er ist nach überstandenem Leiden inthronisiert).

[6] Von *Lange*, a.a.O. 478, hervorgehoben.

[7] *Lange*, a.a.O. 218–246, erörtert ausführlich die Kombination.

dein Gott, ist einer ..." (Dtn 6,5).[8] Zweifelsohne haben sie nicht gemeint, daß Gott, der Vater, abgedankt und alle Macht dem Sohne übergeben hatte. Eine denkbare matthäische Sicht wäre eher, daß, nachdem der Sohn sein Werk auf Erden durchgeführt hat, die Gottesherrschaft endgültig dadurch geprägt ist, daß in dem, was Jesus tat, sagte und war, Gott sich den Menschen mitgeteilt hat.

Das, was Jesus tat, sagte und war, ist auch der Ausgangspunkt des in 28,19f gegebenen Befehls, dessen Kern ist, daß alle Menschen zu seinen Jüngern gemacht werden sollen. Weil die Herrschaft so umfassend ist, wird die Aufgabe auf „alle Völker" ausgestreckt, sowohl auf Juden als auch auf Heiden. Bei Mt heißt Jüngerschaft, sich der göttlichen Herrschaft zur Verfügung zu stellen, die hier vom Auferstandenen vertreten wird,[9] ferner die Geheimnisse des Reiches kennenzulernen (13,1f), Jesus zu „folgen", das heißt, so zu leben wie er es tat und lehrte, und dabei zum Leiden bereit zu sein (16,24f). Aber es bedeutet auch „bei" ihm zu sein (28,20).

Menschen zu Jüngern zu machen beinhaltet auch die Lehre von Jesu Geboten. Im Kontext ist es das von Jesus in der Darstellung des Matthäusevangeliums Gebotene, einschließlich die leicht judenchristliche Färbung des Verständnisses von Tora und Ethik, die für Mt typisch ist.[10] Es ist besonders in der Bergpredigt (5–7), der Aussendungsrede (10) und den Gemeinderegeln (18) sichtbar.

Wenn die Ausgesandten Menschen zu Jüngern machen wollen, sollen sie sie taufen, und zwar auf den Namen des dreieinigen Gottes.[11] Mt 18,20 („auf meinen Namen gesammelt") zeigt, daß der Evangelist und natürlich auch seine Umgebung die „auf den Namen"-Formel zu benutzen wissen, und zwar in der nahezu technischen Art, die ich oben im Kapitel III nachzuweisen versuchte. Der genannte Name gab dabei die grundlegende Referenz eines Ritus an. Hier ist der „Name" nicht „der Herr Jesus" oder „Jesus Christus (Messias)". Dies bedeutet nicht, daß Jesus nicht als der Herr oder als der Messias angesehen wird – das geht schon aus der Einleitung des Missionsbefehls hervor, und für das Evangelium als ganzes ist der Gedanke von der Messianität Jesu ein Kernstück. Aber gerade dieser Hintergrund hat zur Folge, daß die Taufe in ein Ganzes eingesetzt wird, wo das Werk Jesu in ein großes Werk Gottes gehört. In Tit 3,4–7 haben wir gesehen, wie ein anderer Theologe ähnliche Betrachtungen anstellte.[12] Eine Ursache

---

[8] Gerhardsson hat in vielen Beiträgen auf die Rolle dieses Bekenntnisses im Matthäusevangelium hingewiesen. S. z. B. *Gerhardsson*, The Parable of the Sower.

[9] Vgl. 4,18–22.

[10] *Luz*, Mt 62–72.

[11] In älteren Texten findet sich die Dreifaltigkeitsform, auch in Did. 7,1.3; *Justin*, Apol. 1,61; *Irenäus* (lat.), 3.17,1; *Tertullian*, De bapt. 13; De praescr. 7,20.

[12] S. auch Eph 1–2.

dieser Entwicklung ist wohl eine fortgehende theo- und christologische Reflexion, die auch durch die Veränderungen der Kirche bedingt war. Einerseits war sie jetzt unter „allen Völkern", und der Glaube an den einen Gott war nicht mehr ein selbstverständlicher Grund des Bekenntnisses zum Herrn Jesus und der Taufe. Andererseits – und dies gilt vor allem für das Matthäusevangelium – ist sie zwar aus dem Judentum herausgetreten, aber sie setzt sich trotzdem mit ihm auseinander. Bei dieser Auseinandersetzung ist es den Christen wichtig, sowohl für den Glauben an den einen Gott einzutreten, wie für den Glauben an den Sohn des Vaters, einen Sohn, der jedoch kein anderer Gott ist. Gottes Geist war in dem Sohn und seinem Werk wirksam (3,13–17; 12,15–37),[13] und dieser Gedanke hilft, am Monotheismus festzuhalten.

Im Kontext des Mt ist die Taufformel mit dem befrachtet, was der Leser vom übrigen Evangelium mit sich gebracht hat. In der Formel hört er also von dem Gott, den Jesus seinen Vater nannte.[14] Dieser Vater ist der Schöpfer und Erhalter von allem (6,26; 10,29), er hat den Sohn gesandt und ihm seinen Auftrag gegeben (11,27; 26,42 ...), er hält die Geschichte in seiner Hand und ist der äußerste Maßstab für alles, was gut und recht ist.[15]

Der Sohn ist gerade Sohn. Festzuhalten ist, daß hier keine anderen christologischen Titel stehen, weder „Menschensohn", noch „Herr" noch „Christus". Die Sohn-Titulatur impliziert, daß er, im Gehorsam gegen den Willen des Vaters, seinen Willen tut und seinen Heilsplan verwirklicht.[16]

Der Geist wirkt von Anfang an in der Person Jesu (3,13–17) und in seiner Tätigkeit (12,15–37). Wahrscheinlich war der Evangelist der Meinung, daß das Werk, das der Sohn im Auftrag des Vaters durchführte, in der Zeit des Evangelisten von demselben Geist fortgeführt wurde, dem Geist des gegenwärtigen und wirksamen Gottes.[17] Ein anderer Ausdruck für diese Denkart sind die Schlußworte „siehe, ich bin bei euch".

Was noch von diesen Versen zu sagen ist, wird mitbeantwortet, wenn wir nun die Frage stellen, inwieweit die Motive in Mt vertreten sind, die wir als sehr früh zur Taufe gehörig ansahen. Dann ist erstens zu bemerken, daß die Taufe hier im Zusammenhang einer *Missionsverkündigung* gespendet wird, um Menschen zu Jüngern zu machen. Die Termini *Umkehr* und *Glaube* kommen nicht in Mt 28,18–20 vor, aber zweifelsohne gehören solche Dinge

---

[13] *Schweizer*, Mt 187f, 349f. Also sündigen gegen den Geist die Juden in der Umgebung des Mt, die sich weigern, dies einzusehen.
[14] 7,21; 10,32; 26,42 usw.
[15] 6,1.10.15; 7,21; 18,14; 24,36; 25,34.
[16] 4,3.6; 16,16ff; 21,37ff; 26,36.46.
[17] Vgl. 10,20. S. *Schweizer*, ThWNT VI 399ff.

zum Geschehen, wenn Leute auf Grund der Verkündigung Jünger werden (4,17; 11,20f). 18,6 deutet an, daß auch in der matthäischen Kirche die Christen „die Gläubigen" genannt wurden.

Die *Christusbeziehung* der Taufe gründet in der weltweiten Macht des Auferstandenen. Als ein Element des Jüngerwerdens gehört die Taufe zu der Verwirklichung dieser Macht. Man kann sich aber die Frage stellen, welche Rolle etwa der Tod und die Auferstehung Jesu hier spielen. Sein Tod ist auch in Mt ein Tod „für die vielen" (20,28). Er gehörte zum Auftrag, den der Vater dem Sohn gegeben hatte (26,36–46), und führte, via Auferstehung, zur Herrschaft, die in der Mission verwirklicht werden sollte. Aber der Evangelist verbindet in keiner Weise den Tod und die Auferstehung mit der Taufe. Sie werden stattdessen Etappen auf dem Wege zu der Herrschaft, in die Menschen unter anderem durch die Taufe einbezogen werden sollen.

Wir sahen, daß im Matthäusevangelium die Johannestaufe keine Taufe zur *Vergebung der Sünden* war. Stattdessen sollte Jesus „sein Volk von seinen Sünden retten" (1,21). Als er Sünden vergab (9,2–8), war es ein Teil der Aufgabe, das Himmelreich zu errichten. Sein Blut wurde „für viele zur Vergebung der Sünden" vergossen, welches im Abendmahl vergegenwärtigt wird (26,28). Gemäß 18,15–20 ist das in der Kirche nach Jesu irdischem Leben Gelöste auch im Himmel gelöst. Aber auch diese Vergebung ist nicht mit der Taufe verbunden. Daß sie sozusagen im Namen Jesu in der matthäischen Kirche gegeben wurde, ist klar, aber es wird nicht deutlich, daß die Sündenvergebung eine Gabe bei der Taufe war. Jedoch müßte es naheliegen, daß dies der Fall war. Denn wenn jemand in den neuen Bund (26,28), in die durch das göttliche Heilswerk errichtete Herrschaft aufgenommen wurde, wäre es natürlich, daß er von den Sünden des Vergangenen gereinigt wurde.[18] Insofern ferner die Taufe der Kirche der Johannestaufe gegenübergestellt wurde, dieser aber nicht die Gabe der Sündenvergebung zuerkannt wurde, könnte man vermuten, daß umgekehrt die Vergebung mit der christlichen Taufe verbunden wäre. Aber Sicherheit ist nicht zu erlangen.

Die Verknüpfung der Taufe mit dem *Geist* ist offensichtlich, aber kaum in dem Sinn, daß er ekstatische Gaben verleiht, sondern vielmehr als Ausdruck der Überzeugung, daß hier der Geist, Gott gegenwärtig und wirksam, das Werk des vom Vater bevollmächtigten Sohnes vergegenwärtigt. Im obigen Abschnitt von der Taufe des Täufers wurde 3,11 gestreift: „er wird euch in Heiligem Geist und Feuer taufen". Die Stelle muß etwas zur Denkweise des Evangeliums und seiner Leser bezüglich ihrer Taufe sagen. 28,18–20 gibt Anlaß, das Täuferwort so zu verstehen: der Jesus, der in der Kraft des Geistes (3,16) wirksam war, war auch in der Weiterführung des

---

[18] *Trilling*, Das wahre Israel 32–35.

Werkes wirksam, wenn Menschen zu Jüngern gemacht wurden und in seine weltweite Herrschaft, unter anderem durch die Taufe, aufgenommen wurden.

Schließlich findet die Mission mit der damit verbundenen Taufe in einer *eschatologischen Perspektive* statt. Die Taufe wird somit „bis ans Ende der Zeit" gespendet. Eine eschatologische Perspektive anderer Art besteht darin, daß Matthäus und seine Kirche davon überzeugt sind, daß der verheißene Messias gekommen ist, der jetzt alle Macht im Himmel und auf der Erde hat. Zur selben Überzeugung gehört, daß die Taufe zur Verwirklichung dieser Macht gehört, weil sie eine Phase des Jüngerwerdens ist. Sie ist also gewissermaßen eine schon realisierte Eschatologie und eine gewissermaßen schon verwirklichte Herrschaft, die aber auch noch weitergehend verwirklicht wird. Aber für die Jünger, die so seiner Herrschaft zugehören, hat der Evangelist auch die eschatologische Rede in 24–25 zusammengestellt, die hauptsächlich die Mahnung beinhaltet: Haltet euch bereit, denn ihr wißt die Stunde nicht.

XI. Das Johannesevangelium[1]

Schon die auffallend schroffen Übergänge in 14,31 und 20,31 sind Zeichen dafür, daß unser heutiges Johannesevangelium eine Vorgeschichte hat, in der Teile umgeschrieben wurden, in der es mit Zusätzen versehen wurde und Redaktionen erfahren hat. Im folgenden werden wir nur einen einzigen Text davon behandeln, nämlich 3,1–21.[2] Er gehört zu den Teilen des Johannesevangeliums, mit denen die Forschung sich beschäftigt hat, wenn sie damit gearbeitet hat, Quellen des Evangeliums auszuscheiden und Phasen seiner Traditionsgeschichte zu rekonstruieren.[3] Es ist nämlich vorgeschlagen worden, daß in einer früheren Phase der Geschichte des Evangeliums dieses ein Christentum darstellen sollte, das nichts von Taufe, Abendmahl, Amtsstrukturen und dergleichen wußte – oder wissen wollte. In jener Phase habe unser Text nicht „aus Wasser und Geist geboren" (3,5) gesagt, sondern nur „aus Geist geboren" (*Wellhausen, Bultmann*[4]). In der Schlußphase habe ein Redaktor das Evangelium kirchlich akzeptabler gemacht, indem er „Wasser und" hinzugefügt habe.[5]

Wenn wir jetzt den Text erörtern, wie er uns vorliegt, beruht das nicht nur darauf, daß die Gründe für die Annahme nicht stichhaltig genug scheinen, „Wasser und" auf den Willen eines kirchlichen Redaktors zurückzuführen. Es müßte auch legitim sein, nach dem Sinn des Endergebnisses der Redaktion zu fragen. Solch eine Konzentration auf den vorfindlichen Text bedeutet aber nicht, daß man von der Situation absieht, in der das Evangelium geschrieben wurde. Daß sie dramatisch und voll von Spannungen war, bezeugen die Johannesbriefe. Dennoch müssen wir uns darüber im klaren sein, daß nur gewisse Indizien für die Richtigkeit präziser Vorschläge

---

[1] Ich lasse den ersten Johannesbrief unberücksichtigt. Die Taufe wird in ihm nicht erwähnt, aber es gibt darin Ausdrücke, die möglicherweise die Vorstellungen des Verfassers von der Taufe widerspiegeln. Ja, man hat auch für diesen Brief vorgeschlagen, daß er eine Taufpredigt ist, ferner daß er auf ein Taufritual zurückzuführen ist oder Echos von Taufermahnungen enthält (*Brown*, Epistles 242ff, 319ff etc.). Die unter dieser Rücksicht herangezogenen Stellen sind, besonders 5,7f (die drei Zeugen), 2,29 u. a., Stellen, die alle von einer Geburt von Gott her sprechen (vgl. Joh 3,3.5), ferner 2,12 (Vergebung der Sünden in seinem Namen), 2,20 (Salbung von dem Heiligen).

[2] Ich behandle also nicht 13,8ff (die Fußwaschung) und auch nicht 19,34 (Blut und Wasser). Die Gründe, sie als Tauftexte zu sehen, sind nicht zwingend, und wenn es auch der Fall wäre, so würde das kaum die Resultate verändern, die aus 3,1–21 gewonnen werden.

[3] S. *Becker*, Joh 32–38, 112–120.

[4] *Bultmann*, Joh.

[5] Eine nüchterne Diskussion der Traditionsgeschichte des Abschnittes findet sich bei *Becker*, Joh 129–147.

sprechen.[6] Hoffentlich können wir jedoch einige Züge des Hintergrundes aus den Texten heraushören.

3,1–21 hat erkennbar drei Teile, 3,1–3. 4–8. 9–21. Jeder Teil wird mit einer Aussage des Nikodemus eingeleitet und geht dann in eine Antwort Jesu über. Diese Antworten werden jedesmal etwas länger. In jeder taucht die feierliche Formel „wahrlich, wahrlich, ich sage dir" auf, die dem Gesagten Gewicht verleiht. Die drei Teile müssen als eine Einheit verstanden werden, und das Thema ist erst mit Beendigung des dritten Teils behandelt.

Im ersten Teil (3,1–3) eröffnet Nikodemus das Gespräch mit einem wertschätzenden Urteil über Jesus, den Wundertäter und Lehrer. Unerwartet fällt die Entgegnung aus, indem Jesus nämlich von etwas anderem spricht: man kann nicht „das Reich Gottes sehen", wenn man nicht „von oben – oder: von neuem – geboren wird". Dies bedeutet eine indirekte Kritik an der Haltung, die man aus den Worten des Nikodemus herauslesen kann, nämlich ein Glaube an Jesus, den Lehrer, dessen Autorität in seinen Wundern begründet wird. Solch ein Glaube kommt von unten, von der Erde und führt nicht in das Reich Gottes.[7] Dorthin einzugehen wird nur von oben, das heißt von Gott, gegeben (man vergleiche 1,13).

Die den ersten Teil abschließende Antwort Jesu steht noch immer als eine These da, und dazu kommt die Doppeldeutigkeit im Wort ἄνωθεν (das „von oben" oder „von neuem" bedeutet). Die neue Frage des Nikodemus, die den zweiten Teil eröffnet, geht von dem Sinn „von neuem" aus und ist ein vergröberndes Mißverständnis von der Art, wie sie oft in Joh vorkommt.[8] Das gibt zu einer Verdeutlichung in Vers 5 Anlaß: „wenn jemand nicht aus Wasser und Geist geboren wird, kann er nicht in das Reich Gottes kommen". Aufgrund der Frage des Nikodemus bedeutet jetzt „geboren werden" „aufs neue geboren werden", und eine neue Geburt durch Wasser kann nur für die Taufe stehen. Für sich genommen kann der Satz als ein Ausdruck eines massiven Sakramentenglaubens gesehen werden, der an die Haltung erinnern könnte, die in 1 Kor durchschimmert. Es ist nicht völlig auszuschließen, daß die Aussage die Existenz einer solchen Haltung in der Umgebung des Evangeliums andeutet.[9] Wenn dies der Fall ist, wendet sich der Evangelist in den folgenden Versen dagegen. Wie dem auch sei, es ist zu bemerken, daß er in der Antwort Jesu nicht die Wassertaufe weiterentwickelt, sondern den

---

[6] S. z. B. die Versuche bei *Brown*, The Community of the Beloved Disciple, und *Olsson*, History of the Johannine Movement.

[7] *Becker*, Joh 133.

[8] S. auch 2,19–22; 4,10f.31ff; 6,41f.51f; 7,33–36; 8,21f.31ff.51ff.56ff; 13,9ff; 14,4f.

[9] *Becker*, a.a.O. 225f. Vgl. *Schnelle*, Antidoketische Christologie 202.

Umstand, daß der Eintritt in das Reich Gottes vom Geist Gottes bewirkt ist.

Das Bild der Geburt steht hier, wie anderswo im Neuen Testament, dafür, daß Gott ein neues Leben gibt, eine neue Identität, die unter neuen Bedingungen existiert, die nicht auf „fleischlichen", das heißt nur-menschlichen und nur-innerweltlichen Voraussetzungen beruht. Hier ist also der dunkle Hintergrund des neuen Lebens weder eine heidnische Vergangenheit (wie bei Paulus u. a.) noch ein widerchristliches Judentum (wie teilweise in Apg), sondern die menschliche Natur in ihrer Schwäche, Begrenzung und Sterblichkeit. Solche Dinge prägen das Denken der Leute, die Jesus in der Nikodemus-Weise verehren. Das gilt auch dem, der vielleicht die Taufe in so hohem Ausmaß als eine äußere, in sich wirksame Handlung betrachtet, daß er vergißt, daß das göttliche Leben durch den Geist Gottes verliehen und gelebt wird. Doch verfügt man ebenso wenig über das göttliche Leben wie über den Wind. Auch kann der innerweltliche, „fleischlich" Gesinnte nicht verstehen, von wo der so von oben und von neuem Geborene sein Leben hat oder wohin sein Weg führt; er ist nämlich derselbe wie der Weg Jesu zum Vater (3,13; 16,28).

Auf die den dritten Teil eröffnende Frage des Nikodemus kann Jesus antworten, „wie" diese Geburt von oben geschehen kann, die in der Taufe von dem Geist des souveränen Gottes bewirkt wird. Die Antwort lautet: dadurch, daß der Menschensohn „erhöht" wird. Diese für das vierte Evangelium typische, doppeldeutige Redeweise steht sowohl für die Kreuzigung als auch für den Aufstieg zum Vater. Diese Erhöhung ist also die Voraussetzung dafür, daß das gottgegebene Leben den Glaubenden (3,15a) verliehen werden kann. 3,16–18 erklärt dann, warum der Sohn gesandt wurde und warum es Menschen möglich ist, in das Reich Gottes einzugehen, nämlich durch die Liebe Gottes. Gleichzeitig wird klar, daß der traditionelle Ausdruck „das Reich Gottes" für Johannes mit dem Ausdruck „ewiges Leben" gleichbedeutend ist.[10] Tatsächlich ist der Begriff „ewiges Leben" ein Zentralbegriff des Textes, wie tatsächlich für das Evangelium überhaupt. Er taucht hier in der ersten längeren Rede von der Hauptperson des Werkes auf. Gott gibt dem Glaubenden ewiges Leben: das bedeutet eine neue menschliche Existenz, die einen neuen Lebensgrund umfaßt, neue innerweltliche und außerweltliche Relationen und ein neues Lebensziel;

---

[10] Die drei Wendungen in 3,3.5 und 15 sind semantisch parallel:

wenn jemand nicht von oben   geboren wird, kann er nicht
wenn jemand nicht aus Wasser und Geist geboren wird, kann er nicht
jeder,   der   glaubt,   hat
das Reich Gottes sehen
ins Reich Gottes eingehen
das ewige Leben

dies alles wird von Gott her bestimmt, nicht vom Innerweltlichen. Sein Ausgangspunkt ist die Liebe Gottes zur Welt (3,16), die dazu führte, daß Gott den Sohn in die Welt sandte, um sie zu retten. An dieser Rettung haben Menschen Anteil, indem sie an den Sohn glauben (3,15f), denn wer an ihn glaubt, hat schon ewiges Leben und wird nicht vom göttlichen Gericht getroffen (3,18). Dagegen gehen die Nicht-Glaubenden zugrunde und werden gerichtet, ja, sie richten sich selbst durch ihre Stellungnahme zum Sohn (3,18–21).

Wenn wir in dieser Weise 3,1–21 als eine Einheit betrachten, wird ersichtlich, wieviel davon abhängt, daß Gott „gebiert" und daß der Geist Leben gibt. Dahin gehört, daß man an den Sohn glaubt, daß man sein Wort annimmt (das heißt, in der johanneischen Umgebung, das johanneische Jesusverständnis), in sich aufnimmt und danach lebt (5,24; 8,51). Zu diesem lebenspendenden Werk gehört auch die Taufe. Mit der starken Betonung der göttlichen Initiative („von oben") und der göttlichen Wirkung (der Geist) wird einerseits ein „sakramentaler" Aspekt hervorgehoben – hier wird wirklich Leben gegeben, und hier ist sicherlich Gott am Werk, andererseits bleibt die Taufe das „Sakrament" des Glaubens – der Glaubende hat ewiges Leben.

Mehrere von unseren „Urmotiven" kommen in diesem Text vor, aber mit typisch johanneischen Nuancen. Die Grundfrage stellt sich somit in einer *eschatologischen Perspektive*: sie gilt der Möglichkeit, Gottes Reich zu sehen, was den Sinn bekommt, ewiges Leben zu haben. Wenn auch futurische Eschatologie in unserem Text nicht fehlt,[11] ist von entscheidender Bedeutung die im Jetzt gegebene Gabe von göttlichem Leben, das der Tod nicht anfechten kann (11,25).

Dieses Leben wird dem *Glaubenden* gegeben. Der Glaube taucht erst im dritten Teil des Berichtes auf, der von der Frage des Nikodemus eingeleitet wird, wie „dies", also die Geburt vom *Geist*, geschehen kann. Die Voraussetzung des Glaubens ist aber die Erhöhung des Menschensohnes (die ihrerseits von der Sendung des Sohnes aus des Vaters Liebe zur Welt abhängig ist). Vom Gesichtswinkel des Menschen ist es also notwendig, daß der Mensch den Schritt des Glaubens tut, um das neue Leben zu bekommen. Andererseits ist, aus einer weiteren Perspektive gesehen, sowohl der Glaube als auch die durch ihn gegebene Lebensgabe das Werk des göttlichen Geistes (siehe auch 6,44: der Vater „zieht").

Die traditionelle Verknüpfung von Taufe und *Geist* findet sich also auch in

---

[11] Wir brauchen hier nicht auf die Frage einzugehen, inwieweit die johanneische Tradition in irgendeiner Phase sog. traditionelle Eschatologie beiseite geschoben hat (wie *Bultmann* es meinte), um sie erst in einer späteren Epoche aufzunehmen. S. *Becker*, a.a.O. 244ff.

Joh. Aber sie ist umgewandelt, so daß die Bedeutung des Geistes beim göttlichen Gebären durch die Taufe deutlich hervorgehoben wird. Gleichzeitig richtet sich das Interesse darauf, daß der Geist göttliches Leben vermittelt. Dieser Aspekt gehört mit dem an anderen Stellen Gesagten zusammen, gemäß dem der Geist wirkt und göttliches Leben gibt, wenn das Werk Jesu in der Kirche weitergeführt und angewandt wird.[12] In diesem Licht muß man auch den johanneischen Gebrauch der traditionellen Aussage, daß Jesus im Heiligen Geist taufen würde, sehen (1,33). Dagegen verrät Joh keine Kenntnis von ekstatischen Äußerungen der Geistgabe.[13]

Daß schließlich die Taufe in Joh auf *Christus* bezogen wird, ist uns schon klar geworden. Joh weiß Jesu Tod als einen Tod für die Sünden zu deuten (1,29; 11,50f), aber dieser Aspekt wird nicht mit der Taufe verbunden. Trotzdem ist die „Erhöhung" des Menschensohnes der irdische Ort, wo das göttliche Leben in die Welt tritt, das jetzt der Geist durch Glauben und Taufe vermittelt. Das durchgeführte Heilswerk des Sohnes, einschließlich seines Ganges zum Vater, ist überhaupt der Grund der göttlichen, belebenden Selbstmitteilung in der Zeit der Kirche (4,34; 5,36; 19,30). Denen, die durch die Wirkung des Geistes in dieses neue Leben eintreten, also zum Glauben kommen, um dann fortan an diesem Leben Anteil zu haben, ist die Taufe das sichtbare Zeichen und Mittel dieser von Gott aus Liebe gewirkten Geburt.

---

[12] 7,39; 14,17.26; 15,26f; 16,7–11. S. auch *Schnelle*, a.a.O. 205f. Auch die Diskussionen über den Parakleten und sein Verhältnis zum Geist werden hier außer acht gelassen. Der Exkurs in *Becker*, a.a.O. 470–475 gibt einen guten Überblick.
[13] S. z. B. *Kols*, Sakramente 71ff; *Schnackenburg*, Joh I 304.

XII. Der Markusschluß 16,9–20

Die Meinungen sind geteilt, ob der Evangelist, der hinter dem zweiten Evangelium steht, tatsächlich sein Buch mit den Worten in 16,8 beendet hat: „denn sie fürchteten sich", oder ob er zu dieser Notiz etwas hinzugefügt hat, das nun verlorengegangen ist, so daß das Evangelium nicht so abrupt geendet hat. Es besteht jedoch kein Zweifel darüber, daß 16,9–20 eine spätere Hinzufügung ist. In der Regel wird sie dem zweiten Jahrhundert zugeschrieben, weil Tatian und Irenäus dem Ende dieses Jahrhunderts zugehören und Kenntnis davon hatten. Aber in keiner der griechischen Bibelhandschriften tauchen sie vor dem 5. Jahrhundert auf.[1] Der Text ist auf der Grundlage der Auferstehungsberichte der anderen Evangelien und aus Episoden in der Apg zusammengestellt. Im Rahmen des Abschnitts bildet 16,15–18 einen vom Auferstandenen gegebenen Missionsbefehl:

> „Geht hinaus in die ganze Welt, und verkündet das Evangelium allen Geschöpfen! Wer zum Glauben gekommen ist und getauft wird, wird gerettet werden. Wer aber nicht glaubt, wird verdammt werden. Und diese Zeichen werden denen, die zum Glauben kommen, folgen: in meinem Namen werden sie Dämonen austreiben, sie werden in neuen Sprachen reden, sie werden mit ihren Händen Schlangen anfassen, und wenn sie tödliches Gift trinken, wird es ihnen nicht schaden; auf Kranke werden sie die Hände legen, und sie werden gesund werden."

Von unseren „Urmotiven" begegnet uns hier die *Verkündigung* des Evangeliums, die in *Glauben* oder Unglauben entgegengenommen wird. Es ist dem Verfasser selbstverständlich, daß Taufe und Glaube aufeinander bezogen sind.[2] Taufe und Glaube sehen dem kommenden Heil entgegen – die *eschatologische Perspektive* ist also gewahrt. Die Sündenvergebung wird nicht erwähnt, auch nicht die Gemeinde oder der Geist. Die mirakulösen Dinge, die nach Vers 17f damit zusammenhängen, daß Menschen zum Glauben gekommen (und getauft worden!) sind, sind solche, die in der Apg ausdrücklich als Folgen der Geistausgießung bezeichnet werden. Sie werden hier „Zeichen" genannt, das heißt Ereignisse, durch welche Gott bezeugt, daß die Verkündiger Gottes Werk ausführen.
Wir können diese Verse kaum so verstehen, als wären sie direkte Zeugnisse der Sichtweise eines Theologen in der Mitte des zweiten nachchristlichen Jahrhunderts. Sie wollen vielmehr etwas ausdrücken, was die ursprünglichen Texte schon sagen. Dagegen zeugen sie davon, was sich der Verfasser

---

[1] In codex W. S. ferner *Pesch*, Mk I 40–47; II 544–548; *Gnilka*, Mk II 356f.
[2] Die Stelle als Argument für die Kindertaufe zu gebrauchen ist aber zweifelhaft, vor allem aus dem einfachen Grund, weil der Text in einer Zeit verfaßt worden ist, in der allem Anschein nach die Kindertaufe in der Kirche ausgeübt wurde. S. das Material von Tertullian und Origenes in *Jeremias*, Nochmals. Die Anfänge der Kindertaufe.

als einen passenden Schluß des Markusevangeliums vorstellt, was ja vor allem dadurch gezeigt wird, was und wie er aus den etablierten Texten auswählt. So ist es für ihn natürlich, auf die Mission Gewicht zu legen – ohne sie wären weder er noch seine Umgebung Christen, und sie führt natürlich zu Glauben und Taufe. Es ist kaum zu viel gesagt, daß auch für ihn die Taufe das Sakrament des Glaubens ist.

Man kann sich fragen, als was die eschatologische Perspektive fungiert. Vielleicht ist die Rede von Gericht und Heil eine übernommene traditionelle Wendung, die zwar nicht ihres Inhalts entleert ist, aber auch nicht als eine treibende Kraft hinter der Evangeliumsverkündigung steht, und die Werbung der Neophyten für Glauben und Taufe auch nicht prägt. Daß die Mirakel, von denen im Anschluß an Apg berichtet wird, kaum zu dem gehörten, was der Verfasser und seine Mitchristen als normale Bezeugung des göttlichen Werkes unter ihnen betrachteten, ist jedenfalls sehr wahrscheinlich. Solch eine Vermutung wird auch dadurch gestützt, daß die Vertreter des Montanismus, der in der Mitte des zweiten Jahrhunderts hervortrat, die Kirche ihrer Zeit deswegen enttäuscht anklagten, weil sie die Gaben der ersten Zeit nicht besaß.

XIII. Am Ende des Weges

Wir haben jetzt die Tauftexte des Neuen Testaments betrachtet und werden noch einen Blick auf den zurückgelegten Weg werfen. Wir sind durch eine Landschaft gegangen, und der Eindruck nach der Fahrt mag etwas gemischt sein.

Einerseits stellen die Texte eine Vielfalt von Möglichkeiten, über die Taufe zu denken und zu reden, dar, eine Vielfalt, die gelegentlich sogar größer ist als einige neutestamentliche Verfasser es damals akzeptieren wollten. So haben wir ja nicht nur Unterschiede zwischen den „rechtgläubigen" Verfassern gesehen, z. B. zwischen Lukas und Paulus, sondern auch gewisse, wenn auch nicht immer so deutliche Spuren von anderen urchristlichen Richtungen wahrgenommen, wie von den Enthusiasten in Korinth oder den „Philosophen" in Kolossä.

Andererseits aber bekommt man auch den Eindruck von einer gewissen Einheit. Vielleicht entsteht dieser Eindruck dadurch, daß wir jedem Verfasser oder jeder Gruppe von Texten die Frage gestellt haben, inwieweit und wie die sogenannten Urmotive im Material vertreten sind. Ich hoffe, daß dies nicht zur Folge gehabt hat, daß den Texten ein fremdes oder ihnen nicht gerecht werdendes Schema aufgelegt worden ist, sondern daß die Frage sich eher als sinnvoll erwiesen hat. In dem Falle ist auch nicht der Eindruck einer gewissen Einheit trügerisch, sondern die „Urmotive" bilden eine Art Grundstruktur, auf die die verschiedenen Verfasser in persönlichem Kolorit ihre besonderen Sehweisen legen.

Von unseren „Urmotiven" spielt in unserem ganzen Material die Christusbeziehung der Taufe ganz klar eine entscheidende Rolle. Darum trägt auch dieses Buch den Titel „Auf den Namen des Herrn Jesus". Am Anfang fand ich Gründe für die Annahme, daß diese Formel zu der frühesten Geschichte der Urkirche gehörte. Im Zusammenhang versuchte ich auch zu zeigen, daß die Formel besagte, daß der Herr Jesus, seine Person und sein Werk, die grundlegende Referenz für die christianisierte Johannestaufe darstellten.

So ist die Formel „auf den Namen des Herrn Jesus" älter als die ältesten unserer Tauftexte. Sie scheint vorauszusetzen, daß in einer frühen Phase Jesus als eine himmlische, lebendige Autorität angesehen wurde, die dem Taufritus seinen Sinn verlieh. Der Kult von ihm, dem Gestorbenen und Auferstandenen, und die Überzeugung, daß er und sein Werk von direkter Relevanz für Menschen waren, waren ein Rahmen dieses Ritus.

Eine Formel „im Namen von Jesus dem Messias" müßte etwas verschiedene Nuancen bezüglich der Rolle Jesu haben. Wahrscheinlich sind auch hier sein Tod und seine Auferstehung ein Kernpunkt – die Überzeugung, daß er nicht mehr tot war, war ja entscheidend dafür, daß überhaupt die Entwicklung der Kultversammlung begann, in der die Taufe ausgeübt wurde. Aber die Formel „im Namen von Jesus dem Messias" soll einen Glauben andeuten, daß dieser Jesus die Erfüllung von Gottes Verheißungen eines Retters der Heilszeit war. In seinem Namen getauft zu werden bedeutete wohl dann, daß der Täufling den Schritt in die Schar derer nahm, die sich an diesen Gesandten Gottes hielten und der Rettung teilhaftig wurden, die er gebracht hatte, die aber auch einer Vollendung entgegensah.

Bei Paulus wird diese Christusbeziehung fast organisch dargestellt. Der Christ ist „in Christus", was auch bestimmte Folgen dafür hat, wie die Getauften das Leben leben sollen, das sie beim Eintritt in die Christusgemeinschaft empfangen haben. Sowohl Paulus als auch Theologen in seiner Umgebung haben die Taufe, mit unserer Terminologie ausgedrückt, als eine kultische Vergegenwärtigung des Heilswerkes Jesu betrachtet. Nach Röm 6 starb der Täufling in der Taufe „mit Christus", und „mit" ihm empfing er auch ein Leben, das jetzt „für Gott" gelebt werden soll und einem zukünftigen, definitiven Leben „mit" Christus entgegensieht.

Bei gewissen Paulusjüngern begegnen wir anderen Formen dieses Denkens. So meint der Verfasser des Kol, daß die Taufe den Sieg Jesu über allerlei kosmische Mächte vergegenwärtigt, so daß der Täufling dieses Sieges teilhaftig wird und keinen Respekt vor diesen überwundenen Potentaten haben muß. In Eph behauptet der Verfasser etwas ähnliches: die Christen leben in einem kosmischen Christuskraftfeld – er drückt es so aus, daß sie mit Christus im Himmel inthronisiert sind. Der Paulusjünger, der die Pastoralbriefe schrieb, ist in dieser Hinsicht vager, da der Blick nicht so scharf nur auf Christus gerichtet wird. Gewiß können wir auch in seinem Fall von einer Vergegenwärtigung des Heilswerks reden, aber er lenkt mehr den Gedanken darauf, daß *Gott* heilt, wenn auch durch die Heilstat Jesu.

Es überrascht nicht, daß der Verfasser des Hebr seine Gedanken über die Bedeutung der Taufe in sein Bild von Jesu Tod und Auferstehung als einen hohenpriesterlichen Opferdienst einfügt. In ihrer Taufe wurden Menschen der gesegneten Früchte dieses Opferdienstes teilhaftig.

Auch bei Lukas ist die Taufe auf Christus bezogen, aber in der Art und Weise, daß sie fest mit der Verkündigung des Heiles durch Christus verbunden wird. Sie wird zum rituellen Schnittpunkt zwischen dem Inhalt der Verkündigung und der Tatsache, daß Menschen diese aufnehmen.

In 1 Petr ist die in der Taufe gegebene Heilshoffnung von der Auferstehung Christi abhängig: er hat gelitten, wie die Adressaten jetzt leiden, und er ist vor ihnen zu der Herrlichkeit gekommen, der sich ihre Hoffnung entgegenstreckt.

Auch in Joh richtet sich der Blick auf den erhöhten und verherrlichten

Herrn, wenn von der Taufe die Rede ist, aber mit einem besonderen Akzent. Der Weg Jesu durch Leiden zur Herrlichkeit wird ja als Ganzes „Erhöhung" genannt; ja, daß der Menschensohn „erhöht" wird, wird gleichbedeutend damit, daß er ans Kreuz gehängt wird. Diese eigenartige Erhöhung ist die Voraussetzung dafür, daß Menschen eine neue menschliche Existenz in einer offenen Beziehung zu Gott empfangen können; der Evangelist drückt es so aus, daß sie aus Wasser und Geist geboren werden, so daß sie ins Reich Gottes eingehen können, was für den, der „Fleisch" ist, unmöglich ist. Aber hinter dieser „Erhöhung" steht wiederum die Tatsache, daß Gott die Welt so liebte, daß er seinen Sohn hingab.

Auch bei Mt ist die Taufe mit dem erhöhten Herrn verbunden. Aber hier ist er der Auferstandene, der alle Macht im Himmel und auf der Erde hat. Diese Machtposition ist der Grund dafür, daß die Völker zu seinen Jüngern gemacht werden sollen, wobei sie auch getauft werden. Jünger zu werden soll auch ein Leben nach dem, was Jesus gemäß Mt geboten hat, beinhalten. Auf diese Weise zeigt sich seine Macht. Aber die Taufe soll „auf den Namen des Vaters und des Sohnes und des Heiligen Geistes" gespendet werden. Wenn Mt diese Formel aus dem Taufritus seiner Kirche anführt, läßt er uns ahnen, daß dahinter eine Reflexion steckt, die an die erinnert, die in der langen Gedankenkette des Joh bezüglich der Neugeburt sichtbar wird (und in gewisser Weise vielleicht auch in den Past): die Grundlage der Taufe, die Christus und sein Werk bilden, ist in hohem Maße vom Vater abhängig, und sie wird durch die wirksame Anwesenheit Gottes auf der Erde durch den Geist vergegenwärtigt.

Noch eines unserer „Urmotive" spielt eine entscheidende Rolle, nämlich die eschatologische Perspektive. Als wir am Anfang dieser Arbeit den jüdischen Mutterboden der Taufe behandelten, wurden solche Texte angeführt, die Hoffnungen und Erwartungen vor der Heilszeit ausdrückten. Dies war auch der Rahmen für die Verkündigung und die Taufe Johannes des Täufers. Als die ersten Christen diese Taufe übernahmen und christianisierten, deuteten sie aller Wahrscheinlichkeit nach das Ostergeschehen gerade in eschatologischen Termini. Wie ihr Bild oder ihre Bilder vom Eschaton exakt aussahen, ist ungewiß, aber offensichtlich handelte es sich um die Überzeugung, daß Gott jetzt die Situation geschaffen hatte, in der Heil gewonnen werden konnte – was auch immer unter „Heil" verstanden wurde.

So steht in allen unseren Texten die Taufe in einer eschatologischen Perspektive, wenn diese auch von einem Verfasser zum anderen verschieden sein kann. Bei Paulus stand einerseits die Reinigung und die Rechtfertigung in der Taufe in Gegensatz zu Unreinheit und Ungerechtigkeit des Vergangenen, die die Briefempfänger hinderten, das Gottesreich zu erben; man muß ergänzen: aber jetzt konnten sie es (1 Kor 6). Andererseits verlieh der Eintritt in die Christusgemeinschaft, mit der Taufe als dem objektiven Kernpunkt des Vorganges, schon in der Gegenwart Anteil an einem göttlichen Leben, das gleichzeitig einer Vollendung entgegensah. In der Spannung zwischen diesem „Schon" und dem „Noch nicht" stand eine Ethik, die teils unter dem Vorzeichen „werde, was du bist" stand, teils in einer Gegenwart verwirklicht werden sollte, die einer Stunde der Prüfung vor dem Richterstuhl Christi entgegeneilte (2 Kor 5,10).

In der Umwelt des Paulus waren, nach Röm 6 zu urteilen, auch andere der Meinung, daß Gott in der Taufe Gaben verlieh, in denen die eschatologischen Erwartungen in größerem oder geringerem Ausmaß erfüllt wurden: sie bedeutete, daß man mit Christus dem alten Leben starb und zu einem neuen Leben himmlischen Ursprungs auferstand. Es scheint, daß es in Korinth Christen gegeben hat, die so weit gegangen sind, die vom Alten Testament und vom Judentum geerbte Zukunftsperspektive zu verlassen. Stattdessen waren sie der Ansicht, dieses Leben sei schon in seiner Fülle gewonnen. In Kol hat die Taufe auch einen eschatologischen Rahmen, aber mehr als bei Paulus wird betont, daß die Getauften das Leben mit Christus in der Gegenwart besitzen, indem sie an seinem Sieg über gewisse geistliche und kosmische Mächte Anteil haben. Diese sozusagen räumliche Eschatologie gehört jedoch mit einer Hoffnung auf eine kommende „Offenbarung" der Christen zusammen, wenn Christus „offenbart" werden soll. In Eph bekommt das bereits geltende Leben „mit" dem im Himmel inthronisierten Christus einen noch bedeutenderen Platz.

Sowohl in 1 Petr wie in Hebr wird die Taufe in einen Rahmen von eschatologischer Hoffnung – und Bedrohung – eingesetzt. Ferner ist, wie schon erwähnt, in Joh die Neugeburt aus Wasser eine Voraussetzung dafür, daß jemand ins Gottesreich eingehen kann oder, mit einem mehr johanneischen Ausdruck, „ewiges Leben" empfangen kann. Gemäß demselben Joh heißt ja ewiges Leben, Gott und seinen Gesandten zu kennen (17,3). Die Taufe steht also sicher in einem eschatologischen Kontext, aber in typisch johanneischer Form.

In der Apg gehören für Lukas wohl die Verkündigung von der notwendigen Umkehr und das Zeugnis vom auferstandenen Herrn zu den letzten Tagen, wie im programmatischen Joël-Zitat in 2,17 hervorgehoben wird. Aber diese Verkündigung geschieht kaum unter der Bedrohung der äußersten Krise, wenn auch der Auferstandene gerade die Gaben der Heilszeit – vor allem den Geist – denen gibt, die die Verkündigung entgegennehmen, zum Glauben kommen und getauft werden.

Schließlich erkannten wir in Mt einerseits eine gewissermaßen schon verwirklichte Eschatologie, indem das „Jünger"-werden eine Verwirklichung der kosmischen Gewalt des Messias, des Gottesgesandten der Heilszeit, bedeutete. Andererseits fand diese Jüngerwerbung im Hinblick auf „das Ende der Zeit" statt, und in der Welt des Evangelisten war dieses Ende nicht weit entfernt, so daß er seine Leser eindringlich ermahnte: „wachet" (Kap. 24–25).

Von unseren „Urmotiven" sind also die Christusbeziehung und der eschatologische Rahmen grundlegend, und die übrigen sind auf sie bezogen. Auf verschiedene Weisen tritt somit die Taufe als der entscheidende Punkt in dem Vorgang hervor, in dem Menschen von ihrem früheren Leben zum neuen übergehen, sei nun von einer Umkehr die Rede, von einem Verlassen der Macht der Sünde, vom Ablegen des alten Menschen oder von einem Jüngerwerden. Wenn uns in Mt der letztgenannte Ausdruck begegnet, nähert er sich dem Sinn, den der Glaube in anderen Texten bekommt. Er ist ein Glaube an den Christus, der dem Ritus seinen Sinn gibt, auch wenn die einzelnen Theologen – ein Lukas, ein Paulus, ein Verfasser des Kol, ein Johannes – vom Glauben in etwas verschiedener Weise reden.

Die Sündenvergebung ist auch auf die beiden Hauptmotive bezogen, indem sie einerseits in der traditionellen Vorstellungswelt eine Gabe der Heilszeit war, andererseits oft mit Christus und seinem Werk verbunden wird, zum Beispiel so, daß sein Tod „für die Sünde" oder „für" Menschen stattfand.

Die Gabe des Geistes wird schon im Erbe des Alten Testament und des Judentums mit der Heilszeit verknüpft. Fast in allen unseren Texten beziehen sich irgendwie Taufe und Geist aufeinander, wenn auch die Beweise dafür nicht allzu überzeugend sind, daß es eine fest etablierte und allgemein verbreitete Ansicht der Urkirche gewesen sei, mit dem Ritus als isoliertem Ereignis würde der Geistbesitz übertragen. Auf der anderen Seite stellen die Texte eine breite Variation von Möglichkeiten dar, den Geist zu verstehen: zum Beispiel ist er bei Lukas dadurch sichtbar, daß Menschen Charismen von extraordinärer Art bekommen, aber er wirkt auch und vor allem als eine göttliche Kraft in der Mission und beim Eintritt der Menschen in das gerettete Volk. Unter den Enthusiasten in Korinth hat man vor allem den Blick auf Zungenrede und Ekstase gerichtet. Paulus ist demgegenüber etwas reserviert, aber auch nach ihm hat der Eintritt in die Christusgemeinschaft, mit seinem rituellen Fokus in der Taufe, göttliche Gnadenwirkungen unter den Christen mit sich gebracht; aber dabei ist vor allem auch der Geist die die Kirche aufbauende Kraft und das Pfand der kommenden endgültigen eschatologischen Rettung.

Auf verschiedene Arten deuten also unsere Verfasser an, daß für sie die Taufe eine Begegnung zwischen Göttlichem und Menschlichem bedeutet. Etwas Irdisches und Handgreifliches vermittelt göttliche Wirkungen und Gaben. Riten so zu betrachten ist in der Welt der Religionen nichts Ungewöhnliches. In den einzelnen Texten haben wir darüber hinaus beobachten können, daß unsere Verfasser die Taufe als etwas Selbstverständliches ansehen, aber auch, daß man sich davor hüten soll, die Taufe und ihren Sinn von den Ereignissen, Stellungnahmen, Phänomenen, Erfahrungen usw. zu isolieren, die zusammen mit der Taufe Elemente in dem Übergang vom Alten zum Neuen ausmachten. Die Taufe stellte den rituellen Kernpunkt des Gesamtgeschehens dar. Dieses Verhältnis zwischen Taufe und anderen Elementen des erwähnten Vorgangs kann erklären, warum die Verfasser nicht immer eindeutig Vorgänge wie Umkehr, Sündenvergebung, Glauben, Rechtfertigung, Gabe des Geistes mit der Taufe verknüpften. Von diesem Ort der Taufe in einem Gesamtgeschehen abzusehen kann zu einer unrechtmäßigen Fokussierung der Taufe führen, aber auch paradoxerweise dazu, daß man ihre Bedeutung unterschätzt.

Die Unterschiede zwischen unseren Verfassern und die Vielfalt der Arten, in der sie Vorstellungen von der Taufe und ihrem Sinn verwerten, zeugen von einer fortschreitenden Reflexion, wie frühe christliche Theologen neuen Fragestellungen und Problemen begegnet sind. Die Bilder, die sich vor unseren Augen während dieser Wanderung durch die neutestamentlichen Tauftexte gezeichnet haben, legen davon Zeugnis ab, daß einerseits gewisse Elemente als grundlegend, ja, irgendwie vorgegeben erschienen sind, vor allem die Beziehung auf Christus, den Retter der Heilszeit. Andererseits wurden die Taufe und die Sicht der Taufe des betreffenden Verfassers in sein theologisches Denken integriert, beziehungsweise der jeweils aktuellen Debatte angepaßt. Dabei sind formelhafte Wendungen und etablierte Motive in die Darstellung eingeschmolzen worden, sowohl bei theologischen Größen wie Paulus und Johannes als auch bei ihren nicht so berühmten Kollegen und Nachfolgern.

Dieses Schlußkapitel steht unter der Überschrift „Am Ende des Weges" als ein Ausdruck dafür, daß wir jetzt die Texte des Neuen Testaments diskutiert haben, die wir uns am Anfang vorgenommen haben. Aber es wäre denkbar, die Überschrift als eine Frage zu formulieren. Unter einigen Gesichtspunkten gesehen, würde eine solche Frage bedeuten, daß wir eigentlich nicht am Ende des Weges sind. Ich denke dabei vor allem an einen historischen und einen kirchlich-hermeneutischen Gesichtspunkt.

Zuerst der historische Gesichtspunkt. Die Geschichte der im Neuen Testament zu erkennenden Kirche setzt sich lückenlos fort, und es gibt gute Gründe, dem Studium dieser vielfältigen Geschichte auch im zweiten Jahrhundert zu folgen. Denn die neutestamentlichen Texte stellen historisch gesehen kein scharf umgrenztes Gebiet in der Kirchengeschichte der ersten Generationen dar, und die ältesten Textzeugen der folgenden Geschichte gehören zu einer Zeit, in der noch neutestamentliche Texte entstanden, oder sie enthalten Traditionen, die in dieser Zeit ihre Wurzeln haben. Gewiß spielen bei christlichen Verfassern des zweiten Jahrhunderts die als „apostolisch" bezeichneten Schriften eine wichtige Rolle, aber kirchliches Leben und Denken entwickelten sich fortlaufend, auch bezüglich der Taufe, und Züge davon können aus vielen Texten des zweiten Jahrhunderts herausgelesen werden, z. B. bei den Apostolischen Vätern und bei Justin. In Bezug auf dieses Material sollten Fragen wie die folgenden von Interesse sein: Was geschieht mit dem Ritus und mit den übernommenen Vorstellungen? Was wird übernommen und wie? Wie werden Elemente aus dem Vergangenen kombiniert? Kommen neue Elemente hinzu? Verschwinden andere?

Den zweiten Gesichtspunkt, der motivieren könnte, die Überschrift dieses Kapitels als eine Frage zu formulieren, nenne ich kirchlich-hermeneutisch. Das Wort „hermeneutisch" möchte ich hier im Sinne allgemeiner Prinzipien des Deutens und Verstehens von sprachlichen Zeichen anwenden. Mit der Präzisierung „kirchlich" möchte ich daran erinnern, daß einer Verwertung der Tauftexte des Neuen Testaments in einem kirchlichen Zusammenhang nicht nur die allgemeinen Fragen nach den Bedingungen des Deutens und Verstehens von Texten entgegenstehen – dem ist sich auch der historisch arbeitende Bibelforscher in demselben Ausmaß wie andere sich mit Texten beschäftigende Wissenschaftler bewußt. Aber wer diese Texte mit Hinblick auf eine neuzeitliche kirchliche Anwendung deuten und verstehen will, muß auch Fragen nach den Kriterien gerade für diese Arbeit stellen. Schon die Variationen, die wir unter den neutestamentlichen Verfassern haben wahrnehmen können, fordern zum Nachdenken auf. Wer oder was soll in der Übertragung dominieren, falls überhaupt? Sowohl vom deutungstheoretischen als auch vom theologischen Gesichtspunkt her ist es kaum möglich, angesichts dieser Kriterienfrage sich vorzustellen, daß man dann nach einer historisch-exegetischen Untersuchung am Ziel ist. Diese Untersuchung geht nicht näher auf die erwähnten Probleme ein, aber es ist angebracht, hier an ihre Existenz und ihr Gewicht zu erinnern. Welche Kriterien können oder sollen beim Gebrauch der neutestamentlichen Tauftexte und der Resultate der historisch-kritischen Exegese gelten, und warum dann gerade diese und nicht andere?[1] Was bedeutet hier das kirchliche Erbe von Praxis, Textverstehen und Theologie? Wenn demnach Untersuchungen wie die obigen noch eine Rolle im kirchlichen Umgang mit der Bibel spielen werden, dann müssen die Folgerungen zu einer fortgesetzten Reflexion einladen.

---

[1] *Schenk*, Lima-Ökumene, ruft in Hinblick auf das Lima-Dokument eigentlich zu einer solchen Reflexion auf.

Bibliographie

Attridge, H. W., The Epistle to the Hebrews (Hermeneia) Philadelphia 1989.

Baltzer, K., Das Bundesformular (WMANT 4) Neukirchen-Vluyn 1960.

Bammel, E., The Baptist in Early Christian Traditions: NTS 18 (1971/72) 95–128.

Barrett, C. K., The Holy Spirit and the Gospel Tradition, London 1947.

–, A Commentary on the Epistle to the Romans (BNTC) London 1962.

–, The First Epistle to the Corinthians (BNTC) London ²1971.

Barth, G., Das Gesetzesverständnis des Evangelisten Matthäus, in: G. Bornkamm, G. Barth, H. J. Held, Überlieferung und Auslegung im Matthäusevangelium (WMANT 1) Neukirchen-Vluyn 1960, 54–154.

–, Zwei vernachlässigte Gesichtspunkte zum Verständnis der Taufe im Neuen Testament: ZThK 70 (1973) 137–161.

–, Die Taufe in frühchristlicher Zeit (Bibl.-Theol. Stud. 4) Neukirchen-Vluyn 1981.

Barth, K., Das christliche Leben (Fragment). Die Taufe als Begründung des christlichen Lebens (Kirchliche Dogmatik IV/4) Zürich 1967.

Barth, M., Die Taufe – ein Sakrament? Ein exegetischer Beitrag zum Gespräch über die kirchliche Taufe, Zürich 1951.

Beasley-Murray, G. R., Baptism in the New Testament, London 1962.

Becker, J., Das Heil Gottes (StUNT 3) Göttingen 1964.

–, Johannes der Täufer und Jesus von Nazareth (BSt 63) Neukirchen-Vluyn 1972.

–, Der Brief an die Galater, in: ders., H. Conzelmann, G. Friedrich, Die Briefe an die Galater, Epheser, Philipper, Kolosser, Thessalonicher und Philemon (NTD 8) Göttingen 1976, 1–85.

–, Auferstehung der Toten im Urchristentum (SBS 82) Stuttgart 1976.

–, Das Evangelium nach Johannes. (ÖTK 4) Gütersloh – Würzburg 1979–81.

Behm, J., νοέω, in: ThWNT IV, 947–976, 985–1016.

Beker, J. C., Paul the Apostle. The Triumph of God in Life and Thought, Edinburgh 1980.

Betz, H. D., Galatians. A Commentary on Paul's Letter to the Churches in Galatia (Hermeneia) Philadelphia 1979.

Bietenhard, H., ὄνομα usw., in: ThWNT V 242–283.

Billerbeck, P., s. Strack, H. L., Billerbeck, P.

Bornkamm, G., Die ntl. Lehre von der Taufe: ThBl 17 (1938) 42–52.

–, Taufe und neues Leben bei Paulus, in: ders., Das Ende des Gesetzes. Paulusstudien. Gesammelte Aufsätze I (BhEvTh 16) München 1952, 34–50.

–, Der Auferstandene und der Irdische. Mt 28,16–20, in: E. Dinkler (Hrsg.), Zeit und Geschichte (FS R. Bultmann) Tübingen 1964, 171–191.

–, Der Römerbrief als Testament, in: ders., Geschichte und Glaube II, in: Gesammelte Aufsätze IV (BhEvTh 53) München 1971, 120–139.

Brandt, A. J. H. W., Onoma en de Doopsformule in het Nieuwe Testament: ThT 25 (1891) 565–610.

Braumann, G., Vorpaulinische christliche Taufverkündigung bei Paulus (BWANT 5/2) Stuttgart 1962.

Braun, H., Entscheidende Motive in den Berichten über die Taufe Jesu von Markus bis Justin: ZThK 50 (1953) 39–43.

–, An die Hebräer (HNT 14) Tübingen 1984.

Brown, R. E., The Gospel according to John (AncB 29, 29 A) Garden City – New York 1966–1970.

–, The Community of the Beloved Disciple, New York – Ramsey – Toronto 1979.

–, The Epistles of John (AncB 30) Garden City – New York 1982.

Brox, N., Die Pastoralbriefe (RNT 7/2) Regensburg 1969.

–, Der erste Petrusbrief (EKK 21) Zürich – Einsiedeln – Köln – Neukirchen-Vluyn 1979.

Bultmann, R., Die Geschichte der synoptischen Tradition (FRLANT 29) Göttingen ²1931.

–, Bekenntnis- und Liedfragmente im ersten Petrusbrief, in: ders., Exegetica, Tübingen 1967, 285–297.

–, Theologie des Neuen Testaments, Tübingen ⁶1968.

–, Das Evangelium des Johannes (KEK II.15) Göttingen ¹⁵1968.

Büchsel, F., παλιγγενεσία, in: ThWNT I 685–688.

Campenhausen, H. Frhr. v., Taufen auf den Namen Jesu?: VigChr 25 (1971) 1–15.

Cavallin, H. C. C., Life After Death. Paul's Argument for the Resurrection of the Dead in I Cor 15. Part I: An Enquiry into the Jewish Background (CB. NT Ser. 7/1) Lund 1974.

–, Leben nach dem Tode im Spätjudentum und im frühen Christentum I. Spätjudentum, in: ANRW 2:19.1 (1979) 240–345.

Chevallier, M. A., L'Apologie du Baptême d'Eau à la Fin du Premier Siècle: Introduction Secondaire de l'Étiologie dans les Récits du Baptême de Jésus: NTS 32 (1986) 528–543.

Cohen, S. J. D., Crossing the Boundary and becoming a Jew: HThR 82 (1989) 13–33.

Conzelmann, H., Paulus und die Weisheit: NTS 12 (1965/66) 231–244.

–, Grundriß der Theologie des Neuen Testaments, München 1967.

–, Geschichte des Urchristentums (GNT 5) Göttingen 1971.

–, Der erste Brief an die Korinther (KEK 5) Göttingen ²1981.

Cranfield, C. E. B., A Critical and Exegetical Commentary on the Epistle to the Romans I–II (ICC) Edinburgh 1975–79.

Cullmann, O., Die Tauflehre des Neuen Testaments (AThANT 12) Zürich ²1958.

Cuming, G. J., ΕΠΟΤΙΣΘΗΜΕΝ (1 Corinthians 12.13): NTS 27 (1980/81) 283–285.

Cumont, F., Die Mysterien des Mithra. Ein Beitrag zur Religionsgeschichte der römischen Kaiserzeit, Leipzig ²1911.

Dalman, G., Die Worte Jesu I, Leipzig 1898.

Delling, G., Die Zueignung des Heils in der Taufe. Eine Untersuchung zum neutestamentlichen „Taufen auf den Namen", Berlin 1961.

–, Die Taufe im Neuen Testament, Berlin 1963.

Dibelius, M., An die Kolosser, Epheser, an Philemon (HNT 12) neu bearb. von H. Greeven, Tübingen 1953.

–, Der Brief des Jakobus (KEK 15) hrsg. u. erg. von H. Greeven, Göttingen 1964.

–, Die Pastoralbriefe (HNT 13) erg. v. H. Conzelmann, Tübingen 1966.

Dinkler, E., Taufe II, in: RGG VI ³1962, 627–637.

–, Die Taufterminologie in 2 Kor 1,21f, in: Neotestamentica et Patristica (NT.S 6, FS O. Cullmann) Zürich – Tübingen 1962, 173–191.

–, Römer 6,1–14 und das Verhältnis von Taufe und Rechtfertigung bei Paulus, in: L. De Lorenzi (Hrsg.), Battesimo e Giustizia in Rom 6 e 8 (Ser. Monogr. di „Benedictina". Sez. bibl.-ecum. 2) Rom 1974, 83–126.

Donfried, K., False Suppositions in the Study of Romans, in: K. Donfried (Hrsg.), The Romans Debate, Minneapolis 1977, 120–148.

Dunn, J. D. G., Baptism in the Holy Spirit (SBT 2:15) London 1970.

Dupont, J., Σὺν χριστῷ, Brügge – Löwen – Paris 1962.

Éliade, M., Traité d'Histoire des religions, Paris 1949.

–, The Myth of the Eternal Return, New York 1954.

–, Birth and Rebirth. The Religious Meanings of Initiation in Human Culture, London 1958.

–, The Sacred and the Prophane, New York 1959.

Fee, G. D., The First Epistle to the Corinthians (NIC) Grand Rapids 1987.

Fitzmyer, J. A., The Gospel according to Luke (AncB 28) Garden City – New York 1981–85.

–, κύριος, in: EWNT II 811–820.

Frid, B., Römer 6,4–5. Εἰς τὸν θάνατον und τῷ ὁμοιώματι τοῦ θανάτου als Schlüssel zu Duktus und Gedankengang in Röm 6,1–11: BZ 30 (1986) 188–203.

Fuchs, E., Die Frage nach dem historischen Jesus: ZThK 53 (1956) 210–229.

Furnisch, V. P., II Corinthians (AncB 32 A) Garden City – New York 1984.

Gäumann, N., Taufe und Ethik. Studien zu Römer 6 (BEvTh 47) München 1967.

Galling, G., Die Ausrufung des Namens als Rechtsakt in Israel: ThLZ 81 (1956) 65–70.

Gennep, A. van, Les rites de passage, Paris 1909.

Gerhardsson, B., The Parable of the Sower and its Interpretation: NTS 14 (1967/68) 165–193.

–, Gottes Sohn als Diener Gottes. Messias, Agape und Himmelsherrschaft nach dem Matthäusevangelium: StTh 27 (1973) 73–106.

Glasson, T. F., The Second Advent, London 1945.

Gnilka, J., Der Epheserbrief (HThK 10/2) Freiburg – Basel – Wien 1971.

–, Das Evangelium nach Markus I–II (EKK 2) Zürich – Einsiedeln – Köln – Neukirchen-Vluyn 1978–79.

–, Der Kolosserbrief (HThK 10/1) Freiburg – Basel – Wien 1980.

–, Das Matthäusevangelium I (HThK 1/1–2) Freiburg – Basel – Wien 1986–1988.

Goldammer, K., Die Formenwelt des Religiösen. Grundriß der systematischen Religionswissenschaft (KTA 264) Stuttgart 1960.

Goppelt, L., Theologie des Neuen Testaments, Göttingen 1976.

–, Der Erste Petrusbrief (KEK 12/1) Göttingen ⁸1978.

Graf, F., Eleusis und die orphische Dichtung Athens in vorhellenistischer Zeit (RVV 33) Berlin 1974.

Greenspahn, F. E., Why Prophecy Ceased: JBL 108 (1989) 37–49.

Grundmann, W., Das Evangelium nach Lukas (ThHK 3) Berlin ⁶1971.

–, Das Evangelium nach Matthäus (ThHK 1) Berlin ³1972.

Haenchen, E., Die Apostelgeschichte (KEK 3) 16. Aufl., Göttingen ⁷1977.

–, Der Weg Jesu. Eine Erklärung des Markus-Evangeliums und der kanonischen Parallelen, Berlin ²1968.

–, Das Johannesevangelium. Ein Kommentar aus den nachgelassenen Manuskripten, hrsg. von U. Busse, Tübingen 1980.

Hahn, F., Taufe und Rechtfertigung. Ein Beitrag zur paulinischen Theologie in ihrer Vor- und Nachgeschichte, in: J. Friedrich, W. Pöhlmann, P. Stuhlmacher (Hrsg.), Rechtfertigung (FS E. Käsemann) Tübingen – Göttingen 1976, 95–124.

Halter, H., Taufe und Ethos. Eine Untersuchung zu den paulinischen Gemeinde-briefen im Rahmen der moralphilosophischen Propriumsdiskussion (FThSt 106) Freiburg 1977.

Hartman, L., Prophecy Interpreted. The Formation of Some Jewish Apocalyptic Texts and of the Eschatological Discourse Mark 13 par (CB. NT 1) Lund 1966.

–, ‚Into the Name of Jesus‘. A Suggestion concerning the Earliest Meaning of the Phrase: NTS 20 (1973/74) 432–440.

–, Baptism „Into the Name of Jesus" and Early Christology. Some Tentative Considerations: StTh 28 (1974) 21–48.

–, Taufe, Geist und Sohnschaft. Traditionsgeschichtliche Erwägungen zu Mk 1,9–11 par, in: A. Fuchs (Hrsg.), Jesus in der Verkündigung der Kirche (StNT) Linz 1976, 89–109.

–, Asking for a Meaning. A Study of Enoch 1–5 (CB. NT 12) Lund 1979.

–, Bundesideologie in und hinter einigen paulinischen Texten, in: S. Pedersen (Hrsg.), Die Paulinische Literatur und Theologie (Teol. studier 7) Århus – Göttingen 1980, 103–118.

–, La formule baptismale dans les Actes des Apôtres: quelques observations relatives au style de Luc, in: A cause de l'Évangile (FS J. Dupont; LeDiv 123) Paris 1985, 727–738.

Hasler, V., Die Briefe an Timotheus und Titus (Pastoralbriefe) (ZBK 12) Zürich 1978.

Haufe, G., Taufe und Heiliger Geist im Urchristentum: ThLZ 101 (1976) 561–566.

Heitmüller, W., „Im Namen Jesu". Eine Sprach- und religionsgeschichtliche Unter-suchung zum Neuen Testament, speziell zur altchristlichen Taufe (FRLANT I:2) Göttingen 1903.

Hengel, M., Zur urchristlichen Geschichtsschreibung, Stuttgart 1979.

Hoffmann, P., Studien zur Theologie der Logienquelle (NTA 8) München 1972.

–, Die Toten in Christus. Eine religionsgeschichtliche und exegetische Untersu-chung zur paulinischen Eschatologie (NTA 2) Münster 1966.

Hollenbach, P., Social Aspects of John the Baptizer's Preaching Mission in the Context of Palestinian Judaism, in: ANRW II.19.1 (1979) 850–875.

Holtz, G., Die Pastoralbriefe (ThHK 13) Berlin ²1972.

Hughes, J. H., John the Baptist: The Forerunner of God Himself: NT 14 (1972) 191–218.

Hübner, H., Das Gesetz bei Paulus, Göttingen ²1980.

Jeremias, J., Die Kindertaufe in den ersten vier Jahrhunderten, Göttingen 1958.

–, Nochmals: Die Anfänge der Kindertaufe. Eine Replik auf Kurt Alands Schrift: „Die Säuglingstaufe im Neuen Testament und in der alten Kirche" (TEH 101) München 1962.

–, Die Briefe an Timotheus und Titus, in: ders., A. Strobel, Die Briefe an Timotheus und Titus. Der Brief an die Hebräer (NTD) Göttingen ²1981, 1–77.

Jervell, J., Der Brief nach Jerusalem. Über Veranlassung und Adresse des Römer-briefs: StTh 25 (1971) 61–73.

Karris, R. J., Romans 14:1–15:13 and the Occasion of Romans, in: K. Donfried (Hrsg.), The Romans Debate, Minneapolis 1977, 75–99.

–, The Occasion of Romans. A Response to Professor Donfried, in: K. Donfried (Hrsg.), The Romans Debate, Minneapolis 1977, 149–151.

Käsemann, E., Eine urchristliche Taufliturgie, in: Exegetische Versuche und Besin-nungen I, Göttingen 1960, 34–51.

–, Kritische Analyse von Phil 2,5–11: ZThK 43 (1950) 313–360. Auch in: Exegetische Versuche und Besinnungen I, Göttingen 1960, 51–95.

–, An die Römer (HNT 8a) Tübingen 1973.

Kasting, H., Die Anfänge der urchristlichen Mission (BEvTh 55) München 1969.

Kingsbury, J. D., The Composition and Christology of Matt. 28,16–20: JBL 93 (1974) 573–584.

Klos, H., Die Sakramente im Johannesevangelium. Vorkommen und Bedeutung von Taufe, Eucharistie und Buße im vierten Evangelium (SBS 46) Stuttgart 1970.

Köster, H., Einführung in das Neue Testament, Berlin – New York 1980.

Kraeling, C. H., John the Baptist, New York – London 1951.

Kretschmar, G., Die Geschichte des Taufgottesdienstes in der alten Kirche, in: K. F. Müller, W. Blankenberg (Hrsg.), Leiturgia 5: Der Taufgottesdienst, Kassel 1970, 1–348.

Kuhn, K. G., Rm 6,7: ZNW 30 (1931) 305–310.

Kuhn, K. G., Stegemann, H., Proselyten, in: Pauly-Wissowa Suppl. 9, 1248–1293.

Kuss, O., Der Römerbrief I–III, Regensburg 1957–78.

–, Zur vorpaulinischen Tauflehre im Neuen Testament, in: ders., Auslegung und Verkündigung I, Regensburg 1963, 98–120.

–, Zur Frage einer vorpaulinischen Todestaufe, in: ders., Auslegung und Verkündigung I, Regensburg 1963, 162–186.

Kvalbein, H., Den kristne dåps opprinnelse: TTK (1982) 171–184.

Kümmel, W. G., Die Theologie des Neuen Testaments nach seinen Hauptzeugen (GNT 39) Göttingen 1969.

Lagrange, M.-J., Evangile selon Saint Marc, Paris ⁴1929.

Lamarche, Ch., Le Dû, Epître aux Romains V–VIII. Structure littéraire et sens, Paris 1980.

Lampe, G. W. H., The Seal of the Spirit. A Study in the Doctrine of Baptism and Confirmation in the New Testament and the Fathers, London 1951.

Lang, F., πῦρ usw., in: ThWNT VI, 927–953.

–, Die Briefe an die Korinther (NTD 7) Göttingen, Zürich 1986.

Lange, J., Das Erscheinen des Auferstandenen im Evangelium nach Matthäus. Eine traditions- und redaktionsgeschichtliche Untersuchung zu Mt 28,16–20 (fzb 11) Würzburg 1973.

Larsson, E., Christus als Vorbild. Eine Untersuchung zu den paulinischen Tauf- und Eikontexten (ASNU 22) Lund – Kopenhagen 1962.

Leaney, A. R. C., A Commentary on the Gospel according to St. Luke (BNTC) London ²1966.

Leenhardt, F. J., Le baptême chrétien (CThAP 4) Neuchâtel – Paris 1944.

Leeuw, G. van der, Phänomenologie der Religion, Tübingen ²1956.

Leipoldt, J., Die urchristliche Taufe im Lichte der Religionsgeschichte, Leipzig 1928.

Lentzen-Deis, F., Die Taufe Jesu nach den Synoptikern (FTS 4) Frankfurt a. M. 1970.

Lindeskog, G., Johannes der Täufer. Einige Randbemerkungen zum heutigen Stand der Forschung: ASTI 12 (1983) 55–83.

Lohfink, G., Der Ursprung der christlichen Taufe: ThQ 156 (1976) 35–54.

Lohse, E., Taufe und Rechtfertigung bei Paulus, in: ders., Die Einheit des Neuen Testaments. Exegetische Studien zur Theologie des Neuen Testaments, Göttingen 1973, 228–244.

–, Die Briefe an die Kolosser und an Philemon (KEK 9,2) Göttingen ²1977.

Luz, U., Das Evangelium nach Matthäus I (EKK 1,1) Zürich – Einsiedeln – Köln – Neukirchen-Vluyn 1985.

Marxsen, W., Erwägungen zur neutestamentlichen Begründung der Taufe, in: Apophoreta (FS E. Haenchen, BZNW 30) Berlin 1964, 169–177.

Meeks, W. A., The First Urban Christians. The Social World of the Apostle Paul, New York – London 1983.

Merklein, H., Paulinische Theologie in der Rezeption des Kolosser- und Epheserbriefes, in: K. Kertelge (Hrsg.), Paulus in den neutestamentlichen Spätschriften. Zur Paulusrezeption im Neuen Testament (QD 89) Freiburg – Basel – Wien 1981, 25–69.

–, μετάνοια, in: EWNT II 1022–1031.

–, Gericht und Heil. Zur heilsamen Funktion des Gerichts bei Johannes dem Täufer, Jesus und Paulus: JBTh 5 (1990) 71–92.

Michel, O., Der Brief an die Römer (KEK 4) Göttingen ¹²1963.

–, Der Brief an die Hebräer (KEK 13) Göttingen ⁶1966.

Murphy-O'Connor, J., Baptized for the Dead (1 Cor XV, 29), a Corinthian Slogan?: RB 88 (1981) 532–543.

Mussner, F., Der Galaterbrief (HThK 9) Freiburg – Basel – Wien 1974.

–, Der Brief an die Epheser (ÖTK 10) Gütersloh, Würzburg 1982.

Nepper-Christensen, P., Die Taufe im Matthäusevangelium: NTS 31 (1985) 189–207.

Neugebauer, F., Die Davidssohnfrage (Mark xii. 35–37 parr.) und der Menschensohn: NTS 21 (1974/75) 81–90.

Nissilä, K., Das Hohepriestermotiv im Hebräerbrief. Eine exegetische Untersuchung (Schriften der finn. exeg. Gesellsch. 33) Helsinki 1979.

Oepke, A., βάπτω usw., ThWNT I 1933, 527–544.

Olsson, B., The History of the Johannine Movement, in: L. Hartman, B. Olsson (Hrsg.), Aspects on the Johannine Literature. Papers Presented at a Conference of Scandinavian New Testament Exegetes at Uppsala, June 16–19, 1986 (CB.NT 18) Uppsala 1987, 27–43.

Perlitt, L., Bundestheologie im Alten Testament (WMANT 36) Neukirchen-Vluyn 1969.

Perrin, N., Rediscovering the Teaching of Jesus, London 1967.

Pesch, R., Anfang des Evangeliums Jesu Christi. Eine Studie zum Prolog des Markusevangeliums (Mk 1,1–15), in: G. Bornkamm, K. Rahner (Hrsg.), Die Zeit Jesu (FS H. Schlier) Freiburg – Basel – Wien 1970, 108–144.

–, Das Markusevangelium I–II (HThK 2) Freiburg – Basel – Wien 1976–77.

–, Die Apostelgeschichte I–II (EKK 5) Zürich – Einsiedeln – Köln – Neukirchen-Vluyn 1986.

Plümacher, E., Lukas als hellenistischer Schriftsteller. Studien zur Apostelgeschichte (StUNT 9) Göttingen 1972.

Pokorný, P., Christologie et Baptême à l'Époque du Christianisme Primitif: NTS 27 (1980/81) 368–380.

–, Die Entstehung der Christologie. Voraussetzungen einer Theologie des Neuen Testaments, Stuttgart 1984.

–, Der Brief des Paulus an die Kolosser (ThHK X/1) Berlin 1987.

Quesnel, M., Baptisés dans l'Esprit. Baptême et Esprit Saint dans les Actes des Apôtres (LeDiv 120) Paris 1985.

Ratschow, C. H., Waschungen, RGG VI ³1962, 1549.

Reitzenstein, R., Die hellenistischen Mysterienreligionen nach den Grundgedanken und Wirkungen, Berlin ³1927.
–, Die Vorgeschichte der christlichen Taufe, Leipzig 1929.
Rissi, M., Die Taufe für die Toten (AThANT 42) Zürich 1962.
Robinson, J. A. T., Jesus and His Coming, London 1952.
Rogers, E. R., ΕΠΟΤΙΣΘΗΜΕΝ Again: NTS 29 (1983) 139–142.
Roloff, J., Die Apostelgeschichte (NTD 5) Göttingen 1981.
–, Der erste Brief an Timotheos (EKK 15) Zürich – Neukirchen-Vluyn 1988.
Rudolph, K., Antike Baptisten (SSAW Phil.-hist. Kl. 121/4) Berlin 1981.

Sabbe, M., Le Baptême de Jésus, in: I. de la Potterie (Hrsg.), De Jésus aux Évangiles (BEThL 25; FS J. Coppens) Gembloux – Paris 1967, 184–211.
Sampley, J. P., „And the Two Shall Become One Flesh": A Study of Traditions in Ephesians 5:21–33 (MSSNTS 16) Cambridge 1971.
Sanders, E. P., Literary Dependence in Colossians: JBL 85 (1966) 28–45.
–, Paul and Palestinian Judaism. A Comparison of Patterns of Religion, London 1977.
Schenk, W., Lima-Ökumene als Gegenaufklärung und Gegenreformation (Forum Theologiae Linguisticae 19) Bonn 1990.
Schenke, H.-M., Das Weiterwirken des Paulus und die Pflege seines Erbes durch die Paulus-Schule: NTS 21 (1974/75) 505–518.
Schille, G., Katechese und Taufliturgie: ZNW 51 (1960) 112–131.
–, Frühchristliche Hymnen, Berlin 1965.
Schlier, H., Der Brief an die Epheser. Ein Kommentar, Düsseldorf ⁴1963.
–, Der Römerbrief (HThK VI) Freiburg – Basel – Wien 1977.
Schnackenburg, R., Das Heilsgeschehen bei der Taufe nach dem Apostel Paulus. Eine Studie zur paulinischen Theologie (MThS) München 1950.
–, Das Johannesevangelium (HThK IV,1–4) Freiburg – Basel – Wien 1965–84.
–, Todes- und Lebensgemeinschaft mit Christus. Neue Studien zu Röm 6,1–11, in: ders., Schriften zum Neuen Testament, Münster 1971, 361–391.
–, Der Brief an die Epheser (EKK 10) Zürich – Einsiedeln – Köln – Neukirchen-Vluyn 1982.
Schneider, G., Das Evangelium nach Lukas (ÖTK 3) Gütersloh – Würzburg 1977.
–, μαρανα θα, in: EWNT II 947–948.
Schneider, J., Die Taufe im Neuen Testament, Stuttgart 1952.
–, Der historische Jesus und die urchristliche Taufe, in: H. Ristow, K. Matthiae (Hrsg.), Der historische Jesus und der kergymatische Christus, Berlin 1960, 530–542.
Schnelle, U., Gerechtigkeit und Christusgegenwart. Vorpaulinische und paulinische Tauftheologie (GTA 24) Göttingen 1983.
–, Antidoketische Christologie im Johannesevangelium. Eine Untersuchung zur Stellung des vierten Evangeliums in der johanneischen Schule (FRLANT 144) Göttingen 1987.
Schrage, W., Ist die Kirche das „Abbild seines Todes"? Zu Röm 6,5, in: D. Lührmann, G. Strecker (Hrsg.), Kirche (FS G. Bornkamm) Tübingen 1980, 205–220.
Schürer, E., The History of the Jewish People in the Age of Jesus Christ (175 B. C. – A. D. 135). A New English Version Revised and edited by G. Vermes, F. Miller, M. Black, I–III, Edinburgh 1973–1987.
Schürmann, H., Das Lukasevangelium I (HThK 3/1) Freiburg – Basel – Wien 1969.
Schweizer, E., πνεῦμα usw., D., E., F., in: ThWNT VI, 387–453.
–, Die „Mystik" des Sterbens und Auferstehens mit Christus bei Paulus, in: ders.,